La deuxième personne

Du même auteur

Et il y eut un matin
Éditions de l'Olivier, 2006
Points n° P1868

Les Arabes dansent aussi
Belfond, 2003

SAYED KASHUA

La deuxième personne

traduit de l'hébreu
par Jean-Luc Allouche

ÉDITIONS DE L'OLIVIER

L'édition originale de cet ouvrage
a paru chez Kéter en 2010,
sous le titre : *Gouf chéni ya'hid.*

ISBN 978.2.87929.782.8

À mes parents

CHAPITRE I

Couverture Barbie

À peine eut-il ouvert les yeux que l'avocat comprit que sa fatigue ne le lâcherait pas de toute la journée. Il ne savait plus s'il les avait entendus à la radio ou lus dans le journal, mais lui revenaient en mémoire les propos d'un spécialiste décrivant le sommeil comme une succession de phases et insistant sur l'importance du réveil en fin de phase. Parfois, expliquait le spécialiste, la fatigue n'était pas due au manque de sommeil mais à un réveil précoce. L'avocat ne connaissait pas la durée de ces cycles, ni leur début ni leur fin, mais il avait compris que, ce matin-là, comme presque chaque matin, il avait ouvert les yeux au beau milieu d'une phase. Avait-il jamais joui de cette sensation merveilleuse que ressent sans aucun doute l'individu se réveillant naturellement au moment opportun ? Pas à sa connaissance. Il imaginait ces phases du sommeil comme des vagues, surfait sur leur crête et, juste avant que l'écume ne s'écrase sur le rivage, tombait à l'eau avec un plat puis s'éveillait dans une panique inexplicable.

L'avocat n'avait jamais eu besoin d'un réveille-matin. Il se réveillait toujours à l'heure ou, plus exactement, avant l'heure. Certes, les jours où des audiences importantes commençaient tôt, il prenait soin de régler l'alarme de son téléphone portable, mais il se réveillait avant la sonnerie et avait le temps de la désactiver.

Les aiguilles marquaient presque six heures et demie ; les bruits matinaux de son épouse et de ses enfants parvenaient jusqu'à son lit. Pour être précis : jusqu'au lit de sa fille aînée. L'enfant avait déjà six ans et suivait le cours préparatoire. Or, depuis sa naissance, l'avocat avait pris l'habitude de dormir dans la chambre de l'enfant qui, bébé, se réveillait plusieurs fois pendant la nuit, obligeant son épouse à se lever pour l'allaiter, lui changer ses couches ou, quand elle pleurait, la calmer afin qu'elle se rendorme. À cette époque, il avait opté pour un matelas à même le sol, parce que sa fille n'avait pas de lit mais un berceau placé dans leur chambre à coucher.

Son épouse n'avait pas protesté. Elle savait qu'il avait besoin de longues heures de sommeil pour être en pleine forme. Car, contrairement à elle qui, grâce à une année de congé maternité, se trouvait entièrement disponible pour les tâches du ménage et les soins de l'enfant, lui était assujetti au labeur exigeant d'un avocat en début de carrière et en concurrence avec les jeunes avocats les plus prometteurs de Jérusalem.

Pendant deux ans, l'avocat avait donc dormi sur un matelas posé sur un tapis orné du dessin de Winnie l'ourson planant dans la nacelle d'un dirigeable, entre des murs d'azur avec des nuages blancs censés égayer l'humeur de la fillette, et entouré de ses jouets en peluche dont beaucoup étaient des cadeaux d'amis ou de parents, mais dont la plupart avaient été achetés par le couple. Pelotonnée contre sa mère, la fillette avait continué à dormir dans la chambre parentale. Plusieurs fois par semaine, leur fille ayant pris le pli de ne pas se réveiller, l'avocat rejoignait son épouse jusqu'au matin dans le lit conjugal acheté à la veille de leur nuit de noces. Il arrivait aussi qu'elle le retrouve sur son matelas, mais l'avocat préférait la première possibilité parce qu'il sentait à quel point tous les jouets qui l'encerclaient – nounours, chiots en peluche et candides poupées en robe de mariée – jetaient des regards effrayés et perplexes sur le rite étrange auquel lui-même et son épouse se livraient sous leur nez.

Lorsque l'enfant eut deux ans, le couple décida qu'elle était assez grande pour passer d'un berceau à un lit. Plutôt développée pour son âge, elle dépassait d'une tête le plus grand de ses camarades de classe. Mais, même après avoir acquis le lit en forme d'automobile rose et enfantine dont la couleur avait été harmonisée avec le bleu du ciel et les nuages qui mouchetaient les murs, et bien que le berceau eût été remisé dans un cagibi, l'avocat continuait à dormir dans la chambre de sa fille, tandis que cette dernière le remplaçait à côté de sa mère. La vie de l'avocat y gagna en confort car le lit de sa fille avait été équipé d'un matelas destiné à soutenir le dos. Cette couche était incommensurablement plus commode que le mince matelas qu'il utilisait jusque-là.

Une année auparavant, le couple avait eu un autre enfant. Quelques semaines après la naissance, la famille quitta son appartement de location pour la vaste maison à un étage qu'elle avait fait construire. À l'étage, on trouvait un large salon, une cuisine moderne entièrement équipée et deux chambres à coucher, l'une particulièrement grande avec une salle de bains contiguë – le couple se plaisait à la nommer la « suite parentale » –, et l'autre aménagée pour le nouveau-né, dont les murs azur étaient décorés de papier peint où figuraient des personnages du dessin animé

Shrek. En revanche, la chambre de leur fille se situait au rez-de-chaussée. Elle avait eu droit à une grande pièce peinte en blanc crème, avec un lit, un bureau, des étagères et une armoire imposante, tous assortis dans les tons blancs et pourpres. Au même niveau se trouvaient des toilettes, une salle d'eau, une resserre et un bureau à l'usage exclusif de l'avocat. Dans cette pièce trônait une table de travail ancienne en acajou qu'il avait reçue en cadeau d'un client, et les murs étaient tapissés de bibliothèques.

L'installation dans la nouvelle maison n'avait pas bouleversé les arrangements nocturnes du couple. Le bébé était encore trop jeune, affirmait la mère qui préférait garder le berceau près du lit conjugal, et toutes les tentatives du couple de convaincre leur fille de dormir désormais dans sa chambre s'étaient révélées vaines. La fillette refusait de coucher au rez-de-chaussée, trop isolé à ses yeux, et elle s'obstinait à dormir près de sa mère. Comprenant la peur de l'enfant, l'avocat et son épouse lui avaient proposé d'installer un matelas dans la chambre du petit frère. La fillette avait accepté mais, se réveillant presque chaque nuit en sursaut, affolée, elle courait aussitôt se réfugier dans le lit de ses parents. C'est ainsi que l'avocat se retrouva, une fois de plus, à passer la nuit dans la chambre de sa fille. Encore convient-il de signaler que ce n'était pas pour lui déplaire : le fait de disposer d'une chambre à lui offrait une compensation appréciable. Bref, il préférait dormir seul.

Comme chaque matin, des bruits familiers l'assaillirent. La voix criarde de son épouse pressant sa fille d'aller se laver le visage et se brosser les dents grinça à ses oreilles. Aussitôt suivirent ses pas rapides et nerveux qui ébranlèrent le plafond au-dessus de sa tête. Pourquoi martelait-elle ainsi le plancher ? La plante de ses pieds heurtait le sol avec force, voire de manière démonstrative. Boum, boum, boum. On aurait dit un défilé de soldats de l'Armée rouge. « Comment je pourrais savoir où sont tes élastiques à cheveux ? l'entendit-il crier. Et si tu apprenais enfin à prendre soin de tes affaires ? Tu n'es plus une enfant, tout de même ! Allez, dépêche-toi. Va t'habiller en bas et vérifie que tu as mis toutes tes affaires dans ton cartable. Tant pis si tu ne trouves pas tes élastiques ! Tu iras sans, aujourd'hui. Fonce. Je ne veux pas entendre un mot de plus. Je suis horriblement en retard. »

L'avocat entendit les pas furibonds de sa fille écraser les marches en bois, et sa femme se moucher puis cracher après s'être brossé les dents. Si seulement elle était consciente de l'effet produit par son raffut matinal, pensa l'avocat, elle ne se conduirait pas de cette façon. Sans doute croyait-elle, à tort, que la distance entre les deux niveaux suffisait à atténuer le tumulte de ses borborygmes. Si elle savait que chaque bruit résonnait au rez-de-chaussée, peut-être ferait-elle plus attention. Il l'entendit abaisser la lunette des toilettes au moment où sa fille poussait la porte de sa chambre. Le visage furibond, elle planta le regard sur son père, comme si elle espérait qu'il la console des reproches maternels.

L'avocat sourit à sa fille, repoussa la couverture de poupée Barbie, s'assit sur le lit et fit signe à sa fille d'approcher. La fillette n'attendait que ça. Elle se réfugia dans ses bras afin de savoir dans quel camp il se rangeait, ce matin-là. Le sourire et les bras grands ouverts de son père la rassurèrent : elle pouvait se plaindre de sa voix geignarde. Qui sait ? Peut-être allait-il critiquer sa mère ou, au moins, lâcher un mot ou deux un peu vifs à son encontre. « J'ai pas perdu mes élastiques, bougonna la fillette en se lovant contre la poitrine de son père. Je les ai posés hier sur le lavabo avant d'aller au lit. Pourquoi elle me crie dessus ? Dis-lui, papa, que je les ai pas perdus...

– Je suis sûr qu'on va les retrouver, tempéra l'avocat en lui caressant les cheveux. Tu vas voir.

– Jamais on va les trouver. En plus, ils sont vieux, et j'en ai besoin de neufs, et beaucoup, comme ça, si j'en perds un, j'en aurai encore plein. Tu veux bien ?

– D'accord. Maintenant, va vite t'habiller car il ne faut pas nous mettre en retard, n'est-ce pas ma mignonne ?

– Et puis, j'ai plus d'habits... »

En ouvrant son armoire, elle fit la moue. L'avocat sourit à sa fille et quitta la chambre. Il pensait monter à l'étage, entrer dans la chambre et saluer son épouse ou, mieux, aurait souhaité qu'elle descende le réveiller avec un bonjour. Mais rien de tel ne se produisit. L'avocat avait du mal à travestir ses sentiments. Certes, il avait souvent entendu, de la bouche de clients ou à la télé, que, pour avoir la paix au foyer, le mari devait ruser avec sa femme, l'amadouer sous des flots de compliments doucereux, sincères ou non, mais lui ne s'y résolvait pas. La quiétude, dans le sens où l'entendaient la plupart des maris, il en jouissait dans son foyer. L'avocat ne pouvait prétendre en aucune façon que son épouse le tourmentait ; au contraire, elle s'occupait de son intérieur et de ses enfants en maîtresse femme et elle ne s'était jamais plainte qu'il s'attarde au bureau ou qu'il n'aide pas au ménage. En y songeant, tandis qu'il touillait son café dans la cuisine, l'avocat prit conscience que son épouse n'avait jamais exprimé la moindre récrimination à son égard.

Il aurait pu, à tout moment, entrer dans la chambre à coucher, ou elle, se rendre, une seconde, dans la cuisine et le croiser. Il l'entendit parler au bébé pendant qu'elle l'habillait. Mais l'avocat préféra renoncer à la croiser, tout comme elle y renonça aussi, et il choisit de redescendre, la tasse de café à la main. Il aperçut sa fille en train de se préparer dans sa chambre, entra dans son bureau et ferma la porte derrière lui. Son bureau était aussi son fumoir, en vertu d'une règle que l'avocat lui-même avait instituée depuis qu'ils avaient emménagé dans la nouvelle maison : il ne fumerait nulle part ailleurs que dans son bureau. Et, si un invité désirait fumer, il était prié de sortir dans le jardin ou de descendre au bureau. L'épouse de l'avocat ne fumait pas.

École

L'avocat s'assura que sa fille avait bouclé sa ceinture à l'arrière de sa Mercedes noire, tandis que son épouse attachait le bébé dans sa Golf bleue. Hormis le jeudi, c'était sa femme qui conduisait leur fille à l'école et le bébé chez sa nourrice dont la maison n'était qu'à deux minutes de chez eux. Mais, le jeudi, elle craignait d'être en retard à sa réunion de travail qui commençait à huit heures tapantes ; l'avocat, lui, n'était pas pressé d'arriver à son cabinet, c'est pourquoi ils s'étaient partagé cette tâche.

L'épouse de l'avocat appuya sur la commande à distance, accrochée à son porte-clés, et déclencha l'ouverture du portail électrique. Elle s'approcha du véhicule de son époux et lui lança un au revoir. « Bye », ajouta-t-elle, avant de monter dans sa voiture et de quitter, la première, l'auvent du parking. Elle se retourna, jeta un regard à son époux et lui fit un nouveau signe de la main, avec un sourire de gratitude. L'avocat opina de la tête et s'engouffra dans son véhicule. Il épaulait son épouse dans ses activités. Certes, à part ce coup de main du jeudi, il se consacrait peu à la surveillance des enfants ou à la bonne marche du foyer, mais même des choses infimes comme déposer leur fille à l'école ou, parfois, revenir tôt du bureau quand son épouse devait participer à quelque séminaire ou à une soirée professionnelle passaient, à leurs yeux, pour un gros sacrifice. On ne pouvait pas comparer la contribution matérielle au foyer de sa femme, avec son salaire d'assistante sociale, et les revenus de l'avocat. Ce dernier se gardait de le suggérer à son épouse, mais, un jour, son comptable et ami lui avait démontré que, si sa femme cessait de travailler, le revenu du ménage augmenterait. En effet, selon le code des impôts du pays, le fait d'être l'unique source de revenu familial le ferait bénéficier d'un abattement fiscal supérieur au salaire annuel de son épouse.

En y réfléchissant tout en conduisant sa fille à l'école, il se rendit compte qu'il ignorait la nature exacte du travail de sa femme. Certes, il savait qu'elle avait décroché une licence en travail social ; que, lors de leur première rencontre, elle travaillait dans un bureau d'aide sociale dans le quartier de Wadi Jouz, à Jérusalem-Est, et qu'elle préparait une maîtrise. Elle avait même obtenu une deuxième maîtrise ayant trait au domaine social. Il avait le sentiment de l'avoir encouragée à étudier, toujours soutenue, mais il n'avait qu'une vague idée de ce qu'elle faisait dans ce bureau du sud de la ville où elle occupait un emploi à mi-temps et de qui étaient ses patients dans ce dispensaire de psychothérapie où elle assurait un deuxième temps partiel. Soudain, avant d'allumer la radio pour écouter les nouvelles de sept heures et demie, l'avocat eut envie de voir à quoi ressemblait cette réunion de travail à laquelle elle craignait tant d'arriver en retard le jeudi.

Après avoir chaussé ses lunettes de soleil, il serpenta à faible allure dans les rues encombrées de son quartier. De temps à autre, le carrefour du centre était embouteillé ; c'est là que, le matin, s'agglutinaient des centaines d'ouvriers dans l'attente des employeurs qui viendraient les embaucher. Les jeunes de constitution robuste étaient recrutés les premiers, et ne restaient, à cette heure, que les ouvriers les plus âgés ou plus frêles. Les entrepreneurs en retard devraient se contenter de ceux-là. Vers huit heures, au moment où, en général, l'avocat franchissait ce carrefour, ils étaient peu nombreux. Chaque matin, ce spectacle le troublait. Que pensaient de lui ces gens du cru ? Que pensaient-ils des Arabes citoyens d'Israël comme lui ? Oui, ceux-là, avec leurs voitures luxueuses et leur mode de vie ostentatoire. Comme lui, ils n'étaient pas natifs de la ville mais étaient arrivés ici pour étudier à l'université, puis ils s'y étaient installés pour des raisons économiques. En général, les Arabes israéliens exerçant des professions libérales avaient préféré demeurer à Jérusalem et renoncé à retourner dans leurs villages de Galilée ou du Triangle*. Pour la plupart, ils étaient avocats, comme lui, comptables ou médecins. Quelques-uns étaient universitaires. Seuls ces nouveaux-venus pouvaient se permettre de loger dans cette ville où le coût de la vie, même dans les quartiers arabes, était beaucoup plus élevé que dans n'importe quelle localité de Galilée ou du Triangle.

Ces avocats, comptables, conseillers fiscaux et autres médecins servaient d'intermédiaires entre la population locale et les

* Région à l'est de la plaine de Sharon, au centre d'Israël, où sont concentrés des villes et des villages arabes proches de la « ligne verte », dont Kafr Qara, Baqa-Jatt, Qalansouwa, Taybeh, Kafr Kassem, Tira, Jaljoulya, etc. (*Toutes les notes sont du traducteur.*)

autorités israéliennes ; quelques milliers d'individus au cœur de Jérusalem, distincts des Arabes autochtones tout en vivant parmi eux. Ils seraient toujours tenus pour des étrangers un peu suspects et, cependant, indispensables à maints égards. Car, sans eux, qui aurait représenté les habitants de Jérusalem-Est et des villages environnants devant les tribunaux, le fisc, les compagnies d'assurances ou les hôpitaux où l'on ne parlait qu'hébreu ? Non qu'il manquât de médecins, d'hommes de loi ou d'économistes parmi les habitants de Jérusalem-Est, mais qu'y pouvait-on si, dans la plupart des cas, les autorités israéliennes ne reconnaissaient pas leurs diplômes ? Des études universitaires en Cisjordanie ou dans le monde arabe ne suffisaient pas ; il fallait décrocher des habilitations officielles requérant toute une panoplie de validations et d'examens en hébreu. Certains, à Jérusalem-Est, s'efforçaient d'accomplir l'épuisant marathon israélien de certification, mais tout avocat savait que la majorité des habitants préféraient être représentés par un détenteur de la citoyenneté israélienne. Lui-même – c'est du moins ainsi que l'avocat expliquait leur choix – connaissait mieux l'état d'esprit du Juif et sa manière de penser. Il ne serait certainement pas parvenu à sa position sans ses relations, avouables ou non. De toute façon, les Arabes citoyens d'Israël n'étaient pas loin de passer pour des demi-Juifs aux yeux des autochtones…

L'avocat gara son imposante berline sur le parking de l'école judéo-arabe que des Arabes comme lui, en fait ses propres amis, avaient contribué à créer, peu désireux que leurs enfants étudient dans des écoles de Jérusalem-Est, à la réputation douteuse en raison des conditions matérielles et pédagogiques qui y régnaient. Les nouveaux venus arabes dans la ville, parmi lesquels l'avocat, souhaitaient que leurs enfants bénéficient du système scolaire dont ils avaient profité : en un mot, dans une structure rattachée au ministère de l'Éducation israélien, avec un baccalauréat reconnu par les universités d'Israël et de l'étranger, contrairement aux établissements de Jérusalem-Est où avait cours, jusqu'à il y a peu, le système jordanien et où, depuis la création de l'Autorité palestinienne dans les territoires, le ministère palestinien de l'Éducation avait imposé son modèle. Sauf que même eux, détenteurs d'une prétendue influence, savaient qu'ils ne pourraient créer une école pour leurs enfants sans inventer une formule originale. Elle fut trouvée par un maître de conférences en pédagogie débarqué de Galilée qui conçut l'idée d'une éducation mixte bilingue et fonda une association intitulée « Juifs et Arabes étudient ensemble à Jérusalem » qui recueillit les dons de philanthropes européens et américains trop heureux d'investir dans les progrès de la paix au Proche-Orient.

En collaboration avec l'association des parents d'élèves, la direction de l'école avait fait tout son possible pour que seuls les enfants de ces nouveaux venus étudient au sein de leur établissement aux côtés d'élèves juifs, mais ils n'avaient pas réussi à en barrer totalement l'accès aux Arabes autochtones. Les autorités scolaires avaient bien avancé des motivations patriotiques de ce genre : l'éducation mixte était destinée aux Arabes citoyens d'Israël et non aux habitants de Jérusalem considérés, eux, comme partie intégrante de la Cisjordanie occupée. Ils avaient même allégué que cela blessait leur nationalisme, car Jérusalem-Est devait se libérer du joug de l'occupation israélienne et devenir la capitale de la Palestine. Or une telle intégration des enfants des locaux dans une éducation mixte heurtait de front leur idéologie qui voulait qu'Israël évacue la Cisjordanie et Gaza... Sauf qu'ils ne pouvaient décemment arguer de ces revendications devant la municipalité et encore moins devant le ministère israélien de l'Éducation, lesquels s'obstinent à considérer Jérusalem comme la « capitale du peuple juif », « unifiée pour l'éternité »... Pour tout dire, de telles exigences devant les autorités israéliennes auraient conduit à la fermeture de l'école aux motifs de subversion et de trahison. C'est pourquoi, et étant donné que le nombre réduit d'enfants de nouveaux venus ne suffisait pas à remplir le quota des élèves arabes dans les classes mixtes (trente élèves par classe, pour moitié arabes, pour moitié juifs), le ministère de l'Éducation et la municipalité avaient obligé l'école à accepter des enfants autochtones.

La facilité avec laquelle on pouvait distinguer les voitures des Juifs de celles des Arabes fit sourire l'avocat. Il quitta le parking, tenant sa fille par la main, et se dirigea vers le portail de l'école. Les voitures des Juifs, plus modestes, plus économes, étaient pour la plupart importées du Japon ou de Corée. La plus grosse partie des voitures des Arabes étaient allemandes, onéreuses, un peu plus voyantes, avec des moteurs puissants, et comprenaient un nombre impressionnant de quatre-quatre. Non que les parents des élèves juifs gagnassent moins que les parents des élèves arabes, l'avocat aurait pu jurer du contraire. Mais, à l'inverse des parents arabes, il n'existait pas de rivalité entre les Juifs ; aucun d'eux ne ressentait le besoin de prouver sa réussite à quiconque, sûrement pas en gonflant, chaque année, la puissance de sa cylindrée. Les Juifs travaillaient dans tous les domaines, d'après ce qu'il savait des parents des camarades de sa fille. Certains étaient dans le high-tech, il y avait un nombre important de fonctionnaires occupant de hauts postes aux ministères des Affaires étrangères, du Trésor ou de la Justice, quelques professeurs d'université et deux artistes. Un éventail relativement large de métiers en comparaison des parents arabes, dont au moins l'un des deux, le plus souvent le mari, se consacrait au droit, à la comptabilité ou à la médecine. La majorité des mères arabes étaient institutrices – certes classées à l'échelon le plus haut, car les chances d'avancement des Arabes israéliens dans le système scolaire de Jérusalem étaient meilleures que celles des autochtones, mais enfin, ce n'étaient que de simples institutrices.

L'avocat aurait préféré à sa Mercedes une voiture moins gourmande et bien moins chère, une Mazda de catégorie supérieure par exemple, mais il savait pertinemment qu'il ne pouvait pas se le permettre. Même pendant la période assez difficile qui avait suivi l'achat de la maison, il avait compris que, s'il ne changeait pas son véhicule pour une voiture plus perfectionnée que celle de son concurrent, cette dérobade lancerait un signal négatif sur sa santé financière. Il devait tout faire pour demeurer, aux yeux de sa clientèle, l'avocat arabe pénaliste numéro un de la ville. Or une Mercedes noire luxueuse faisait partie de la panoplie de la réussite. Son concurrent ayant acquis une nouvelle BMW de 5 litres de cylindrée, il se crut obligé de prendre une Mercedes de 7 litres. Et si son concurrent bénéficiait de capteurs de marche arrière, lui se voyait contraint d'ajouter des écrans DVD encastrés dans les dossiers des sièges avant. L'avocat n'avait aucun mal à régler les traites de sa voiture mais, s'il avait renoncé à la Mercedes, il aurait pu sans aucun doute se sentir un peu moins stressé et se montrer un peu plus sélectif dans le choix des affaires qu'il acceptait. Ce qui n'était cependant pas envisageable.

King George

Cinq ans auparavant, l'avocat avait transféré son cabinet de la rue Salah Eddine, l'artère principale de Jérusalem-Est, à la rue King George, dans le centre de Jérusalem-Ouest. Hormis quelques rares clients juifs, tous ses clients résidaient à Jérusalem-Est et en Cisjordanie, et il eût été plus logique de garder son cabinet en ville arabe. Mais l'avocat avait eu le sentiment que sa clientèle de Jérusalem-Est accorderait davantage de prestige à un avocat installé dans un quartier juif. Malgré les mises en garde de ses collègues, il avait décidé de se fier à son intuition et s'était vite rendu compte du bien-fondé de sa décision. Au bout de quelques mois, le transfert rue King George, dont le loyer était trois fois supérieur à celui de la rue Salah Eddine, avait déjà produit ses effets et se révélait une initiative économique juteuse. En une année, il avait doublé le nombre de ses clients et le montant de ses revenus.

Peu de temps après son déménagement dans la partie occidentale de la ville, l'avocat comprit qu'outre sa secrétaire et le stagiaire de service, il devait engager un autre avocat à plein temps pour l'aider. Il proposa cet emploi à Tareq qui venait d'achever sa spécialisation dans son cabinet. L'avocat aimait bien ce Tareq, qui lui rappelait ses propres débuts, et savait qu'il pouvait lui faire confiance. Il réussit à convaincre Tareq de rester à Jérusalem et de ne pas retourner chez lui, comme il l'avait prévu.

« Quel intérêt as-tu à retourner chez toi ? Juste pour que ton père soit fier de la plaque accrochée à la porte de ton cabinet ? avait-il dit à Tareq. Veux-tu avoir à t'occuper de minables voleurs de voitures dans ton village ou préfères-tu rester ici et traiter des affaires sérieuses ? » Afin de montrer à Tareq, qui n'avait que vingt-trois ans et venait de passer brillamment les examens du barreau, ce qu'était une affaire sérieuse, l'avocat l'envoya présenter sa première requête devant la Cour suprême de justice de Jérusalem. De retour du tribunal avec un sentiment de victoire et son premier référé, Tareq accepta la proposition de l'avocat et s'installa au cabinet contre un salaire mensuel et dix pour cent des honoraires sur les dossiers dont il aurait la charge.

Depuis la création de son cabinet, huit ans auparavant, l'avocat employait Samah Mansour comme secrétaire. Au début, elle avait travaillé à mi-temps puis, au bout d'une année, était passée à plein temps. Âgée de trente ans, Samah avait achevé ses études de droit à Amman et cherchait un cabinet d'avocats où elle pourrait apprendre l'hébreu et se familiariser avec le système judiciaire israélien, dans l'espoir d'être un jour habilitée par le barreau israélien. Elle était venue à son entretien d'embauche en compagnie de son fiancé. L'avocat savait qu'il avait en face de lui la fille d'un notable qui, alors, était un haut dirigeant du Fatah dans la ville, et il décida de l'embaucher bien qu'elle ne sût pas un mot d'hébreu. L'avocat ne l'avoua jamais, mais le père de Samah représentait la raison principale de son embauche, même si, en ces premiers jours où il volait de ses propres ailes, il n'était pas sûr d'avoir les moyens de payer son modeste salaire. En tant que jeune avocat pénaliste, il avait cependant besoin de la caution de monsieur Mansour.

Le père de Samah, qui s'était présenté aux premières élections palestiniennes, avait été élu au Parlement et était proche des caciques du régime. Samah épousa son fiancé, un ingénieur urbaniste qui avait étudié au Koweït et qui, depuis son retour, réussissait comme entrepreneur de BTP ; le couple avait trois enfants. Désormais, elle maîtrisait l'hébreu à la perfection, gérait le cabinet avec efficacité, donnant l'impression qu'elle acceptait son sort et même en tirait une réelle satisfaction. Néanmoins, bien qu'elle eût échoué une douzaine de fois, elle s'obstinait à tenter sa chance, chaque année, aux examens du barreau israélien.

L'avocat engagea sa voiture dans le parking proche de son bureau et salua le vieux gardien qui, comme chaque matin, était occupé à préparer son thé fort avec des feuilles de menthe. Il se gara sur l'un des cinq emplacements qu'il avait loués : un pour lui, deux pour Samah et Tareq, dont les véhicules étaient déjà là, et les deux autres pour les clients importants.

Coiffé d'une calotte noire, le vieux gardien arrivait en se dandinant derrière le véhicule de l'avocat, un verre de thé à la main. « Ne vas-tu pas me faire l'honneur de boire un verre de thé avec moi ? » demanda le gardien à l'avocat qui sortait de sa voiture, le sourire aux lèvres. « Merci beaucoup, cher Ézéchiel, mais aujourd'hui je suis pressé », répondit-il en lui tendant son trousseau de clés, comme chaque jeudi, afin qu'il lave la voiture. « Tu es toujours pressé, dit le gardien, marmonnant en arabe avec un fort accent kurde et éclatant d'un rire qui s'éteignit en une faible toux. La hâte est l'œuvre de Satan, tu le sais bien ! »

« Bonjour Samah, dit l'avocat dans son téléphone portable tout en remontant la rue King George. Ils ne sont pas encore arrivés, n'est-ce pas ? » Il savait que les clients avec lesquels il avait rendez-vous avaient tendance à se montrer peu ponctuels et, de toute façon, il avait noté que les places réservées aux clients importants étaient vides. « Bien, dans ce cas, je suis au café en bas. Appelle-moi à leur arrivée. Merci. » Il ferma son portable, le glissa dans la poche intérieure de sa veste, resserra le nœud de sa cravate et continua à s'éloigner de l'immeuble de son cabinet en direction du café où il avait ses habitudes.

L'avocat aimait commencer sa journée par un café au lait chez Oved, sauf qu'il n'en avait pas toujours le temps. Le plus souvent, il se contentait du café de la machine du bureau. Lorsqu'ils étaient débordés, il demandait avec la plus exquise politesse à Samah de lui rendre service et d'aller chez Oved chercher des cafés pour tout le cabinet. Sauf le jeudi, qui était différent : une journée plus calme, presque paisible, en comparaison du rythme effréné coutumier. L'avocat prenait soin d'éviter les audiences ce jour-là et, en cas d'urgence, déléguait Tareq au tribunal. Il s'efforçait de ne pas prendre de rendez-vous pour se consacrer à la paperasse : formulaires, signatures, comptes, rédaction de conclusions, assignations, plaidoiries et requêtes.

« Bonjour, monsieur le défenseur de la veuve et de l'orphelin », l'accueillit Oved qui tenait en main un pot en cuivre dans lequel il faisait mousser le lait chaud s'écoulant du percolateur. « Bonjour », lui répondit l'avocat en examinant les clients déjà installés. Il ne connaissait certes pas chacun par son nom, ni ne pouvait dire avec certitude leurs métiers, mais la plupart étaient des habitués. Il fit un signe de tête amical à quelques-uns, qui lui rendirent son salut, puis s'assit sur l'un des trois sièges placés autour du bar minuscule derrière lequel se tenait Oved. « Tu t'assieds, aujourd'hui ! » s'exclama le patron. « Tu le crois, hein ? » lui répondit l'avocat en hochant légèrement la tête, étirant le front et haussant les sourcils.

Comme la plupart des habitués, l'avocat n'avait pas besoin de commander. Oved savait préparer son café préféré à chacun : il connaissait la quantité de lait chaud qu'ils souhaitaient, la force du café, l'épaisseur de la mousse, si jamais ils en désiraient, et la dose de sucre pour chacun d'eux. « Quelque chose à manger ? » demanda Oved tandis qu'il préparait le café. « Oui, s'il te plaît », répondit l'avocat qui ne voulait rien d'autre que son café à cette heure matinale mais qui avait conscience que les règles de politesse, et le fait qu'il occupait un siège, l'obligeaient à ne pas se montrer pingre et à ajouter le coût d'une viennoiserie au prix du café. « Un croissant au beurre, s'il te plaît. »

L'avocat aimait bien Oved et sentait que c'était réciproque. Le propriétaire de ce petit café, l'un des seuls dans le centre à ne pas appartenir aux franchisés qui avaient envahi la ville, fut sans doute le premier à souhaiter la bienvenue à l'avocat, la semaine où il s'était installé dans ce quartier cinq ans auparavant. Il était chaleureux et cordial, et il semblait à l'avocat que, d'une certaine façon, c'était justement parce que lui-même était arabe. Au début, l'avocat pensait qu'Oved était un Juif d'origine kurde, un Oriental à la mentalité typique de commerçant, à la langue doucereuse et aux arrière-pensées mercantiles, mais il découvrit bien vite qu'il s'était trompé. Les analyses politiques d'Oved coïncidaient avec l'opinion de l'avocat et, parfois, lorsqu'il analysait les titres des journaux, Oved parvenait à discerner du racisme là où l'avocat n'avait rien remarqué. Oved était le dernier des socialistes du centre-ville ou, comme aimait à le qualifier l'un des habitués, ancien rédacteur à la rubrique culture d'un journal local, « l'unique communiste kurde de Jérusalem ».

À cette heure-là, le café était plein à craquer. La plupart des clients, comme l'avocat, travaillaient dans le coin, et beaucoup emportaient leur café dans des gobelets en carton recouverts d'un couvercle en plastique vers les magasins d'habillement, les boutiques de chaussures, les salons de coiffure, les agences de tourisme, les compagnies d'assurances, les agences immobilières, les cabinets d'avocats et les pharmacies du voisinage. Oved était trop affairé pour entamer la conversation avec l'avocat, qui sirotait son café et dévisageait les gens. La journaliste étrangère était assise, cigarette à la main, face à son ordinateur portable qui scintillait sous ses yeux. Le professeur d'histoire de l'art, que l'avocat connaissait grâce à la télé, était attablé devant un livre ouvert. L'agent immobilier était plongé dans une discussion animée à propos de foot avec un client, tandis qu'un couple âgé prenait son petit-déjeuner sans échanger un mot. À quoi est-ce que je ressemble ? se demanda l'avocat en jetant un coup d'œil à la dérobée sur son allure reflétée par le métal brillant du percolateur. Baissant le regard, il vérifia furtivement son nœud de cravate et sa chemise.

« *Sahteïne*, mes compliments pour ta cravate, lui lança Oved qui, semble-t-il, avait surpris son examen. Elle est neuve, hein ? Très belle, monsieur le défenseur de la veuve et de l'orphelin, ajouta-t-il avec un sourire. C'est quoi, une Versace ?

– Oh, merci, répondit l'avocat, un peu confus. Je ne connais pas la marque », bien qu'il sût parfaitement que c'était une Ralph Lauren.

Autrefois, l'avocat était absolument certain d'avoir le faciès d'un Arabe. En fait, ce n'était pas si lointain. De ce point de vue, sa première année en fac avait été la plus difficile. Il avait dix-neuf ans à son arrivée à l'université de Jérusalem, tout droit sorti de son village du Triangle. Il n'avait jamais, à dire vrai, quitté la maison de ses parents. Presque chaque fois qu'il prenait le bus, il était interpellé pour vérification d'identité, ce qui se produisait aussi lorsqu'il quittait les dortoirs du mont Scopus pour descendre à pied dans la vieille ville ou qu'il en revenait.

Certes, il ne se passait rien d'exceptionnel lors de ces contrôles qu'effectuaient des policiers ou des soldats, mais c'était gênant, irritant et vexant. Contrairement à ce que racontaient alors d'autres étudiants qui, à les en croire, s'opposaient aux contrôles de sécurité, refusaient de donner leur carte d'identité, défiaient les policiers et les accusaient de discrimination et de racisme avant d'obtempérer, contrairement à eux, à supposer que leurs déclarations aient reflété la vérité et non des vantardises, l'avocat souriait en remettant ses papiers au policier ou au soldat. Il se montrait toujours poli et voulait que les policiers et les soldats sentent qu'il comprenait que cela faisait partie de leur tâche. L'avocat avait toujours su qu'il n'était pas un héros, il n'avait pas l'étoffe d'un contestataire, il était peu enclin à chercher querelle.

Plus sa situation économique s'améliorait, plus de tels contrôles se faisaient rares. Durant la deuxième année de son séjour à Jérusalem, il commença à travailler à la bibliothèque de la faculté de droit et, avec le peu d'argent qu'il gagnait, acheta le genre de vêtements que portaient les étudiants juifs. Ensuite, pendant son année de spécialisation en droit public, il gagna davantage, et les contrôles de sécurité se firent encore plus rares. C'est ainsi que les choses se poursuivirent après qu'il eut obtenu son habilitation, puis ouvert son premier cabinet ; au cours des cinq années écoulées depuis son installation rue King George, il n'avait jamais été interpellé. Ni par les policiers, ni par les vigiles des stations de bus, ni par les gardes-frontières qui patrouillaient sans relâche en centre-ville.

L'avocat était désormais conscient que cela n'avait rien à voir avec son apparence, ni son accent, ni sa moustache. Cela lui avait pris du temps, mais il savait désormais que les soldats, les gardes-frontières, les vigiles et les policiers, issus pour la plupart des couches inférieures de la société israélienne, n'arrêteraient jamais un individu portant des vêtements manifestement plus chers que ceux qu'eux-mêmes portaient.

Sushi

L'avocat n'avait aucune idée de l'heure lorsque son épouse appela. Plongé dans ses notes, il lisait des arrêts de justice, épluchait des jurisprudences, feuilletait des comptes rendus d'audiences et étudiait ses conclusions pour la défense d'un membre du Front populaire de libération de la Palestine, originaire de la ville de Salfit, accusé d'appartenir à une cellule qui, jadis, avait tiré sur des véhicules israéliens, le long d'une route de contournement, dans les territoires palestiniens. L'avocat avait rédigé avec méticulosité chaque détail de sa plaidoirie. En effet, au cours des débats, il ne transigeait jamais sur rien, bien qu'il sût, tout comme l'accusé et les membres de sa famille, que le prévenu serait condamné à plusieurs réclusions criminelles à perpétuité et ne serait libéré, au mieux, que dans le cadre d'un échange de prisonniers avec les Israéliens. Les affaires de ce genre, des causes en apparence perdues, représentaient à ses yeux, pour une raison mystérieuse, les affaires les plus stimulantes. En pratique, sa tâche consistait à faire l'impossible pour que la sentence du tribunal laisse une chance à l'accusé de se voir inclus dans un futur échange de prisonniers. Le fait de savoir s'il avait vu ses victimes, s'il n'avait fait que les blesser, si les balles de l'arme de son client avaient entraîné la mort des victimes ou si elles avaient peut-être été tirées par un autre membre de la cellule… toutes ces circonstances n'atténuaient pas la gravité du châtiment prévisible de son client, mais elles pouvaient accroître ses chances de libération quand les Israéliens examineraient, un jour, les noms des détenus et décideraient de les inclure ou non dans la liste d'échange, en fonction de la quantité de sang qu'ils avaient sur les mains.

Le téléphone portable de l'avocat, dont le numéro n'était connu que de sa famille et de ses amis proches, sonna. Sur l'écran apparut le mot « Maison ». Ce n'est qu'alors qu'il comprit qu'il était déjà dix-neuf heures.

« Tu es encore au bureau ? » lui demanda son épouse. Il s'était levé de son siège et avait commencé à ranger ses affaires, mais il préféra lui dire qu'il avait déjà quitté le bureau.

« Tu as fait un saut chez Sakura ? » L'avocat mentit, prétendit qu'il avait passé la commande, qu'ils l'avaient appelé pour lui dire qu'elle était prête, et qu'il était en route pour la récupérer. « Très bien », lui répondit-elle, et il pouvait l'imaginer, à en juger par les bruits de fond, ouvrir le four et le fermer. « Il nous manque du vin blanc. Samir va nous faire un scandale s'il n'y a pas de vin blanc, tu le connais. Tu as invité Tareq ? » ajouta-t-elle au moment précis où l'avocat sortait de son bureau pour se retrouver dans l'entrée où travaillait Samah, déjà partie depuis deux heures. « Une minute », dit-il à son épouse, en frappant à la porte de Tareq. Il ouvrit sans attendre la réponse. Tareq était assis à son bureau, l'avocat fit une grimace, sourit, tout en parlant à son épouse : « Je ne t'entends pas, qu'est-ce que tu dis ? Si j'ai demandé à Tareq de venir dîner ce soir à huit heures et demie ? » cria l'avocat en hochant la tête dans l'attente de la réponse de Tareq. Ce dernier opina, l'avocat lui fit un clin d'œil et rassura son épouse : « Bien sûr que je l'ai invité, il en est ravi. Bon, oui, je serai là dans pas plus d'une heure. À tout à l'heure. » Il ferma son portable et l'enfouit dans sa poche.

« Pardonne-moi, Tareq, mais crois-moi, j'ai moi-même oublié qu'on recevait ce soir. » Tareq éclata de rire. La distraction de l'avocat l'avait toujours amusé.

« Bien, dit Tareq en regardant sa montre. Je vais fermer le bureau dans quelques instants. Huit heures et demie ? J'ai encore le temps de prendre une douche. »

L'avocat et son épouse faisaient partie d'un groupe comptant trois autres couples d'amis qui avaient coutume de se retrouver à dîner le premier jeudi du mois, puis d'entamer une discussion dont le thème était arrêté d'avance et concernait un livre, un film, un problème de société ou de politique. Certes, ces débats commençaient toujours sur un ton sérieux mais, bien vite, le sujet était oublié pour laisser place aux potins. En général, les hommes parlaient d'immobilier ou d'argent : qui a acheté quoi, qui a emprunté et qui est plongé dans les dettes jusqu'au cou… Les femmes, elles, des institutrices de leurs enfants et d'histoires d'autres parents d'élèves.

Ce soir-là, c'était au tour de l'avocat et de son épouse de recevoir et, selon la règle tacite, l'hôte avait le droit d'inviter un couple d'amis ou deux, dignes, selon lui, de prendre part à leur groupe. L'avocat et son épouse avaient décidé – surtout sa femme, pour être précis – d'inviter Tareq. En fait, ils n'avaient pas songé à ce dernier en pensant qu'il désirait se joindre à ce genre de rencontre, mais pour le présenter à leurs amis, dans l'espoir que l'un d'eux, surtout l'une des femmes – comme Fatène, l'épouse d'Anton le comptable, qui enseignait dans un séminaire pédagogique suivi principalement par des filles de Galilée et du Triangle –, concocterait un mariage arrangé convenant à un célibataire de vingt-huit ans. En revanche, ils n'avaient jamais envisagé d'inviter Samah et son époux, bien que tous deux ne fussent pas moins instruits que les autres invités et bien que leur statut social fût peut-être supérieur à celui des autres. Le fait d'être des résidents de la ville orientale les éliminait car ces rencontres regroupaient des immigrés de l'intérieur et il y avait des choses – ainsi pensaient-ils – qu'ils ne pouvaient partager avec les autochtones, aussi riches et éclairés fussent-ils.

« Sakura », répéta l'avocat en dévalant l'escalier de son cabinet, et il dirigea ses pas vers la rue Ben-Yéhouda. Le soleil de septembre ne s'était pas encore couché sur Jérusalem. Une brise agréable avait incité les gens à sortir en ville, en ces jours de rentrée scolaire et de veille du jour de l'An et des fêtes juives. Les musiciens des rues se succédaient à intervalle régulier le long de la rue piétonnière. L'avocat fouilla dans sa poche pour en extraire la liste que lui avait remise son épouse. « Rouleaux de maki *inside-out* », le premier mets de la liste, fit sourire l'avocat, qui oublia pour un instant la foule autour de lui. Il savait que le « *inside-out* » était destiné à sa fille, et l'idée que son enfant de six ans sache exactement quel genre de sushis elle aimait l'amusa, surtout que lui-même n'avait entendu parler de sushis que lorsqu'il était étudiant en droit et y avait goûté il y avait à peine deux ans, pour son trentième anniversaire. Et voici qu'il était en route pour le restaurant japonais le plus cher de la ville. Son épouse avait décidé de servir des sushis en entrée, et l'avocat, comme son épouse, savait qu'ils devraient répondre « Sakura », lorsque l'épouse de Samir le gynécologue demanderait, tout en tenant en main un cône dégoulinant de sauce de soja : « D'où viennent les sushis ? »

La pensée de la femme du gynécologue avalant des sushis plutôt que les traditionnelles courgettes farcies divertit un moment l'avocat mais elle laissa place à une sorte de pincement au cœur. Il connaissait cette impression, récurrente, qui était l'impression de vivre dans une sorte d'illusion, que tout ça pouvait disparaître comme si cela n'avait jamais existé. Qu'avait-il à voir, au fond, avec les sushis ? Que lui importaient ces dîners avec ses amis et avait-il seulement plaisir à les rencontrer ? Un repas qui coûte la moitié du salaire d'un professeur de collège. Il songea à son frère aîné, lui-même enseignant au collège du village, et l'imagina avec ses enfants dans la cour de la maison des parents. Et il savait que, quoi que sa mère eût préparé, ne fût-ce que des œufs brouillés avec de l'oignon frais, son repas aurait meilleur goût.

Arrivé place de Sion, il regarda sa montre, espérant ne pas être en retard ; il regretta de ne pas avoir commandé par téléphone, comme il l'avait prétendu auprès de son épouse. De la place de Sion, il gagna la rue de Jaffa, puis la cour Feingold. Le propriétaire du restaurant lui sourit dès qu'il eut franchi le seuil. L'avocat lui tendit la liste des achats et, avec une extrême courtoisie, lui signala qu'il était pressé. Il consulta à nouveau sa montre et pensa arriver à l'heure chez lui. « Ah, ajoute aussi deux bouteilles de vin blanc, s'il te plaît », demanda-t-il au patron, bien qu'il sût qu'il paierait là le double par rapport à la boutique de spiritueux voisine.

Librairie

Son épouse l'appela une nouvelle fois, la voix un peu plus tendue. « Ne t'en fais pas, lui répondit l'avocat, je serai à l'heure. »

Comme elle s'angoisse, avant ces dîners, songea l'avocat… Toute cette tension, toute cette rivalité avec les autres femmes de la bande. Il n'était pas du tout sûr que son épouse éprouvât du plaisir à ces rencontres. Peut-être les considérait-elle aussi comme une corvée, un devoir que les règles du jeu entre immigrés de leur acabit les obligeaient à accomplir. Il se représenta son épouse en train de s'habiller dans la chambre à coucher. Elle avait dû mettre une cassette pour leur fille et avait sûrement couché le bébé, s'il n'était pas déjà endormi, dans son berceau près du lit conjugal. Elle avait dû hésiter un long moment pour savoir quelle robe enfiler, bien que ce ne soit pas du tout son genre habituel de préoccupation. Dans la vie quotidienne, elle ne se souciait pas outre mesure de sa toilette. La plupart du temps, elle portait un pantalon et un simple chemisier pour se rendre au travail. Et, pour autant qu'il le sache, elle ne se maquillait pas avant de sortir ni ne passait des heures devant sa coiffeuse. Mais, en cette occasion, elle ne pouvait paraître négligée, et avait peut-être acheté des vêtements neufs. « Regarde Fatène – les propos de son épouse au sujet de la femme d'Anton lui revenaient à l'esprit –, je ne lui ai jamais vu deux fois la même robe. »

La plupart du temps, son épouse était ulcérée par les papotages des autres femmes. Surtout quand elles se vantaient des résultats scolaires de leurs enfants. Quelle ne fut pas son humiliation quand elle découvrit que le fils de Fatène, dans la même classe préparatoire que sa fille, maîtrisait déjà les alphabets hébreu et arabe à la perfection, alors que leur fille ne connaissait pas une seule lettre. Et comme elle avait été dépitée et s'était sentie trahie lorsqu'elle apprit que la moitié des parents arabes de l'école avaient envoyé leurs rejetons, dès le jardin d'enfants obligatoire, à un cours d'« initiation à la préparatoire » et qu'elle en avait ignoré l'existence. Pour tout dire, elle avait l'impression d'avoir raté l'éducation de sa fille.

L'avocat sourit en se remémorant cet incident : son épouse s'était démenée pendant des mois à réviser, dès son retour du travail, l'alphabet avec sa fille afin de la mettre au niveau des autres enfants de leur bande, voire de les surpasser. « Les enfants d'Anton ne sont pas plus intelligents que ta fille » : il se souvint de la réponse de son épouse, le jour où il avait tenté de la raisonner. Elle ne comprenait pas son flegme, leur fille ne connaissait toujours pas l'addition et la soustraction alors que les autres en étaient déjà aux tables de multiplication.

Vers dix-neuf heures trente, l'avocat remonta la rue de Jaffa jusqu'au coin de la rue King George, sa serviette en cuir à l'épaule, les sacs en papier des hors-d'œuvre en main. Il se réjouit de disposer d'un peu de temps pour pénétrer dans la librairie où il avait ses habitudes le jeudi ou, du moins, les jeudis où il pensait à quitter le bureau avant la fermeture de la librairie située audessus de l'esplanade du grand magasin Hamachbir Latsarkan, à deux pas du parking.

Il poussa la porte vitrée, le tintement des clochettes suspendues au-dessus de la porte attira l'attention de la jeune vendeuse plongée dans un livre posé devant elle.

« Bonsoir, le salua-t-elle avec un sourire.

– Bonsoir, Mérav, comment ça va ? »

Elle hocha la tête et se sentit suffisamment en confiance pour replonger dans son livre, sachant que l'avocat était un habitué et que, comme chaque jeudi, il déambulerait entre les rayons pour examiner les dernières livraisons.

L'avocat aimait l'odeur des livres d'occasion. Certes, on pouvait trouver dans cette boutique toutes les nouveautés, mais elle était surtout spécialisée en livres de seconde main. L'avocat avait découvert son existence grâce à Oved, trois ans plus tôt, à la veille de la première réunion mensuelle avec ses amis. Anton, son comptable et condisciple à l'université, avait organisé la rencontre chez lui et avait annoncé qu'après le repas le débat porterait sur *Qui a piqué mon fromage?* de Spencer Johnson, qui caracolait en tête des ventes.

L'avocat déposa sa serviette et ses sacs de sushis près du comptoir, en se souvenant à quel point il avait été mortifié lors de sa première visite. La vendeuse n'était pas Mérav mais une autre fille à l'allure d'étudiante en licence de littérature hébraïque. Il se rappela son expression dédaigneuse au moment de payer son *Qui a piqué mon fromage?*. Un frisson avait parcouru son échine tandis qu'un sentiment irrépressible d'humiliation l'avait submergé. Il savait qu'il était un béotien, à la culture imparfaite. Il ignorait tout de ce livre, sauf qu'il s'agissait d'un succès. Il haït Anton de l'avoir obligé à l'acheter, autant que la vendeuse dont la physionomie trahissait un tel dédain et, surtout, il se détesta lui-même à cause de toutes les choses qu'il voulait connaître et qui lui échappaient.

Cette vendeuse-là avait quitté la librairie peu de temps après. Mérav l'avait remplacée. Mérav était serviable et polie. Elle préparait une maîtrise en histoire de l'art. L'avocat s'était réjoui qu'elle le complimente pour ses goûts littéraires, avant même qu'il ne sût lui-même qu'il en avait. À dire vrai, depuis l'incident de *Qui a piqué mon fromage?*, l'avocat avait décidé de combler ses lacunes, au moins en littérature, et, afin d'éviter une nouvelle déconvenue, il prit la peine de lire les critiques littéraires publiées chaque mercredi dans le supplément « Livres » du quotidien *Haaretz* auquel il était abonné. Se fondant sur les critiques, il savait quoi acheter et, depuis trois ans, s'était décidé à lire au moins un livre par semaine, mais ce n'était pas une tâche facile – surtout parce que l'avocat ne disposait que des moments précédant le sommeil pour lire autre chose que de la littérature professionnelle.

L'avocat savait que rien ne l'intéresserait au premier étage où se trouvaient surtout des livres en anglais et beaucoup d'ouvrages sur la religion juive pour lesquels il n'éprouvait aucune curiosité. Il préférait la fiction, surtout contemporaine, parce que la majorité des critiques qu'il lisait dans son journal traitaient de romans récents. Certes, il aurait souhaité se familiariser avec les œuvres classiques, dont même ceux qui ne les avaient pas lues connaissaient l'histoire. Il voulait s'initier à l'œuvre de Dostoïevski, à *Anna Karénine* ou à *Guerre et Paix*, il aurait aimé lire Kafka, Tchekhov et même Haïm Nahman Bialik, mais c'était presque impossible. Comment l'aurait-il pu ? Car il aurait alors révélé son ignorance aux yeux de Mérav, la vendeuse, qui lui avait dit une fois, le jour où il acheta la trilogie d'Italo Calvino, *Le Vicomte pourfendu*, *Le Baron perché* et *Le Chevalier inexistant* : « Si tous nos clients étaient comme toi ! » Il n'oublierait jamais le sentiment de triomphe qui l'avait saisi alors, bien qu'il eût acheté ces ouvrages juste parce qu'un jeune écrivain, interviewé dans un journal, avait évoqué Calvino parmi dix auteurs qui l'avaient influencé. L'acquittement emporté haut la main d'un client ne lui procurait pas la même ivresse… La vendeuse ne saurait jamais que l'avocat n'avait pas réussi à dépasser la trentième page et qu'il avait failli tout laisser en plan et renoncer à la lecture.

Parfois, poussé par une curiosité irrésistible, l'avocat choisissait un ouvrage classique connu et demandait à Mérav de l'empaqueter pour un « cadeau », afin qu'elle ne pense pas, Dieu nous en préserve, qu'il ne l'avait pas encore lu. C'est ainsi qu'il la pria d'empaqueter *Lolita* de Nabokov, *Crime et Châtiment* de Dostoïevski et *Anna Karénine* de Tolstoï. L'avocat désirait plus que tout lire les grands noms, les plus célèbres, tous ceux que les Juifs de sa position avaient déjà lus.

Il regarda sa montre ; plus que dix minutes avant la fermeture du magasin. Il savait d'avance quel livre il achèterait : il en avait lu la critique, cette semaine. L'ayant aperçu au milieu des dernières parutions, il décida d'y revenir un peu plus tard et de jeter un œil au rayon des classiques. Il remarqua *La Sonate à Kreutzer* et se souvint que son épouse, confiante en son expertise littéraire, l'avait jadis interrogé pour savoir s'il avait jamais lu cet ouvrage de Tolstoï. L'avocat s'était montré surpris par cet intérêt subit de son épouse, mais elle lui avait expliqué que, dans le cadre de ses études de psychologie, ce titre ne cessait d'être évoqué quand son professeur traitait de Freud. Il prit *La Sonate* d'occasion et le dernier roman d'Haruki Murakami.

« Pourrais-tu l'emballer ? demanda l'avocat en tendant *La Sonate à Kreutzer*, se croyant obligé d'ajouter : Mon épouse étudie la psychologie et elle m'a harcelé pour que je lui apporte ce livre. »

Mérav l'approuva en hochant la tête : « Je sais. Tous les freudiens en sont toqués. De toute façon, c'est un livre merveilleux. Il vient d'arriver, précisa-t-elle en désignant un carton posé dans un coin. Je n'ai vidé qu'une caisse. Il y a des pépites, là-dedans…

– Parfait, s'écria l'avocat en mettant le Murakami dans le sac. Je reviendrai bientôt. »

Dîner

Anton et son épouse Fatène arrivèrent les premiers. Tareq avait laissé un message pour dire qu'il serait là vers vingt et une heures ; l'avocat lui envoya un SMS : « Pas de problème. »

Il avait rencontré Anton à l'université. Il n'avait alors que dix-neuf ans, entamait sa première année de droit, tandis qu'Anton était déjà en quatrième année de comptabilité et d'économie. Leurs liens d'amitié ne commencèrent à se tisser que lorsque l'avocat se mit à son compte et eut besoin des services d'un comptable pour le cabinet. Anton jouissait d'une réputation flatteuse dans Jérusalem-Est ; son bureau était toujours situé rue Salah Eddine, non loin de l'ancien cabinet de l'avocat.

Anton et son épouse furent reçus pour la première fois dans la demeure de l'avocat à l'occasion de la naissance de leur fille aînée. Les relations entre les deux familles devinrent plus étroites lorsque la fille de l'avocat et leur dernier-né, leur troisième enfant, furent inscrits dans la même crèche, à l'âge de trois ans. Dès lors le comptable invita l'avocat et son épouse aux réunions de sa bande d'amis.

L'avocat avait du mal à qualifier d'amicale sa relation avec Anton, bien qu'il affectionnât le comptable et bien qu'il eût l'impression que ce dernier lui rendait son amitié. Anton et son épouse étaient les seuls chrétiens de la bande et aussi les seuls à habiter dans le quartier nord de Beït-Hanina, contrairement aux autres amis qui, comme lui, demeuraient à Beït-Safafa, le quartier le plus au sud de Jérusalem-Est, à deux pas de la porte de Bethléem, désormais fermée.

Tareq arriva ensuite, quelques minutes avant vingt et une heures. Samir, le gynécologue, et son épouse Nili, qui dirigeait une école de filles à Jérusalem-Est, sonnèrent en même temps que Nabil, l'avocat civiliste, et son épouse, Sonia, ancienne infirmière à l'hôpital Chaaré-Tsédek, qui avait préféré quitter son travail pour se consacrer à ses quatre enfants. Avec Tareq, l'avocat était le plus jeune de la bande. Le plus âgé était Nabil, dont la fille aînée était sur le point de terminer ses études secondaires à l'Anglican School.

« Je vous en prie, dit l'épouse de l'avocat après les souhaits de bienvenue, les embrassades entre épouses et les présentations, *tfadalou*, faites comme chez vous. » D'un geste de la main, elle les invita à passer à table. Elle avait revêtu un pantalon gris à carreaux et un ample chemisier noir qui lui arrivait aux hanches. Elle est à ravir, songea l'avocat et il s'imagina comment elle avait dû comprimer ses hanches et ses fesses dans ce pantalon seyant qu'elle utilisait pour des circonstances particulières, quand elle éprouvait le besoin de masquer son poids.

« D'où viennent les sushis ? demanda Nili, la femme du gynécologue.

– De chez Sakura, dégaina l'épouse de l'avocat qui n'attendait que ça.

– Vraiment ? s'exclama l'épouse du gynécologue avec une grimace, en faisant tomber encore une fois un morceau de saumon cru des baguettes qu'elle tenait. C'est bizarre, parce que, en général, leur sashimi est plus frais…

– Tu veux une fourchette ? riposta l'épouse de l'avocat pour l'humilier.

– Vous avez entendu les tirs, hier ? s'enquit le gynécologue, chef de service à l'hôpital Hadassah.

– Brrr, c'était vraiment effrayant, juste en face de chez nous. Il fallait voir combien de policiers ont débarqué, la moitié d'une brigade, au moins », renchérit son épouse.

Tareq échangeait des regards avec l'avocat, convaincu que, bien qu'il connût tous les détails de l'incident, l'avocat se tairait et se contenterait d'écouter.

« Ça s'est passé à Beït-Safafa, soupira Nabil, ça fait deux accrochages au cours des six derniers mois. Ça n'était jamais arrivé dans ce quartier. »

Beït-Safafa était le quartier préféré des immigrés du nord du pays. À l'écart de la ville orientale, il bénéficiait d'un accès commode et rapide au centre-ville. D'une certaine façon, les Israéliens l'avaient toujours considéré comme un quartier bien disposé à leur égard. Hormis quelques incidents isolés, ses habitants n'avaient presque pas pris part à la première Intifada et n'avaient participé à aucune manifestation de la deuxième.

Les habitants du village, dont la plus grande partie avait été conquise en 1967 – ainsi, contrairement aux immigrés, les natifs ne bénéficiaient-ils pas de la citoyenneté israélienne mais seulement du statut de résidents permanents –, estimaient que le calme était payant, du moins au plan économique. Le quartier était le plus riche de Jérusalem-Est, sa population moins dense et il avait été, jusqu'à récemment, épargné par le crime et la délinquance. Au cours des dernières années, les loyers, le prix des terrains et des appartements avaient atteint des sommets à cause de la demande galopante. Nabil, qui, plus que la plupart des autres avocats, engrangeait les transactions immobilières les plus juteuses du quartier, avait proposé à son collègue pénaliste un terrain libre d'hypothèque et constructible où ce dernier avait fait bâtir la magnifique demeure dans laquelle les invités discutaient à cette heure. « Dans deux ans, lui avait-il prédit, le prix de l'immobilier va doubler dans le coin. » Et il avait vu juste. Les immigrés du nord, qui avaient jeté leur dévolu sur le quartier, étaient l'une des causes de cette hausse. Aux yeux des autochtones, ils passaient pour des nantis, des richards un brin profiteurs, des étrangers dont on pouvait facilement exiger des montants que seuls les Juifs pouvaient se permettre. Avec l'arrivée de ces immigrés, les prix du quartier avaient grimpé, non seulement celui de l'immobilier mais aussi ceux de la viande, du lait et des légumes et, à la boulangerie locale, le tarif était différent pour les autochtones et les immigrés. Mais, somme toute, les autochtones aimaient bien ces immigrés. Ils savaient que les immigrés arabes d'Israël étaient de loin préférables aux autres candidats au logement dans le quartier, dont beaucoup, originaires de Cisjordanie ou de Gaza, avaient collaboré avec les forces de sécurité israéliennes et en avaient été exfiltrés après l'installation de l'Autorité palestinienne. Ces collabos disposaient certes de moyens mais, aux yeux des autochtones, ce n'étaient que des traîtres et une source évidente de futurs ennuis. Les immigrés arabes d'Israël, en revanche, étaient des gens éduqués et, le plus souvent, engagés politiquement ; du coup, les habitants du quartier accordaient une certaine estime à ceux de leurs frères de Galilée qui avaient réussi, en espérant que leurs diplômes universitaires et leur aisance financière amélioreraient la situation du quartier. Le problème était que cette brusque hausse du prix des terrains incitait une partie des autochtones à avoir les yeux plus gros que le ventre et, au sein des familles locales, entre cousins et frères, des querelles commençaient à éclater pour chaque pouce de terrain.

« Qu'est-ce qui s'est passé là-bas ? » Le gynécologue avait posé la question en fixant l'avocat. « Tu ne vas pas me dire qu'ils ne se sont pas adressés à toi ? »

L'avocat sourit en acquiesçant de la tête, mais il était évident qu'il n'avait nulle envie d'évoquer l'incident. Son épouse, qui avait compris sa réticence, se leva et annonça le plat suivant. Aussitôt, l'avocat lui emboîta le pas pour ramasser les assiettes vides. Il servit le reste de vin blanc et de vin rouge puis apporta d'autres bouteilles. Son épouse présenta des entrecôtes avec une crème aux champignons, accompagnées de pommes de terre au four, de raviolis farcis à la citrouille et d'une salade de mesclun au vinaigre balsamique.

« Bon, alors, tu ne veux pas nous en parler ? insista le gynécologue. Tout de même, il s'agit de mes voisins, grands dieux ! Et je n'aurais pas le droit de savoir pourquoi ils se tirent dessus ? »

L'avocat se contenta de sourire, tentant de contrer la curiosité du gynécologue par la dérision : « Non, je ne te dirai rien, Samir. D'autant plus que je sais que tu meurs d'envie de savoir... »

La réponse de l'avocat déclencha quelques rires. Nabil, sur la même longueur d'onde que son collègue pénaliste, ajouta : « Bien joué ! Laisse-le se ronger les sangs et ne lui raconte rien. »

Samir avait vu juste ; les deux parties antagonistes de cet incident, au cours duquel des coups de feu avaient été échangés, avaient fait appel à l'avocat. Ne pouvant représenter qu'une seule partie, il avait opté pour le camp du plus fort, non par goût du gain mais parce qu'il savait qu'il pouvait mieux influencer la partie la plus puissante en vue d'une conciliation. Somme toute, il s'agissait de son quartier, et si les tensions ne s'apaisaient pas entre ces deux familles considérées comme les plus influentes du village, et si une guerre sanglante éclatait, sa propre quiétude en serait ébranlée.

Tout avait commencé par une bagarre entre collégiens. Un élève, membre de la famille que l'avocat avait choisi de représenter, était soupçonné d'avoir photographié une de ses camarades avec son téléphone portable. La rumeur était parvenue aux oreilles des cousins de la jeune fille, qui avaient passé à tabac le collégien ; le garçon était revenu chez lui en sang. Ses parents et ses frères avaient rameuté quelques proches pour tirer vengeance au nom du garçon qui, lui, avait nié en bloc le forfait imputé. Ils s'étaient attroupés devant la maison des agresseurs, avaient jeté des pierres et des planches de bois et avaient provoqué les jeunes gens pour leur régler leur compte, au point que le père de famille s'était vu obligé de dégainer un pistolet, qu'il détenait sans permis, et de faire feu pour chasser les assaillants. La police et les gardes-frontières, qui ne plaisantent pas avec les incidents armés dans la ville orientale, s'étaient précipités sur les lieux, avaient dispersé la foule et interpellé cinq membres de chaque famille. Sans retrouver le pistolet.

L'avocat espérait parvenir à un compromis en dehors du prétoire. S'il réussissait à convaincre ses clients, nul doute que les autres accepteraient. Entre-temps, il s'était employé à persuader le père de famille : ce dernier avait compris que toute cette histoire ne valait pas l'incarcération des jeunes et que les dommages qui en résulteraient, si cette affaire arrivait devant les tribunaux israéliens, seraient incommensurables. Acceptant la proposition de l'avocat, il avait affirmé qu'il tenterait de dénouer ce conflit avec l'aide des *moukhtars* et des intercesseurs de paix du village. « Mais à une condition, avait précisé le père de famille à l'avocat : que le chef de leur clan vienne en personne nous demander pardon. » L'avocat avait acquiescé et, du coup, avait dépêché le père de Samah, le responsable du Fatah, pour ramener la paix entre les deux camps.

« La viande est savoureuse, remarqua Fatène, avec l'approbation de son époux.

– Tout est vraiment délicieux, renchérit Nabil. Pas de doute, tu as des mains en or. »

Seuls Samir et son épouse boudaient. Nabil se tourna vers le gynécologue en pouffant : « Qu'est-ce qu'il y a, Samir ? Tu n'aimes pas ?

– Je ne lui ferai aucun compliment tant que son mari ne m'aura pas dit pourquoi on tirait sous mes fenêtres », s'esclaffa-t-il. Et tous comprirent que l'incident des tirs était clos.

Débat

Tareq s'étouffa en tirant sur sa cigarette au moment où l'avocat lui annonça que le débat, dont le sujet avait été choisi un mois auparavant, allait commencer : « Tu te moques de moi ?

– Ne t'en fais pas, le rassura l'avocat. Cela va durer exactement cinq minutes, ensuite on va causer de tout et de rien.

– Et quel est le sujet de la discussion ? l'interrogea Tareq le plus sérieusement du monde.

– Tu crois que j'en ai la moindre idée ? »

Tareq posa une main devant sa bouche pour que son rire ne parvienne pas du fumoir du bas jusqu'aux oreilles des invités, installés au salon, à l'étage.

« Et alors ? rugit Samir. Vous n'avez pas fini de fumer, vous deux ? Nous avons un thème sérieux, ce soir. »

L'avocat écrasa son mégot dans le cendrier, Tareq s'empressa de l'imiter, mais l'avocat lui fit signe de terminer sa cigarette. Tareq aspira de grosses bouffées ; l'avocat déplia l'emballage du livre qu'il avait acheté à la librairie. « *La Sonate à Kroutzer* ? lut Tareq en déformant le titre de l'ouvrage. Tu sais quoi ? Je t'envie beaucoup de trouver le temps de lire des bouquins.

– Je n'en ai pas tant que ça… », tempéra l'avocat. Il attendait avec impatience que ses invités aient quitté sa demeure pour se plonger enfin dans Tolstoï.

Fatène se carra dans un fauteuil, au centre du salon, comme pour mieux signifier qu'elle allait orchestrer le débat.

« Bonsoir à tous. Nous sommes heureux de vous avoir ici et ravis de connaître enfin… » La femme de l'avocat compléta : « Tareq.

– Tareq, bien sûr, pardon, poursuivit Fatène. Bien, notre conversation porte aujourd'hui sur l'enseignement de l'identité nationale et sur l'éradication de l'histoire palestinienne des programmes scolaires destinés aux citoyens arabes d'Israël. Programmes dictés, comme vous le savez, par le ministère de l'Éducation israélien. »

L'avocat se souvint que c'était bien le sujet du débat fixé, un mois auparavant, chez le gynécologue et son épouse. C'était aussi le sujet du doctorat que préparait Fatène à l'université hébraïque, depuis quelques belles et bonnes années…

Durant de longues minutes, Fatène énuméra les données de son mémoire, comparant les programmes d'instruction civique, de géographie, d'histoire enseignés dans les écoles primaires juives à ceux imposés aux écoles arabes. Elle expliqua l'idéologie sous-jacente à ces choix, détailla la manière dont elle œuvrait elle-même au sein d'un département de ce ministère, non sans déplorer l'effacement de l'identité nationale et de l'histoire palestiniennes, la liquidation de l'histoire collective des citoyens arabes de l'État, et la version sioniste enseignée aux élèves arabes. L'assistance n'avait pas grand-chose à ajouter. Silencieux, ils manifestèrent leur approbation en opinant du bonnet. Elle disserta ensuite sur l'anéantissement des identités, la crise culturelle, sociale et éthique provoquée chez les élèves arabes par ces tentatives d'annihiler l'appartenance nationale des Arabes citoyens de l'État.

L'avocat avait remarqué que les invités, surtout les hommes, étaient las de ce sujet rabâché jusqu'à la nausée. De temps à autre, il se levait en s'excusant et apportait des glaçons pour le whisky servi à ce moment de la soirée. Deux bouteilles trônaient sur la table, un Chivas et un Johnnie Walker Label Noir, whiskies préférés des Arabes aisés.

L'avocat jeta un coup d'œil à sa montre ; le débat, ce soir, durait plus longtemps que de coutume. C'était, sans aucun doute, la faute de Fatène, car ce sujet coïncidait avec celui de son mémoire. S'il s'était agi d'une pure discussion culturelle, comme leur bande prétendait en avoir, le débat aurait été tué dans l'œuf en quelques minutes.

Tout comme ses invités, l'avocat avait conscience qu'ils passaient pour des intellectuels. Certes, ils avaient accompli un bout de chemin, chacun dans leur branche, mais, au fond d'eux-mêmes, ils n'ignoraient pas leurs lacunes, en comparaison de leurs homologues juifs. Qu'y pouvait-on si toutes les personnes présentes appartenaient à la première génération d'universitaires ? Leurs parents, comme la plus grande partie de la population palestinienne restée en Israël après la guerre d'Indépendance de

1948, étaient des paysans, des fellahs qui, s'ils avaient eu de la chance et grâce à l'école de leur village, avaient réussi à grand-peine à terminer leurs études au collège. Sans être très instruits, ils avaient compris l'importance de l'instruction et des études et avaient déployé des efforts inouïs pour envoyer leurs enfants à l'université afin de leur assurer un avenir meilleur que le leur. Le rêve de chaque mère arabe dans ce pays était que son enfant soit médecin ou avocat. Les étudiants en droit et en médecine, puis ceux en comptabilité et en économie, formaient une sorte d'élite. Peu d'entre eux avaient accès à ces domaines, et leur statut dans la société arabe équivalait presque à celui des cadets pilotes de chasse, la crème de la société israélienne. Hélas, les succès universitaires ne garantissaient pas une maîtrise parfaite de la culture occidentale. Plus d'une fois, l'avocat avait rougi de son manque de connaissances élémentaires en musique, littérature, théâtre ou cinéma, lors d'échanges avec ses condisciples israéliens. Comme les autres invités, il se consolait à la pensée que ceux-là étaient ignares en culture orientale, avec ses chanteurs, ses films et son théâtre. Cependant, en son for intérieur, il savait que ce qu'il maîtrisait de cette culture-là ne pouvait être considéré comme de l'art. Certes, il existait bien quelques musiciens classiques dont les créations pouvaient offrir des motifs de fierté mais du cinéma ou du théâtre, provenant en majeure partie d'Égypte, il n'y avait pas de quoi s'enorgueillir.

L'avocat était convaincu que ses amis ressentaient aussi ce manque et qu'ils voulaient aussi combler ces brèches – sinon pour eux-mêmes, du moins pour leurs enfants. C'est pourquoi, se dit l'avocat, l'idée de créer une école mixte où envoyer leurs enfants étudier avec les enfants juifs n'était pas née pour favoriser une vie commune ni une coexistence pacifiée, comme le prétendaient les solliciteurs de subventions ; tous voulaient simplement que leurs rejetons s'imprègnent de culture occidentale, qu'ils apprennent de leurs condisciples juifs des choses que leurs parents étaient incapables de leur apporter. L'avocat eut soudain conscience qu'ils infiltraient leurs enfants, tels des espions, au cœur d'une civilisation étrangère. Il serait intéressant de connaître quelles leçons ils en tireraient et s'ils se transformeraient en agents doubles...

Il s'arracha à ses ruminations et s'efforça de suivre le débat, qui tournait à cette heure autour des programmes scolaires dans l'établissement de leurs enfants. « Nous devons vérifier avec attention les valeurs que nos enfants absorbent là-bas, pérorait l'épouse du gynécologue. Toute la semaine, mon fils a chanté la comptine juive *Au Nouvel An, Au Nouvel An*...

– Et alors ? l'interrompit son mari. C'est une jolie chanson ! »

Quelques gloussements fusèrent, et Anton le comptable, qui était membre de la commission des programmes, déclara sur un ton péremptoire : « Nous travaillons sur le sujet. » Il ajouta que la direction de l'établissement avait été sollicitée pour renforcer la dimension nationale palestinienne.

« C'est vrai, confirma Nili. Je m'aperçois que nos enfants apprennent des chants sur l'État d'Israël, les fêtes juives, Hanoucca, la Pâque et, à part un poème de Mahmoud Darwish, ils ne connaissent rien du patrimoine palestinien. Il faut qu'il y ait une égalité totale dans cette école. On ne peut pas continuer comme ça. Nous devons faire quelque chose.

– Pourquoi ? » Tareq surprit l'assistance et attira tous les regards. « Pardonnez-moi. Je n'y comprends rien et je n'ai pas encore d'enfants, mais pourquoi devrait-on renforcer leur patriotisme palestinien ? »

La question de Tareq fut accueillie par un silence gêné et les regards méfiants des vétérans de la bande.

« Comment ça “Pourquoi” ? s’irrita Samir. Parce qu’ils sont palestiniens, tout simplement. Un enfant doit grandir avec une conscience nationale et sa propre culture. Regarde les petits Juifs : dès l’âge de six ans, ils connaissent toutes les guerres d’Israël et savent déjà dans quelle unité militaire ils veulent combattre.

– Je suis d’accord avec toi, concéda Tareq avec quelque réserve, tout en sentant qu’il s’était embarqué dans une discussion qui ne le concernait guère. Mais quand tu regardes des enfants israéliens comme ceux-là, qu’est-ce que ça te fait ?

– Du mal, s’écria Samir sans hésiter, avec l’approbation de la plupart des invités. Parce qu’on n’enseigne pas notre histoire. On leur cache l’histoire palestinienne. On n’enseigne l’histoire israélienne que par le bout de la lorgnette sioniste.

– Oui, je comprends ça. Mais pourquoi valoriser une histoire ou une autre ? » s’obstina Tareq. Sa mine trahissait ses regrets de s’être fourvoyé dans cette discussion.

« Qu’est-ce que ça veut dire ? C’est l’histoire de notre peuple, ce sont nos racines, c’est toute notre culture ! Les enfants doivent le comprendre et l’intérioriser. Sinon, quel avenir auront-ils ?

– Très bien, dit Tareq qui préféra en rester là. Tu as raison. »

L’avocat savait où Tareq voulait en venir, il avait travaillé suffisamment longtemps avec lui, et il se désolait qu’il s’abstienne de pousser ses arguments par manque de confiance.

« Vous savez quoi ? dit soudain l’avocat, citant une phrase que Tareq avait prononcée une fois devant lui. Moi non plus, je ne suis pas dupe des slogans du genre : “Qui n’a pas de passé n’a pas d’avenir…”

– Et alors, comment inculquer la dignité à cette génération, l'interrogea l'épouse du gynécologue, si on ne lui apprend pas à se montrer fière de ses ancêtres, de son histoire et de son peuple ? Je ne te comprends pas.

– Je disais ça comme ça, répliqua l'avocat. Parfois, il me semble que nous n'avons pas… Vous savez quoi ? Non pas nous, les Arabes en tant qu'Arabes, mais qu'aucun peuple sur terre n'a de raison de s'enorgueillir de son passé.

– Quelles bêtises ! s'exclama le gynécologue, tout en avalant son whisky et en engloutissant une poignée de noix de cajou. Tu m'étonnes, vraiment. Que vaut un homme sans ses racines ? C'est comme un arbre : peut-il pousser sans de fortes racines ? Un enfant, un peuple, c'est pareil.

– Précisément, rétorqua l'avocat en souriant et en proposant un autre glaçon pour le whisky de ses invités. C'est que, parfois, je pense qu'un arbre n'est qu'un arbre et qu'un être humain n'est qu'un être humain. »

Lit

« Tareq peut faire son deuil, s'il croit que Fatène va lui trouver un beau parti », murmura l'épouse de l'avocat. Assise au bord du lit, elle étalait de la crème sur ses mains. Le bébé dormait dans son berceau. L'avocat se déshabilla et resta en caleçon.

« Qu'est-ce qui lui a pris ? Je croyais que Tareq était un authentique nationaliste, non ? Je l'ai entendu plus d'une fois attaquer la politique du gouvernement.

– Il va très bien, répondit l'avocat. Simplement, ils n'ont pas compris ce qu'il avait en tête.

– Comment ça, ils n'ont pas compris ?

– Il est un peu anarchiste. » L'avocat savait que son épouse ne comprendrait pas plus et ajouta : « Il n'accepte pas les règles, il n'est pas disposé à jouer le jeu du patriotisme.

– En tout cas, il me semble qu'ils ne l'ont pas apprécié.

– Tant mieux », répliqua-t-il en pénétrant dans la salle de bains pour se brosser les dents. L'avocat savait d'avance que Fatène ne ferait pas une bonne entremetteuse et avait en réserve son propre plan. Il connaissait parfaitement Tareq et son désarroi de célibataire arabe israélien à Jérusalem où les beaux partis étaient réservés aux étudiants de l'université. Or, cela faisait cinq ans que Tareq avait quitté la fac et qu'il ne fréquentait plus la cafétéria de la fac des sciences humaines, comme le lui avait autrefois suggéré l'épouse de l'avocat. C'est pourquoi, remarquant que les trois étudiantes candidates à la spécialisation dans son cabinet affichaient des résultats impressionnants, il leur avait aussitôt donné rendez-vous pour la semaine suivante, dans l'espoir que l'une au moins aurait une physionomie agréable. Il s'était même dit qu'il choisirait celle qui avait les plus grandes chances de plaire à Tareq.

Au moment où il sortait de la salle de bains, son épouse lui demanda : « Tu te mets au lit ? » Il attendait cette question, bien qu'il espérât que, à cause de sa fatigue et du livre qui l'attendait dans son bureau, elle renonce pour cette fois. Mais deux semaines avaient passé depuis leur dernier moment d'intimité, et nul doute que le vin avait produit ses effets.

L'avocat ferma la porte de la chambre à coucher de crainte que leur fille ne se réveille et ne les surprenne. Il se glissa sous la couverture dont son épouse s'était recouverte. Il savait qu'elle avait honte de se montrer nue et, le plus souvent, elle préférait se dissimuler ainsi, même pendant les journées particulièrement chaudes de l'été. Ils s'embrassèrent de manière furtive, sans désir, et l'avocat se mit aussitôt à l'œuvre.

Certes, il ne détestait pas ce rapport. Cependant, quelque chose l'avait toujours gêné : il considérait cet acte plutôt comme une obligation que comme un pur plaisir. Il savait pertinemment qu'il souffrait d'un problème car, sinon, comment expliquer l'appétit de la plupart des gens pour la chose ?

Il se souvint des premiers jours après leur mariage, de cette « lune de miel » dont tout le monde parle. Il avait vingt-cinq ans, et c'était son premier rapport avec une femme. Il se rappela son humiliation à cause de la rapidité avec laquelle c'était arrivé. Il était conscient qu'il y avait là un problème et que, pendant les mois suivants, sa femme n'avait pas joui. Elle ne l'avait jamais dit, n'avait jamais évoqué le sujet, mais lui était persuadé de ne pas être à la hauteur. Il n'oubliait pas la pression qu'il subissait alors, les articles qu'il dévorait sur des sujets liés au sexe. Il avait lu des études traitant d'éjaculation précoce, avait essayé des méthodes, des exercices de relaxation des muscles, de contraction des testicules ; il avait tenté d'étourdir ses sens grâce à l'alcool, parfois même fumé un joint avant l'acte, mais en vain. Certains articles stipulaient que les partenaires devaient s'initier ensemble et qu'il fallait du temps pour bien connaître le corps de l'autre avant de parvenir à l'harmonie… Cependant, il s'était chargé de toute la culpabilité. Après plusieurs mois de tentatives ratées, l'avocat avait essayé d'évacuer la pression et, pendant qu'ils faisaient l'amour, il passait mentalement des images en revue, tristes de préférence. Cette méthode fonctionnait car, à en juger par les râles de sa femme, il y avait un certain progrès. Ce n'était pas arrivé d'un seul coup, mais il sentait qu'il était sur la bonne voie.

La première fois où il aurait pu jurer que sa femme avait joui fut celle où il avait revu en pensée l'enterrement de son grand-père. L'avocat avait huit ans lorsqu'il découvrit, pour la première fois, la dépouille d'un mort. Couché sur son épouse, il remuait le bassin de haut en bas, yeux grands ouverts, tout en ignorant les gémissements qui échappaient à sa femme et qui auraient pu le distraire. Il se souvint de la parentèle réunie au domicile de ses parents et du cercueil arrivé dans une camionnette orange. Il se souvint qu'il se tenait à l'écart et regardait les adultes laver le corps de son grand-père qui reposait, nu, sur des tréteaux de bois. Il se souvint des prières récitées par un cheikh à côté de la dépouille et aussi qu'on avait rasé la barbe de son grand-père dont la peau était livide. Il se souvint de son sexe fripé et mou et du linceul blanc dans lequel les hommes avaient enveloppé le cadavre tout en entonnant des «*Allah akbar*». Il se revit courir pour rattraper la procession funéraire. Il se remémora comment on avait soulevé le cercueil dont une paroi était ouverte et comment le cadavre revêtu de blanc avait basculé dans la fosse. Il se souvint du bruit que le cadavre avait fait en heurtant le sol et comprit que sa femme avait connu son premier orgasme. Elle griffait son dos et le noyait sous ses baisers, tandis que lui se tenait au-dessus de la tombe, en sachant qu'il ne serait plus jamais l'enfant qu'il avait été.

Billet

L'avocat pénétra dans son bureau pour prendre le livre qu'il avait acheté. Son regard se posa sur le paquet de cigarettes, il en alluma une. Il entendit les pleurs de l'enfant à l'étage, puis les quelques pas de son épouse jusqu'au berceau. Les pleurs cessèrent. L'avocat se contenta de quelques bouffées, écrasa le mégot dans le cendrier mais, parce qu'il n'était jamais sûr d'avoir bien éteint ses cigarettes et de crainte que l'air pénétrant par la fenêtre ne rallume la braise, il jeta dans le cendrier un peu d'eau d'une bouteille posée au pied du bureau. Puis il avala une longue gorgée, prit *La Sonate à Kreutzer* et quitta la pièce.

Il posa deux oreillers derrière son dos, alluma la veilleuse en forme de lapin rose, s'étendit sur le lit de sa fille et se saisit du livre.

Bien que le livre fût passé entre plusieurs mains, son état était assez bon, presque neuf, ce qui révélait le soin pris par les lecteurs précédents. Ils avaient su l'apprécier et le préserver. L'avocat aimait aussi protéger ses livres, n'en cornant jamais les pages, n'écrivant rien dans les marges, il se servait toujours d'un signet pour marquer l'arrêt de sa lecture. Il regarda la couverture qui lui parut assez laide. Trois filets noirs et épais divisaient la page en trois parties inégales. La partie supérieure, en aplat jaune, portait le nom de l'auteur, Tolstoï, celle du bas, en vert, de même taille, contenait le titre, *La Sonate à Kreutzer*. Au milieu, une illustration plutôt horrible de couleur pastel représentait le profil d'un homme aux yeux étincelants et au nez aquilin, grinçant des dents et tenant en main un énorme poignard, et une femme sans visage, le corps dénudé et flou, levant une main vulnérable pour se protéger de l'assassin. S'il n'avait pas connu le nom de l'auteur, se dit l'avocat, il n'aurait jamais été tenté d'acheter un livre à la couverture aussi hideuse.

La première page portait le nom complet de l'auteur : Lev Nikolaïevitch Tolstoï. Il répéta ce nom à plusieurs reprises car il avait honte de l'ignorer et il s'imagina participer à un jeu télévisé : « Quels sont les prénoms du célèbre écrivain russe

Tolstoï ? » Il fut agréablement surpris de découvrir que l'ouvrage contenait quatre nouvelles et non un seul récit, contrairement à ce qu'affichait la couverture : « La sonate à Kreutzer », « Le bonheur conjugal », « Trois morts » et « La tempête de neige ». L'avocat n'appréciait guère les livres trop longs. Il disposait de peu d'heures libres, et aimait aller de l'avant et pouvoir marquer une nouvelle croix sur la liste des livres essentiels qu'il s'était imposé de connaître.

Dans le coin supérieur gauche de la page, il distingua le mot « Yonatan », écrit délicatement au crayon bleu. L'avocat s'attarda un instant sur l'écriture de l'individu qui avait possédé ce livre avant lui. Beaucoup d'ouvrages d'occasion arboraient le nom de leurs propriétaires antérieurs dans les premières pages, mais l'avocat n'y avait jamais prêté attention. Pour une raison ou une autre, ce nom ou, plus exactement, quelque chose dans l'écriture gracile et un rien féminine qui semblait implorer au secours, à l'image de la femme en couverture, attira brièvement son attention. Bon, voyons ce que raconte cette histoire, se dit-il. Il avait peu de temps. Certes, le lendemain était un vendredi, jour de congé, et il n'aurait pas besoin de se lever tôt mais, à cause des invités, il s'était couché relativement tard, et le vin n'aidait pas à rester éveillé.

L'avocat lut l'exergue : *Et moi, je vous dis : Quiconque regarde une femme avec convoitise a déjà, dans son cœur, commis l'adultère avec elle* (Matthieu V, 28) *. Il ricana en son for intérieur. Si c'est le cas, alors, je suis le roi de l'adultère, se dit-il, bien qu'il n'eût jamais connu de rapport sexuel avec une autre femme que celle

* Nouveau Testament, Traduction œcuménique de la Bible (TOB), Alliance biblique universelle et Éditions du Cerf, 1986.

dont il venait de quitter la couche. Mais cette citation suffit à laisser divaguer sa pensée. Il n'avait pas entamé la lecture de son livre qu'il revenait en imagination à la matinée, à son café et à la rue King George, et il revoyait toutes ces femmes – jeunes ou mûres, laïques ou religieuses, ashkénazes ou orientales, arabes ou juives – déambulant dans la rue, avançant devant lui, venant à sa rencontre ou marchant à sa hauteur, dont il avait examiné les fesses, en pantalon ou en jupe, jaugé les hanches, celles des maigres comme celles des grosses, tout en sachant que nul ne le remarquait et qu'il ne donnait pas l'impression d'un voyeur. L'œil en coin donc, en douce, sans négliger un seul détail. Il avait quelques millièmes de seconde pour examiner le visage et la silhouette des femmes du centre-ville, ses yeux d'expert guettaient les décolletés, les dessous dépassant d'une robe, les bretelles de soutien-gorge. Il scrutait leur allure, la manière dont elles remuaient le postérieur, l'ampleur de leur poitrine. L'avocat n'avait jamais eu d'intentions malhonnêtes. Plus que tout, en les dévisageant ainsi, il voulait juger de son propre goût. Il savait que sa femme, qui passait pour jolie aux yeux de beaucoup, ne l'attirait pas autant qu'il l'eût souhaité, et mettait ça sur le compte de sa taille, et de ses hanches qui s'étaient un peu épaissies, et peut-être des vergetures apparues après la naissance de leur fils. Parfois, il semblait à l'avocat qu'il désirait le corps de toutes les femmes à l'exception de celui de son épouse. Et il arrivait que, quand il avait repéré une femme et qu'il la suivait, la dévisageait et la convoitait, il fût sûr que le corps de celle qui le précédait dans la rue King George ressemblait à s'y méprendre à celui de sa moitié.

L'avocat secoua la tête afin de chasser ses fantasmes. Il tenta de revenir à son livre mais il savait qu'il ne pourrait veiller plus longtemps. Il était trop fatigué, mieux valait s'endormir et entamer sa lecture le lendemain. Avant d'éteindre la lumière, il voulut connaître la longueur de cette « Sonate ». Il feuilleta délicatement l'ouvrage et laissa le léger souffle produit par le mouvement rapide des pages faire monter à ses narines l'odeur familière et agréable que répandent les livres usagés. Parvenu à la page 102, où s'achevait la nouvelle, alors qu'il allait refermer le livre, un minuscule billet blanc tomba. L'avocat sourit en saisissant le billet, avant de lire ces mots en arabe : « Je t'ai attendu et tu n'es pas venu. J'espère que tout va bien. Je voulais te remercier pour la nuit d'hier, ce fut merveilleux. Tu m'appelles demain ? »

Il avait reconnu l'écriture de son épouse.

Couteau

L'avocat bondit du lit de sa fille pour tuer sa femme. Il allait poignarder avec toute sa rage cette putain, l'égorger, lui arracher les yeux et la dépecer. Ou alors, il allait l'étrangler, s'asseoir sur son ventre, la plaquer sur le lit, agripper son cou à deux mains et appuyer ses pouces sur sa gorge. Il la voyait suffoquer, les yeux exorbités, et lui-même jauger, plein de colère et de mépris, son regard effrayé et suppliant. Il allait secouer son cou dans tous les sens, et elle tenterait de résister, ses doigts accrocheraient ses mains qui emprisonneraient sa trachée comme des barres de fer, et lui, il appuierait de plus en plus fort, ses ongles déchireraient la peau de son cou et se couvriraient de sang. Et il continuerait à serrer même quand les spasmes du corps de son épouse cesseraient sous lui.

Il grimpa les marches quatre à quatre jusqu'à l'étage. L'esprit embrumé, il aperçut sa femme, du moins lui semblait-il, car la femme qui lui faisait face ne lui ressemblait pas du tout : nue, riant comme il ne l'avait jamais entendue rire, nue face à un autre homme sans visage, dont il était sûr que c'était une ordure, un voyou, peut-être le type de la couverture qui brandissait un poignard. Il la vit en imagination comme jamais il ne l'avait vue auparavant, gémissant, griffant, agrippant ses cuisses, devenues soudain musclées et galbées, empoignant la taille de l'homme penché au-dessus d'elle, le regard démoniaque, chargé d'une joie mauvaise. Dans le regard de sa femme, il découvrit un désir étrange : elle lacérait l'autre homme avec des ongles longs qu'elle n'avait jamais eus et lui murmurait des mots d'amour, tout en arquant son corps sous lui.

L'avocat se sentait étouffer. Des douleurs labouraient son crâne, son cœur battait la chamade. Sa respiration s'accélérait. Il manquait d'air. Il allait la tuer. Il la réveillerait sans un mot. Ou il lui dirait qu'il était au courant et qu'il allait la tuer. Au lieu de pénétrer dans la chambre à coucher, il gagna la cuisine, ouvrit un tiroir pour prendre le couteau le plus effilé. Il l'empoigna de la main droite et entra dans la chambre à coucher.

Son épouse dormait sur le ventre, entièrement offerte, la légère couverture d'été couvrait une jambe, l'autre occupait la totalité du lit en diagonale. Elle paraissait calme, sa respiration, régulière. Elle était allongée dans ses sous-vêtements verts, un peu froissés sur les fesses, et dans un simple débardeur blanc qui recouvrait son torse. Son visage était incliné à droite, sa chevelure, répandue sur son oreille et sur sa joue, cachait la moitié de ses traits. Ce n'était plus la femme qu'il voulait tuer un instant auparavant. Et, à côté de cette femme étendue face à lui, sommeillait un bébé de un an.

Tous ses muscles crispés douloureusement se relâchèrent d'un coup. Sa main qui tenait le couteau pendait le long de sa cuisse ; il baissa la tête et pleura en silence à côté du lit. Il avait compris que son épouse avait osé commettre cette infidélité car elle était sûre que lui-même était un lâche.

Il redressa l'oreiller que son épouse avait posé à côté du bébé. Il l'avait avertie un millier de fois de ne pas faire cela, lui expliquant que l'oreiller n'éviterait pas la chute si l'enfant se retournait pendant son sommeil. Les autres nuits, quand il se réveillait en sursaut et courait vérifier si ses enfants dormaient paisiblement, l'avocat soulevait le bébé dans ses bras puis le déposait dans son berceau, mais, à cette heure, il craignait de le réveiller. Il posa un autre oreiller au chevet du lit, là où il supposait que la tête du bébé heurterait le sol. Ensuite, il remonta la couverture du bébé. Son fils, vraiment ? Un éclair de douleur transperça sa poitrine, bien qu'il n'osât pas formuler un tel soupçon.

Qu'allait-il faire désormais ? La réveiller pour ne pas déranger le bébé ? Lui ordonner de descendre au rez-de-chaussée et lui jeter à la figure le billet écrit de sa main ? Et que ferait-il si elle prétendait que ce n'était pas son écriture ? Peut-être, en effet, n'était-il pas de sa main ? L'avocat tentait de s'accrocher de toutes ses forces à sa vie de naguère, qui ne serait plus jamais la même. Bien sûr que c'était son écriture. Il le savait pertinemment. Mais peut-être que non ? À quoi s'attendait-il exactement ? À ce que sa femme qui, jusque-là, passait pour une épouse digne de confiance, presque candide, éclate en sanglots et lui avoue sa faute ? Cela faisait des années qu'ils vivaient côte à côte, et ce n'était qu'à cette heure qu'il comprenait qu'il ignorait tout d'elle. Et même si elle avouait sa faute ? Elle pleurerait, reconnaîtrait ses torts, se confesserait et l'implorerait de l'épargner ?

Elle promettrait de disparaître de sa vie sans aucune exigence ? Cette pute.

Et lui, que ferait-il ? Lâche. Un minable et un lâche. Si seulement il pouvait la tuer. Mais les enfants ? Il ne pouvait pas supporter l'idée que ses enfants découvrent le cadavre de leur mère. Il les éloignerait de la maison. Il la tuerait loin du regard de ses enfants et appellerait la police. Et lui, qu'allait-il devenir ? La prison ? Se suicider ? Il aurait dû la tuer sur-le-champ, sans hésiter. Mais de quelle façon ? Et les enfants, qu'allaient-ils devenir ? Ils grandiraient sans leur mère, avec un père en prison, élevés par ses propres parents ou bien ceux de sa femme. Mon Dieu, par sa faute, elle avait provoqué leur malheur, leur malheur à tous.

Qu'il le veuille ou non, même s'il la tuait, l'avocat serait la risée de ses collègues et des habitants du village de ses parents. La pensée qu'on puisse se moquer de lui dans son dos le terrassa. Il imagina ses amis, même ceux qui dînaient chez lui la veille, rire sous cape, le mépriser, lui, l'avocat qui se croyait sorti de la cuisse de Jupiter. Il imaginait l'homme auquel son épouse avait écrit se tordre de rire après l'avoir séduite, raconter ses exploits amoureux à ses amis. Mon Dieu, quelle saloperie elle avait commise, cette chienne. Elle avait piétiné son honneur. Il n'était plus que l'un de ces pauvres bougres raillés par ses clients, un de ces cocus dont les épouses se jouaient, sous leur nez, sans qu'ils aient l'ombre d'un soupçon. Il se vit ridiculisé par une bande de gros bras. Et il y avait là cette pourriture que sa femme avait mise dans son lit, se vantant de l'avoir séduite, détaillant complaisamment leurs ébats bien plus impudiques que ce que l'avocat pensait que son épouse pût accepter au lit. Il lui semblait que cette ordure n'éprouvait pas une estime démesurée à l'égard de la femme qu'il avait séduite. Ou peut-être en éprouvait-il ? Peut-être s'aimaient-ils, étaient-ils épris l'un de l'autre ? Au fait, quel âge pouvait-il avoir ? Le connaissait-il ? Et depuis combien de temps cela durait-il ?

L'avocat sortit de la chambre à coucher. Il avait toujours été un lâche, il serait toujours un lâche. Il remit le couteau dans le tiroir et entra dans la chambre de sa fille. Elle avait rejeté sa couverture, mais il décida de ne pas la recouvrir. Il ne faisait pas froid. Plutôt chaud, en fait. Extrêmement chaud. Des gouttes de sueur l'inondèrent.

Il descendit au rez-de-chaussée, chercha le billet sur le lit, en vain, fouilla dans les draps et fut pris de panique. Pendant un bref instant, il espéra s'être trompé, avoir rêvé, halluciné à cause de la fatigue et inventé un billet qui n'avait jamais existé. Il feuilleta de nouveau le livre, peut-être avait-il replacé le billet entre les pages, mais il ne le trouva pas.

Soudain, ses yeux se posèrent sur le billet, tombé au pied du lit. Il ne voulait pas le relire immédiatement. Il le glissa à l'intérieur du livre, emporta cette pièce à conviction dans son bureau et referma la porte en silence. Il alluma une cigarette en tâchant de recouvrer ses esprits. Une longue bouffée. Une lente bouffée. Il était peut-être un lâche mais il ne serait jamais un pigeon. Et sûrement pas le pigeon de sa femme. Mais pour qui se prenait-elle ? Il ne la connaissait pas. Cela devait être son postulat de départ : il ne la connaissait pas du tout. En fin de compte, il la tuerait, ça, il en était sûr. Peut-être ne se suiciderait-il pas, car il n'avait pas l'intention de payer pour sa faute à elle, mais il provoquerait sa mort, cela ne faisait aucun doute. Après tout, l'homme n'est pas responsable de l'honneur de sa femme. Ce serait plutôt le rôle de ses proches, de son père, de ses frères, de ses cousins. Puisqu'il s'agit de leur honneur, de leur chair, ce sont eux qui en ont la responsabilité, et c'est sur eux, exclusivement, que rejaillirait la honte s'ils ne veillaient pas à le laver. Mais pas lui. Pas question.

Ses membres furent saisis de tremblements. Il écrasa sa cigarette d'un geste nerveux et s'empressa d'ouvrir de nouveau le livre. Il se souvint qu'il avait lu un peu plus tôt, écrit délicatement à l'encre bleue, dans le coin gauche de la première page : « Yonatan ».

CHAPITRE II

Radiateur électrique

Yonatan est mort. Je l'ai enterré jeudi dernier. J'ai payé deux jeunes Arabes pour transporter son cercueil. J'étais le seul à assister à l'enterrement. Personne n'avait été convié. Il avait vingt-huit ans. Moi aussi.

« Il peut mourir d'un instant à l'autre. » C'est la phrase que j'ai entendue la première fois que mon regard s'est posé sur lui. Il y a plus de six ans. Un mois auparavant, j'avais obtenu ma licence en travail social à l'université hébraïque et un poste de travailleur social dans un dispensaire de soins pour toxicomanes dans la ville orientale, dispensaire que je connaissais bien car j'y avais effectué mon stage professionnel, obligatoire lors de la troisième année d'études.

J'avais alors vingt et un ans. Arrivé à Jérusalem trois ans plus tôt, j'habitais dans les dortoirs du mont Scopus. J'ai réussi à y rester trois mois supplémentaires après la fin de mes études, mais, avec la nouvelle année universitaire et l'arrivée d'étudiants, j'ai dû trouver un autre logement. J'ai alors repéré un numéro de téléphone sur une annonce en arabe affichée à l'entrée des dortoirs : « Cherche un troisième colocataire. » J'ai appelé d'une cabine téléphonique.

Le soir même, j'ai remis les clés de ma chambre au responsable des dortoirs et gagné la cité Nusseibeh, allée 3, immeuble 1, appartement 2. « Tu arrives juste à temps, m'a dit Wassim, je suis en retard. J'ai demandé à un pote de me remplacer au boulot jusqu'à six heures du soir. Je te laisse une clé, mais tu dois en faire un double, d'accord ? Je finis mon service à neuf heures, je serai de retour au plus tard à neuf heures et demie. Alors, si tu as l'intention de sortir ou de faire autre chose, laisse la clé dans l'armoire électrique de l'entrée.

– Non, je reste ici.

– Bon, alors, fais comme chez toi ! »

Le crépuscule tombait, l'appartement était glacé. Je ne pensais pas qu'il puisse y avoir là le chauffage. Je suis arrivé avec deux sacs, en fait trois, deux sacs de sport semblables en toile rigide avec le logo de l'équipe nationale de foot d'Allemagne et un autre sac qui m'avait jusque-là servi pour mes cours, puis pour mon travail. Ces trois sacs, ma mère me les avait achetés avant que je ne quitte notre foyer.

Ma chambre sentait le moisi, mais je n'ai pas osé ouvrir la fenêtre. La lumière du néon baignait la pièce, mais elle restait plongée dans la pénombre. J'ai boutonné mon manteau d'étudiant jusqu'au cou. Il me semblait qu'il faisait plus froid à l'intérieur de la maison qu'à l'extérieur. Or nous n'étions qu'au début de l'hiver.

Le lit en fer a grincé quand j'y ai posé mes sacs. Wassim m'avait trouvé un matelas, comme il l'avait promis au téléphone, mais le matelas était plus court que le sommier. C'était le genre de matelas que les Arabes utilisent dans la pièce qu'ils appellent le « salon de repos ». J'ai enclenché l'interrupteur du chauffe-eau dans l'entrée de la douche. Quelqu'un avait essayé de nettoyer la cuvette des W.-C., mais elle demeurait sale et, dans le fond, une eau noire stagnait. De l'acide chlorhydrique ferait sans doute l'affaire. Ma conversation téléphonique avec Wassim m'avait permis de comprendre qu'il habitait avec son cousin Majdi et que tous deux venaient de la ville de Jatt. Wassim était professeur à l'école d'éducation spécialisée pour handicapés et Majdi, stagiaire en droit. Quel genre de service un professeur pouvait-il bien avoir à effectuer, à cette heure ?

Dans le salon, j'ai avisé un radiateur électrique à deux résistances. Je l'ai branché et, aussitôt, les lumières de la maison ont faibli. Le radiateur laissait échapper une odeur de brûlé. Je me suis assis sur le canapé en osier et j'ai rapproché le radiateur. Les résistances électriques diffusaient une lueur jaunâtre et pâle, et il fallait s'y coller pour ressentir un peu de chaleur. J'ai tendu mes mains vers la grille du radiateur, noire de poussière et de restes de pain. Une cafetière était posée sur la table avec deux verres sales. J'ai rapproché mes mains du radiateur. Aux dortoirs, au moins, on avait le chauffage central.

Je n'ai pas appelé ma mère. Je lui parlerais le lendemain. Mais je ne pourrais pas repousser cet appel plus longtemps. De toute façon, il n'y avait pas de téléphone dans l'appartement, et je n'étais pas sûr qu'il y ait un téléphone public à Beït-Hanina. Demain, je l'appellerais de mon travail.

Après m'être un peu réchauffé, j'ai regagné ma chambre glacée et j'ai défait mon sac de vêtements. Je n'en avais pas beaucoup, et la plupart étaient sales. Cela faisait plus de trois semaines que je m'étais rendu chez moi, et, n'y allant pas la semaine suivante, je devrais porter mon linge à la laverie. Il devait bien avoir une laverie dans les parages.

J'ai entassé les vêtements dans l'armoire, sans les ranger, et suis retourné au salon pour me réchauffer. De retour à ma chambre, j'ai défait mon sac de literie et j'ai aussi sorti mes ustensiles de cuisine : une assiette, un verre, une cuillère, une petite cuillère à café, une fourchette, un couteau et une poêle. Je les ai posés sur la table en plastique de la chambre. Outre mes draps, je possédais une excellente couverture, un duvet que ma mère s'était obstinée à m'acheter. J'espérais que ce duvet suffirait dans le nouvel appartement, au moins la première nuit. J'ai prévu d'acheter un radiateur, le lendemain. Appeler ma mère, puis acheter un radiateur.

Au bout d'une heure, j'ai vérifié la température de l'eau. J'ai ouvert le robinet marqué en rouge au-dessus du lavabo ; comme l'eau ne paraissait pas plus chaude, j'ai ouvert le robinet bleu. En vain. Je me suis dit que ce chauffe-eau était très lent. Puis j'ai ôté mes chaussures, me suis glissé avec mon manteau dans le lit et me suis recouvert du duvet. Je tremblais mais, peu à peu, j'ai senti la chaleur se répandre dans mon corps et mes yeux se fermer.

Je me suis réveillé en sursaut en entendant une porte claquer, et il m'a fallu quelques secondes pour comprendre que je me trouvais dans un nouvel appartement. Je me suis assis au bord du lit. Une tête et un torse se sont encadrés dans ma porte.

« Salut ! Dis-moi, je t'ai réveillé ? J'ai vu de la lumière et…

– Non, non, je me repose juste un peu.

– Enchanté. Je m'appelle Majdi. »

Je me suis levé pour le rejoindre, sentant le froid monter du sol et pénétrer à travers mes chaussettes jusqu'à mes doigts de pieds. Je me suis présenté et j'ai serré la main du second colocataire.

« Ben, mon pauvre, comment tu as pu survivre dans un froid pareil, dis-moi ? Wassim ne t'a pas dit qu'on a un radiateur ?

– Oui, je l'ai vu. Je l'ai fait fonctionner dans le salon.

– Non, pas celui-là », a dit Wassim qui est revenu sur ses pas. Je l'ai suivi. Il a traversé la cuisine et est sorti sur un balconnet. « Nous avons ici un excellent radiateur à pétrole. Je peux pas croire que Wassim ne te l'a pas dit.

– Il était pressé, pour son service. Je suis arrivé en retard.

– Comment as-tu pu résister à ce froid ? Cette maison est glacée. On met le radiateur à pétrole sur le balconnet parce que la fumée qui se dégage après l'avoir éteint est très dangereuse. »

Majdi a pris un briquet dans son manteau, s'est penché sur le radiateur, a dévissé un couvercle en forme de bonnet métallique, glissé le briquet et allumé la mèche. « On va le laisser un peu fonctionner. Le plus dangereux, c'est la fumée de l'allumage et de l'extinction, mieux vaut faire ça sur le balconnet. La fenêtre est toujours ouverte ici. Bon, et alors, comment ça va ? »

J'ai fait un signe de la tête. Majdi a sorti un paquet de cigarettes de son manteau et m'en a offert une.

« Je ne fume pas, mais ça ne me dérange pas. » Il a allumé une cigarette puis a fixé du regard la salle de bains. « Et alors, il a enfin réparé le chauffe-eau ? » La lumière rouge était encore allumée.

« Je ne sais pas. Je l'ai mis en route vers six heures et, au bout d'une heure, l'eau n'était toujours pas chaude.

– Le cooon de sa... », a sifflé Majdi en entrant dans la salle de bains. Il a ouvert le robinet, laissé couler l'eau quelques instants, puis a tendu la main pour vérifier la température. « Ce fils de pute, a-t-il grincé, tout en se précipitant hors de l'appartement, je vais lui montrer à cet enfoiré ! » Ensuite, j'ai entendu des coups furieux sur une porte de l'immeuble, les éclats de voix de Majdi et les paroles conciliantes d'un homme âgé.

Majdi est revenu dans l'appartement, toujours aussi en colère et crachant la fumée de sa cigarette. « Ce fils de pute avait promis de réparer, aujourd'hui même. Cela fait une semaine que nous faisons bouillir de l'eau dans des marmites sur le gaz, comme il y a vingt ans. » Il a pénétré dans la cuisine, puis gagné le salon, avec le radiateur à pétrole. « Mon pauvre vieux, je peux pas croire que t'es resté ici sans chauffage, t'as sûrement dû te geler sur place.

– Non, pas de problème.

– Je suis monté chez le proprio, tu l'as déjà rencontré ?

– Non.

– Cette merde habite au-dessus de chez nous. Il possède plusieurs appartements dans l'immeuble. Il a commencé par me dire que, demain, il allait engueuler son bonhomme et qu'il croyait que le chauffe-eau avait déjà été réparé, ce roublard fils de roublard. Tu as tes cent dollars de loyer ?

– Oui, je les ai apportés, ai-je dit en tendant la main pour sortir mon portefeuille de mon manteau.

– Bon, garde-les pour le moment, et ne lui donne pas un sou. Je lui ai dit que si demain matin il n'y avait pas de chauffe-eau, on en achèterait un nous-mêmes à déduire du loyer du mois prochain. Ne lui paie rien, même s'il te le demande, d'accord ?

– D'accord. »

Majdi a éteint sa cigarette puis est entré dans la cuisine. J'ai entendu la porte du réfrigérateur s'ouvrir. « Ne me dis pas que tu n'as rien mangé, a-t-il crié du fond de la cuisine.

– Non, je n'avais pas faim.

– Dis-moi, t'es couillon ou quoi ? Il est plus de neuf heures du soir ! Ne me dis pas que tu n'as pas osé ! *Ayouni*, prunelle de mes yeux, ici, tu fais comme chez toi. Qu'est-ce qui t'a pris ? Où crois-tu que tu as mis les pieds ? Je vais préparer tout de suite à dîner, Wassim ne va pas tarder, et nous allons partager *aïch oulmil'h*, le pain et le sel. »

Taxi collectif

Chaque matin, nous quittions ensemble l'appartement, vers sept heures et quart. Le plus souvent, je ne croisais mes colocataires que le matin. Majdi travaillait toute la matinée pour un cabinet d'avocats et, de là, il se rendait à l'hôtel Sheraton où il occupait un emploi de caissier jusqu'à vingt et une heures, voire vingt-deux heures. Wassim finissait son travail à l'école relativement tôt, puis passait à la maison pour enchaîner, vers seize heures trente, avec son deuxième job comme intendant d'un foyer d'aliénés dans le quartier de Chouaafat. Parfois, à mon retour du dispensaire, je l'apercevais quelques minutes, mais, en général, il était déjà parti.

Le matin, j'ouvrais les yeux le premier, mais Wassim, lui, était le premier à sauter du lit. Avant de se rendre aux toilettes, il faisait bouillir l'eau du café. Je quittais mon lit après lui, et lorsque le café était prêt, Wassim pénétrait dans la chambre de Majdi pour le réveiller. Ils avaient le même âge, mais il semblait que Wassim était le plus responsable, une sorte de grand frère pour son cousin Majdi qui, contrairement à lui, avait réussi ses examens d'entrée en droit.

Majdi utilisait la salle de bains et s'habillait en dernier, mais il n'était jamais en retard, peut-être grâce aux remontrances incessantes de Wassim : « Tu te lèves ? », « Pas le temps d'en griller une, nous sommes en retard, tu la fumeras en route jusqu'au bus, *yallah*, dépêche-toi ».

Je m'entendais bien avec les deux garçons. Alors que je n'avais guère d'affinités avec mes camarades de dortoir, je m'étais lié à Wassim et Majdi et, même, je me réjouissais de leur compagnie. Chaque matin, nous gravissions l'allée qui serpentait entre les immeubles pour atteindre la route de Ramallah à Jérusalem et gagner le sud de la ville.

Notre appartement était situé du bon côté du barrage militaire : à l'intérieur des limites municipales de Jérusalem. Wassim et moi préférions emprunter des Ford Transit qui servaient de taxis collectifs et transportaient jusqu'à sept passagers. C'était plus rapide que l'autobus. Si l'un de ces Ford avait seulement une ou deux places libres, nous attendions ou montions dans un autobus. Majdi, lui, préférait les autobus car, disait-il, « des autobus vieillots avec de telles couleurs, on n'en trouve plus qu'ici ».

En fait, il s'agissait des autobus rouges que la compagnie israélienne Egged avait mis au rebut. Les Palestiniens les avaient achetés, repeints en bleu et transformés en moyen de transport principal de la ville orientale. Ils étaient vraiment exécrables, bruyants, lents, sans chauffage l'hiver ni climatisation l'été. Presque tous les sièges étaient cassés, tordus ou branlants. Mais Majdi les aimait. Dès qu'il montait, il allumait une cigarette. « C'est vraiment le pied, disait-il, non seulement on a le droit de fumer là-dedans mais, parfois, le conducteur ne prend pas ton shekel et demi parce que, justement à ce moment-là, il s'apprête à allumer la sienne. » Presque tous les hommes fumaient dans l'autobus, c'était une sorte de rite. Été comme hiver, les vitres étaient baissées, les fumeurs laissaient pendre leur cigarette à travers les ouvertures. « Les Palestiniens, rigolait Majdi, c'est le peuple qui compte le plus de fumeurs au monde. »

La distance entre Beït-Hanina et le centre-ville n'était pas longue, mais, le matin, on y trouvait les bouchons les plus épouvantables du pays. Les voitures avançaient pare-chocs contre pare-chocs. Un trajet de cinq minutes pouvait prendre une demi-heure aux heures d'affluence, et encore, quand il n'y avait pas de complication particulière, comme un barrage militaire volant.

Le feu tricolore qui passait au vert pour les véhicules arabes au carrefour de Beït-Hanina et de Chouaafat en direction de French Hill était le feu le plus rapide de la ville, du moins à en croire Majdi. Pour les cinq minutes de vert qu'il concédait aux voitures venant de l'est – de Maalé Adoumim, de Névé Yaacov, de Pisgat Zéev et de toutes les colonies merdiques –, il ne laissait qu'une demi-minute aux cent mille habitants du coin. Chaque jour, Majdi promettait que sa première action en justice, après avoir réussi le barreau, serait de requérir devant la Cour suprême de justice contre ce foutu feu. « Et je suis sûr de gagner. Ça me fera une publicité énorme dans la presse arabe. J'achèterai le meilleur costume pour les photos, et je deviendrai l'avocat numéro un de Jérusalem-Est, vous verrez. Rappelez-vous bien. Comment il a dit, leur Theodor Herzl ? Si vous le voulez, ce ne sera pas un rêve ! »

Majdi descendait le premier, à la station de Cheikh Jarah. De là, il prenait un autobus israélien pour le centre-ville. Moi, je descendais une minute après lui, près du tribunal de grande instance, rue Salah Eddine, puis je poursuivais à pied jusqu'au dispensaire de Wadi Jouz. Wassim allait jusqu'au terminus de Bab Al-Amoud, et de là, empruntait un taxi collectif jusqu'à son école, dans le quartier de Jabel Moukaber.

Méthadone

Je prenais soin d'arriver à l'heure au dispensaire. J'ai toujours pointé avant huit heures, bien qu'à cette heure-là le seul employé soit l'homme à tout faire et qu'il n'y ait pas grande activité. De manière générale, mon zèle avait été plus intense pendant ma spécialisation, et j'ai bien vite compris que, même si les armoires de l'unité de soins aux toxicomanes débordaient de dossiers, il n'y avait, en tout et pour tout, qu'une vingtaine de « dossiers actifs » : des toxicos ayant manifesté le désir plus ou moins sincère de renoncer à la drogue. Les autres toxicos se pointaient seulement pour recevoir l'allocation de revenu minimum qui leur était accordée à condition de suivre un traitement. Et, au dispensaire, on ne se montrait pas particulièrement regardant. Chaque année, on envoyait un rapport à la Sécurité sociale afin de leur renouveler l'allocation, même si les bénéficiaires ne s'étaient présentés à aucune convocation. Pour nous, c'était le moyen le plus sûr d'éviter les problèmes.

Une année auparavant, je travaillais deux fois par semaine dans ce dispensaire comme stagiaire placé par l'université. Mes obligations stipulaient que je devais m'occuper de quatre cas pendant l'année, et le directeur du département, par ailleurs superviseur de mon mémoire, avait veillé à ce que j'aie en charge quatre « dossiers actifs ». Désormais employé contractuel à temps plein, quatre dossiers étaient plus que ce à quoi je pouvais prétendre. Pendant des journées entières, je n'avais qu'à me tourner les pouces. On m'avait confié un dossier actif qui, lui aussi, à en juger par certains indices concordants, était sur le point de se transformer en cas « passif » se contentant de sa garantie d'allocation. À dire vrai, tout le monde savait que ce dossier, celui d'un quadragénaire, ne demeurait actif que parce que cet homme était sous le coup d'une condamnation avec sursis. L'usager continuait donc de venir aux convocations hebdomadaires pour la seule raison que l'inspecteur de probation exigeait un engagement réel et régulier de désintoxication.

Le parcours des usagers était le suivant : le premier mois, ils effectuaient sur place une analyse d'urine hebdomadaire, fournissaient quelques renseignements personnels et participaient à quelques entretiens, puis on leur ouvrait un dossier. Les rares individus manifestant un intérêt véritable pour un sevrage passaient devant une « commission professionnelle », sorte de réunion spéciale à laquelle prenaient part, outre les employés du dispensaire, une inspectrice responsable de toutes les unités de traitement des toxicomanes à l'ouest et à l'est de la ville, ainsi qu'un psychologue mandaté par la municipalité.

L'usager était envoyé à un centre de soins à la méthadone, en attendant que se libère l'unique lit réservé à un toxico arabe au centre de désintoxication de Lifta. Alors, il y séjournait pendant deux mois avec pour objectif principal de parvenir au sevrage physique et d'assimiler les douze étapes de la guérison. Au bout de ces deux mois, les toxicos sortaient toujours *clean* et contents, jurant qu'ils étaient des hommes nouveaux, embrassant les travailleurs sociaux et les qualifiant de parents qu'ils n'avaient jamais eus. Les semaines suivantes, ils continuaient à se rendre aux réunions des toxicos anonymes, qui se déroulaient dans un abri du centre-ville mais, au bout de quelques mois, ils replongeaient. Le seul succès enregistré, passé dans les annales et objet de notre fierté, était un père de cinq enfants, un quinquagénaire qui avait réussi à demeurer *clean* une petite année. Hormis ce cas-là, ce dispensaire n'avait pas réussi à désintoxiquer ne fût-ce qu'un seul usager depuis sa création, quinze ans auparavant.

Mes collègues arrivaient au dispensaire vers dix heures, sauf le jeudi, jour où la déléguée de la municipalité au « comité professionnel » nous rendait visite, et où tout le personnel était présent pour huit heures. Parfois, les jours de réunion, l'un d'entre eux arrivait même avant moi. En général c'était Walid, le directeur du dispensaire, qui était le second après moi. Et il était le premier à partir, toujours avant seize heures, heure réglementaire de fin de la journée. « Je dois effectuer une visite à domicile, annonçait-il à voix haute à tous les employés. Quand j'en aurai fini, je rentrerai chez moi parce qu'il sera déjà tard. » Sur sa carte de pointeuse apparaissait, chaque jour, cette notation de sa main : « Visite domiciliaire ».

Outre le directeur, il y avait Khalil que je n'avais jamais vu s'occuper d'un seul cas. En plus de son travail au dispensaire, il occupait deux mi-temps et avait une voiture, une Peugeot 205 rouge, toujours briquée, et un disque des Gipsy Kings, qu'il admirait, accroché au rétroviseur. Lui et Walid étaient les seuls à posséder un véhicule. Il y avait aussi Chadi, qui n'avait qu'un an de plus que moi ; il venait au travail en jeans et chemises achetés dans des magasins de grandes marques, avec, au cou, un collier en or gravé de l'initiale du prénom de sa petite amie. Il n'arrêtait pas de parler d'un club nommé l'Underground, se vantant d'être le pote du videur et de pouvoir y entrer sans problème, chaque jeudi. Parfois, il fermait la porte de notre service et nous montrait les nouveaux pas de danse qu'il avait appris.

Comme tous les employés du dispensaire, Chadi haïssait le travail social. Il ne cessait d'affirmer qu'il avait d'autres ambitions, qu'il avait choisi par hasard le travail social à la fac, que son examen psychométrique n'était pas assez bon parce que, de toute façon, ce test était fait pour baiser les Arabes. Il s'était inscrit en comptabilité dans un collège universitaire qui venait d'ouvrir et il arrivait au dispensaire ses livres d'économie sous le bras, pour réviser, et c'était à peu près tout ce qu'il effectuait dans le service.

Cela ne créait guère de problème ; le nombre de dossiers actifs était si minime que les employés pouvaient se consacrer sans gêne à leurs autres occupations. Ils débarquaient, se carraient dans leur fauteuil, sirotaient le café que je leur avais préparé et cancanaient, le plus souvent à propos des filles, surtout de celles qu'ils avaient connues à l'université. Je ne connaissais aucune de ces stars, toutes plus célèbres les une que les autres, toutes des Arabes, toutes des putes qui avaient couché avec la moitié de l'université.

L'université était l'alpha et l'oméga pour mes collègues : la raison pour laquelle ils avaient quitté leurs villages et étaient venus à Jérusalem et la raison pour laquelle ils y étaient restés. Ils avaient tous gardé un lien avec l'université, tous sauf moi. Walid, le directeur, était chargé de TD au département de travail social et espérait y trouver un directeur de thèse pour son doctorat. Khalil venait de commencer une maîtrise en criminologie parce que ses notes ne lui permettaient pas de poursuivre en travail social, mais cela lui importait peu, « parce qu'une maîtrise en criminologie, ça fait exactement trois cents shekels de plus à mon salaire ». Chadi, qui ne voulait pas gaspiller son argent, squattait les dortoirs et dormait sur un matelas dans la chambre d'un cousin et d'un autre étudiant, qui ne rechignait pas à cette promiscuité, tout heureux de ne payer qu'un tiers du prix du loyer.

À onze heures du matin, chacun me remettait un billet de dix shekels, et j'allais leur acheter leur petit-déjeuner chez Abou-Ali, rue Salah Eddine, à cinq minutes à pied du dispensaire. J'étais content de pouvoir quitter le bureau et de me promener loin du dispensaire, qui me pesait plus que tout, et, chaque jour, je me rendais chez Abou-Ali en touriste. Je contemplais les maisons de pierre taillée, les magasins, les arbres le long des rues, comme si c'était la première fois.

Très vite, je n'ai plus eu plus besoin de détailler mes commandes. Après les salutations d'usage, Abou-Ali me préparait chaque fois les mêmes mets : trois plats de houmous aux fèves, un plat avec des pois chiches entiers et du piment, une grande assiette en plastique de tomates, concombres, oignons, poivrons verts et cornichons, une assiette de falafels et quatre bouteilles en verre de Coca. Il disposait le tout sur un plateau de cuivre que je transportais jusqu'au dispensaire. Après avoir achevé notre repas, mes collègues plaisantaient parce que je devais rapporter le plateau vide à Abou-Ali. Ils ignoraient que chaque fois ce dernier me proposait que l'un de ses aides se charge de la commande, ce que je refusais afin de pouvoir, ne fût-ce que quelques instants, continuer à m'évader du bureau. C'est pourquoi je m'étais aussi porté volontaire pour me rendre, chaque jour, à quatorze heures trente, au kiosque d'Abou-Alez, près de la Maison d'Orient, où j'achetais à chacun un schnitzel dans une pita. Je mangeais mon schnitzel, seul, en revenant lentement au dispensaire.

Téléphone à cadran

Aussitôt après le déjeuner, tout le monde a quitté le bureau, me laissant seul. J'ai fermé la porte, me suis installé dans le fauteuil de Walid, j'ai pris le combiné jaune du téléphone hors d'âge et composé le numéro. J'ai attendu, et alors elle a répondu.

« Maman ?

– *Ahlan*, comment vas-tu, *habibi*, mon chéri ? Comment ça se passe ? *Inch'Allah*, avec l'aide de Dieu, que tout aille bien pour toi, allez, raconte-moi.

– Moi, ça va, et toi ?

– Tu me manques terriblement, ça fait des jours que j'attends ton coup de fil. Je me fais beaucoup de mauvais sang pour toi, *habibi*. *Inch'Allah*, que tout aille bien pour toi, tu as eu tes notes ? »

Deux semaines s'étaient écoulées depuis mon dernier appel. Je lui avais alors dit que j'attendais encore une note pour un mémoire de séminaire et qu'après l'avoir obtenue je pourrais me faire embaucher comme travailleur social. Elle ne savait encore rien de mon nouvel appartement et, pour elle, je logeais toujours à l'université. Lors de ma dernière visite, plus d'un mois auparavant, je lui avais expliqué qu'entre-temps je préférais, pour des tas de raisons, rester aux dortoirs.

« *Al'hamdoulillah*, Dieu merci, lui dis-je, tout va bien. J'ai fini mes études.

– *Mabrouk*, *mabrouk*, mes félicitations. *Inch'Allah*, tu as eu de bonnes notes ?

– Impeccables.

– Alors, tu es *mabsout*, tu es content ? » C'était la question perpétuelle de ma mère: Tu es satisfait? Tu es heureux? Tu te sens bien?

« Je suis très content.

– *Mabrouk, mabrouk!* »

J'ai arrêté là le flot de ses bénédictions car je savais parfaitement qu'allait surgir la question: « Et alors, quand reviens-tu à la maison? » Or je savais que désormais, après mon emménagement dans un appartement en ville, je n'avais d'autre choix que de la décevoir. Ma mère désirait plus que tout que j'achève mes études, revienne à la maison et que je mène à ses côtés ses batailles et les miennes.

« Maman, tu m'écoutes? Mes notes étaient vraiment impeccables, j'ai obtenu 90 sur 100 de moyenne. Ça vaut un "excellent", et ils vont l'annoncer pendant la cérémonie de remise des diplômes. »

Je voulais la préparer, je percevais l'émotion dans sa voix, je sentais qu'elle s'apprêtait à rapporter à toutes ses connaissances, et même aux inconnus, les exploits de son fils. J'avais réussi. Elle avait élevé un enfant digne d'éloges. Malgré tout. Jusqu'à ce moment-là, je n'avais dit que la vérité. « Maman, tu m'écoutes? Un de mes enseignants, celui qui a dirigé mon mémoire de séminaire, tu sais, un professeur, il m'a parlé cette semaine et m'a dit qu'avec des notes pareilles, ce serait dommage de ne pas continuer une maîtrise.

– C'est formidable, non?

– Oui, j'étais aux anges. Pas de doute, comme ça, je pourrai avancer plus vite et peut-être que je vais continuer encore un peu.

– Merveilleux, je suis si heureuse.

– Bon, alors voilà: pour les études que je souhaite poursuivre, plus prestigieuses que les autres cursus et qui me permettront de m'installer en tant que thérapeute libéral, j'ai besoin d'expérience, pas seulement de mes notes. Je veux dire, j'ai toutes les qualifications du point de vue des notes mais l'expérience me manque.

– Combien d'expérience il te faut ?

– Avec mes notes, j'ai besoin de deux ans. Mais mon professeur m'a dit qu'il veillerait à ce que le secrétariat du département me compte mon année d'apprentissage comme une année d'expérience. Comme ça, l'an prochain, je pourrai commencer à suivre ce cursus.

– Excellent. Tu sais qu'au village tu pourras trouver du travail tout de suite. J'ai déjà parlé avec des gens, et, ici, on a tout le temps besoin de travailleurs sociaux. J'ai parlé avec une femme de la mairie, et elle m'a dit que tu pouvais commencer immédiatement.

– Alors, voilà, tu comprends, moi aussi, j'ai pensé comme toi, maman, mais quand je l'ai dit à mon professeur, il m'a expliqué que je devais étudier deux ans la même matière, au même endroit, tu comprends ? Si je devais travailler à la mairie du village, il faudrait que j'y reste deux ans, et j'ai pensé que… »

Elle se taisait, et moi, je sentais mon cœur se serrer à la pensée de ce que je lui infligeais. Mais j'ai poursuivi sur le même ton d'optimisme forcé, de joie et d'émotion, à cause de ce professeur sorti de mon imagination et de cette maîtrise prestigieuse que je n'avais jamais envisagée. « Bon, tu m'écoutes, maman ? Aujourd'hui même, j'ai parlé de ce travail au directeur chez qui j'ai fait mon stage, et il en était très heureux, il m'a dit qu'il pouvait m'offrir tout de suite un emploi, parce qu'il en a un de vacant, et qu'il compterait mon année de stage comme une année d'ancienneté, ce qui me donnerait un meilleur salaire. »

Elle continuait à se taire. Ce que je lui disais en fait, c'était non seulement que je ne reviendrais pas à la maison mais que je restais à Jérusalem pour trois ans au moins, soit, en tout, le double de ce à quoi elle s'attendait lors de mon départ. Et même alors, elle m'avait supplié d'étudier à Tel-Aviv ou à Bar-Ilan, pour que je puisse rentrer chaque soir à la maison, et même alors, j'avais inventé une histoire : j'avais interrogé des gens qui m'avaient affirmé que l'avenir professionnel d'un individu diplômé de l'université hébraïque de Jérusalem était plus prometteur.

« En fait, je ne sais pas encore, ai-je tenté de la réconforter, je voudrais déjà me retrouver chez nous, j'en ai assez de cette ville. J'ai aussi envie de me reposer, après toutes ces études. Je suis très content de ces propositions, mais je n'ai encore rien décidé. Je viendrai pour la fête, maman, et nous en discuterons. En attendant, je vais réfléchir de mon côté parce que, pour te dire la vérité, je me sens un peu fatigué. Alors, on verra ça ensemble, d'accord ? »

J'ai tenté de m'occuper jusqu'à seize heures. J'ai relu des notes que j'avais prises après un entretien avec Daoud Abou-Ramila, mon seul dossier actif, j'ai rangé les pages dans le classeur marron, puis j'ai feuilleté quelques dossiers ouverts depuis de longues années et parcouru leur contenu. Histoires de toxicos, témoignages de leurs femmes, rapports sociaux de visites domiciliaires, comptes rendus de violence conjugale et d'abandon de foyer. Ce qui m'intéressait en particulier dans ces dossiers, c'étaient les rapports sur les enfants. Est-ce qu'ils étudiaient, travaillaient ? Avaient-ils été envoyés dans des centres spécialisés ? Pendant les heures précédant la fermeture, un silence absolu régnait au bureau. À seize heures précises, j'ai pointé et salué l'homme à tout faire qui passait une serpillière sur l'escalier de l'entrée. Il m'a gratifié d'un regard mi-admiratif mi-railleur, le regard de quelqu'un qui savait exactement ce qui se passait au bureau.

J'ai gravi rapidement la côte menant de Wadi Jouz à la rue Salah Eddine. De lourds nuages noirs roulaient à toute allure au-dessus de ma tête en direction de l'est, et j'ai espéré voir la pluie tomber. J'ai attendu dans la queue des passagers et je n'ai pris que le troisième Transit à s'arrêter devant la station improvisée. La seule place libre se trouvait à côté d'une jeune fille. Un premier coup d'œil rapide m'a donné l'impression qu'elle était belle, mais je n'ai pas osé me tourner et la regarder de manière insistante. Je me suis toujours efforcé de ne pas m'asseoir à côté de jeunes femmes. Je cherchais d'abord une place à côté d'un homme et, à défaut, à côté d'une femme âgée. Je me suis recroquevillé pour que les manches de mon manteau n'effleurent pas son bras. J'ai serré mes jambes l'une contre l'autre et posé mon sac dessus. Pendant tout le trajet, j'ai pris soin de détourner mon regard vers la vitre et, bien vite, j'ai oublié la jeune fille assise à côté de moi pour me livrer à mon passe-temps favori : scruter l'intérieur des maisons, repérer des pièces éclairées dans les immeubles, traquer des silhouettes, le scintillement d'écrans de télé, puis imaginer la vie des occupants de ces pièces chauffées défilant sous mes yeux, songer aux pères, aux épouses et aux enfants de retour de l'école qui, à cette heure, préparaient sans doute leurs devoirs avec leurs parents ou regardaient des dessins animés. Des gens menant, en somme, quelque chose ressemblant à une vie de famille.

« Pardon... » La voix de la jeune fille m'a ramené au taxi.

Le Ford Transit avait stoppé devant la mosquée de Chouaafat, elle voulait descendre. Je ne voulais pas qu'elle m'enjambe, qu'elle frotte ses jambes contre moi, aussi ai-je tiré la portière et suis-je descendu du véhicule pour lui laisser le passage. Elle ne m'a pas remercié, et moi, j'ai regagné ma place en espérant que Wassim ne soit pas encore parti pour son second service. Je voulais échanger quelques mots avec lui, l'entendre me raconter sa journée, voir mes colocataires, même pour un instant.

Acide chlorhydrique

Au cours des premières semaines passées dans la cité Nusseibeh, je n'ai presque pas mis le nez dehors, sauf pour me rendre au travail le matin et faire quelques sauts à l'épicerie. J'avais pris en charge les courses, ce qui m'avait valu le titre de « ministre des Approvisionnements » de la part de Majdi. Je rapportais les tickets de caisse pour les achats communs – pain, œufs, saucissons et fromages –, et nous nous partagions les frais à parts égales, même si, souvent, j'achetais un aliment ou un saucisson un peu plus chers et demandais à l'épicier de ne pas les inclure dans la note commune. « Depuis que tu vis avec nous, nous achetons des produits d'entretien », me faisait remarquer Majdi, en s'esclaffant chaque fois qu'il découvrait que j'avais acheté un détergent pour le sol ou un liquide vaisselle.

Comme je passais de nombreuses heures dans l'appartement, je m'étais aussi chargé de son entretien. Au début, je me lançais à fond dans le ménage : je consacrais de longues heures à nettoyer cet appartement négligé depuis des années ou, du moins, depuis que les deux cousins le louaient. Mon premier objectif a été le réfrigérateur. Majdi et Wassim n'en ont pas cru leurs yeux en découvrant qu'on pouvait le nettoyer et restituer leur couleur d'origine aux clayettes. Le récurage de la salle de bains n'a pas été plus facile. J'y avais déversé une bouteille entière d'acide chlorhydrique puis une autre de javel pour améliorer l'état du lavabo, de la baignoire et de la cuvette des W.-C. Je ne sais pas si cette frénésie de propreté provenait vraiment de mon aversion de la saleté ; sans doute me jetais-je dans ces occupations pour me détourner de mes soucis, m'épuiser et tuer le temps jusqu'au retour de Wassim et de Majdi.

Rares étaient les journées où nous étions présents tous les trois dans l'appartement. Wassim et Majdi profitaient de chaque occasion pour travailler, même le week-end, et gagner de l'argent. Ces fins de semaine pendant lesquelles je restais seul étaient un cauchemar. J'essayais de m'occuper avec la petite télé ou les vieux journaux que Majdi rapportait de son hôtel, où, de temps à autre, je m'invitais pour un café. Ces heures creuses parvenaient à me faire regretter le bureau, mon service et ses employés. Si je savais d'avance que je serais seul dans l'appartement, je photocopiais au préalable d'anciens dossiers du service, les plus épais possible, et les glissais dans mon sac afin d'avoir une lecture intéressante.

Les week-ends ensemble étaient merveilleux. Lorsque Wassim et Majdi ne travaillaient pas et n'avaient pas décidé de retourner chez eux, nous empruntions, le samedi, un autobus ou un taxi jusqu'à Bab Al-Amoud, où nous nous précipitions au restaurant Lina pour déguster un houmous aux fèves. Ensuite, bousculés par la foule, nous nous promenions un long moment dans les souks, tandis que Majdi entrait chez chaque disquaire, choisissait de la musique qu'il appelait « rigolote », des chansons pop égyptiennes comme celles d'Ahmad Adawiya. Il demandait aux vendeurs de les passer et se tordait de rire pendant une heure. En fait, ce n'était pas particulièrement son goût ; il préférait Cheikh Imam, Zyad Rahbani, Marcel Khalifé et un orchestre palestinien du nom de Sabreen, dont il nous rebattait les oreilles. Wassim, que Majdi raillait comme un « conservateur indécrottable », préférait les classiques et recherchait surtout Abdelhalim Hafez, Farid El-Atrache, Sabah Farkhi et Fayrouz. Moi, je n'achetais pas de cassettes. Je n'avais pas de magnéto, et je me contentais de leur musique. Des discussions enflammées éclataient dans l'appartement autour de la musique diffusée pendant nos « soirées narguilé ».

Majdi était assigné au narguilé. En véritable artiste, il roulait les brins de tabac entre ses doigts pendant de longues minutes, en général un *tümbak* au goût de pomme. Ensuite, il enveloppait son mélange dans du papier d'aluminium, perçait des trous réguliers à l'aide de brindilles, allumait des boulets de charbon au-dessus d'une flamme à gaz, puis aspirait de longues bouffées dans le tuyau en caoutchouc. Wassim répétait chaque fois : « Pour les futilités, c'est le meilleur ! » Tous deux se passaient le tuyau, aspiraient profondément, lâchaient quelques volutes géantes et les contemplaient tandis qu'elles s'effilochaient dans la pièce. Moi aussi, j'ai essayé à plusieurs reprises, mais je n'avais pas vraiment compris ce que l'on devait faire de la fumée et, à la fin, j'ai renoncé, bien que ces soirées narguilé me fussent précieuses. J'aimais surtout le thé, un thé clair à la menthe avec des pelletées de sucre, trois cuillerées dans chaque petit verre.

Nos discussions tournaient le plus souvent autour des filles. Majdi, amoureux de toutes les filles, était toujours prolixe à propos de celles qu'il avait rencontrées à l'hôtel, au boulot ou dans l'autobus. Il adorait les décrire, surtout les belles serveuses russes qui travaillaient avec lui au Sheraton et les touristes qui lui faisaient les yeux doux pendant le repas. Wassim prétendait que Majdi inventait tout et qu'aucun détail de ses histoires n'était véridique. Connaissant à la perfection Majdi, il jurait qu'il serait le plus roublard des avocats du pays, et qu'Allah prenne en pitié ses clients… Wassim, en revanche, avait une petite amie, ou presque, une fille de son village qui avait étudié la pédagogie à l'université et qui était revenue chez elle, à la fin de ses études. Wassim ne l'avait jamais rencontrée en tête à tête, et ne pouvait pas non plus l'appeler au téléphone de crainte que ses parents ou un de ses frères ne décroche. Mais tous deux s'aimaient, et il était clair que cela aboutirait à des fiançailles, puis à un mariage. Majdi provoquait Wassim : « Tu es en train de gâcher ta vie ! Profite de cette ville avant de t'enterrer vivant dans ton trou perdu ! », mais ses propos tombaient dans l'oreille d'un sourd. Wassim était le type même du gars à demeurer fidèle à sa parole ; il épouserait donc la jeune fille timide et honnête dont il s'était épris et qu'il n'avait jamais touchée. « Pourvu que ses parents ne fassent pas de problèmes, disait-il. Son père est très riche, il possède un magasin d'équipements électriques. Et moi ? Je ne suis qu'un simple instituteur… » Sans une maison au village, inutile de songer au mariage. C'était l'une des raisons pour lesquelles Wassim restait à Jérusalem. Il voulait gagner un peu d'argent avant de revenir chez lui, et c'est pourquoi le peu qu'il dépensait pour le loyer lui pesait. Certes, il avait réussi à économiser un salaire et demi, mais le sien n'était pas particulièrement élevé.

Majdi était plus dépensier. Il gagnait beaucoup moins que Wassim car les cabinets d'avocats payaient leurs stagiaires le minimum, mais, parfois, il s'achetait des jeans ou une chemise neuve et épargnait le reste pour acquérir, un jour, une voiture. Après les filles, les bagnoles étaient son autre obsession. La BMW était l'apothéose de ses rêves. Pas la plus chère, certes, reconnaissait-il, mais quelle puissance ! Entre-temps, il projetait d'acheter une Golf modèle 1984 ou 1985.

« Peut-être que, toi aussi, tu vas chercher un nouveau job ? » m'a demandé Wassim un soir, ce même soir qui m'a conduit jusqu'à Yonatan. « Peut-être même que tu vas te trouver une fille... », a ajouté Majdi en éclatant de rire, mais Wassim l'a ignoré et a poursuivi : « On m'a parlé d'un travail qui, si c'est encore d'actualité, peut être parfait pour toi. Il s'agit d'une garde l'après-midi, parfois la nuit, si ma mémoire est bonne. » Wassim m'a expliqué qu'Ayoub, un instituteur de son école, devait se marier bientôt et donc renoncer à ce travail de nuit assez commode. Je me souviens que Wassim avait ajouté : « Tu n'as rien à faire de spécial, vraiment rien. Cet instituteur s'occupe d'un enfant, pas dans un centre spécialisé, mais à domicile. Un gosse à problèmes, je ne me souviens pas du terme exact, mais, si tu veux, je peux me renseigner dès demain. Tout ce que je sais, c'est qu'Ayoub ne fait rien pendant ces nuits-là et il dort mieux là-bas que chez lui.

– Oui, ça me paraît pas mal », lui ai-je répondu sans aucune intention de donner suite.

Le Pionnier

Comme convenu avec Wassim, j'ai attendu Ayoub à dix-huit heures précises, à la station d'autobus, en face de la porte de Damas. Ayoub est arrivé à dix-huit heures quinze. Je l'ai repéré alors qu'il traversait la route séparant la ville orientale de la partie occidentale, vêtu d'un épais chandail gris à carreaux et d'une ample veste en jean doublée de fourrure synthétique. Il portait un petit sac en plastique. « C'est toi ? m'a-t-il demandé, en me serrant la main. Je suis désolé, il y avait des bouchons sur la route, un accident ou je ne sais quoi, mais ne t'en fais pas, nous ne serons pas en retard. »

Ayoub m'a expliqué qu'en général il prenait un taxi collectif d'Issawya, où il demeurait, jusqu'à la porte de Damas, puis marchait une dizaine de minutes environ jusqu'à la rue de Jaffa, et, de là, montait dans le 27 ou le 18, descendait boulevard Herzl, où il ne lui restait plus qu'à traverser le boulevard et à marcher quelques minutes jusqu'à la rue du Pionnier. Il faisait très froid, aussi a-t-il suggéré de prendre le bus jusqu'à la rue de Jaffa. « Pour moi, pas de problème, je peux marcher », lui ai-je dit, mais Ayoub ne voulait pas nous mettre en retard, tandis que, à ce moment précis, le bus pénétrait dans la station.

Je suis monté en premier, j'ai acheté deux tickets. L'autobus était presque vide. Nous nous sommes assis à l'arrière, et Ayoub a commencé à me parler de lui et du travail. Il était instituteur en éducation spécialisée, avait étudié au collège universitaire David-Yellin, ce qui n'avait pas été si aisé car il avait un baccalauréat jordanien. « Mais j'ai été malin, je savais qu'avec un diplôme d'enseignement de Cisjordanie, je pouvais me torcher le cul, alors j'ai consacré une année de plus à apprendre l'hébreu, j'ai suivi une classe préparatoire et me suis inscrit à David-Yellin. Je sais bien que l'université de Bir-Zeït ou celle de Bethléem ne font qu'une bouchée de leur David-Yellin, mais en quoi un diplôme de là-bas peut-il servir à un résident de Jérusalem ? Ici, tout est israélien. »

Lorsqu'il avait cherché quelqu'un pour le remplacer dans son travail de nuit, il avait pensé au début à des cousins qui restaient à glander toute la journée chez eux, mais Wassim m'avait chaudement recommandé, et Wassim n'était pas le genre d'ami à qui on pouvait refuser quelque chose. « *A'hla*, ce type, un mec extra, il a vraiment le cœur sur la main. On n'en trouve plus beaucoup des comme lui, de nos jours. » Il savait qu'on n'accepterait pas n'importe qui pour ce boulot : « Ils veulent de la qualité, et l'hébreu aussi, c'est important, et quelqu'un qui s'y connaît dans ce domaine. Quelqu'un qui a étudié l'assistance médicale ou l'éducation spécialisée, c'est le mieux, mais même le travail social, ça convient très bien. Après tout, il s'agit de s'occuper d'un individu. » En outre, a-t-il ajouté, durant la journée, il y avait là une infirmière diplômée qui gardait le patient jusqu'au soir. « Nous la rencontrerons tout à l'heure, et tu pourras constater que c'est une crème, elle est méticuleuse et exige un travail dans les règles, mais c'est une femme bien. Elle s'appelle Osnat. »

Nous sommes descendus rue de Jaffa. Ayoub m'a pressé de courir derrière lui jusqu'à la station suivante où le 27 était arrêté pour faire monter les passagers. Le bus était bondé, sans une seule place assise de libre. Il y avait à peine où se tenir debout. Ayoub qui, jusque-là, m'avait parlé en arabe, est passé aussitôt à l'hébreu, avec le plus grand naturel, comme si cela allait de soi. Je ne savais comment réagir, si je devais lui répondre en arabe ou en hébreu, aussi me suis-je contenté de me taire. « Bon, alors, tu m'écoutes, a-t-il poursuivi en hébreu avec un fort accent de Hébron. Le plus important, c'est que tu montres à Osnat que tu t'intéresses aux gens. Manifeste un peu de chaleur humaine, tu vois, de l'intérêt. Et ne t'affole pas quand tu vas découvrir le malade, conduis-toi avec lui comme si c'était un être normal. Certes il a un handicap, mais quand même, c'est un être humain. Il s'appelle Yonatan. »

Ayoub m'a raconté que Yonatan avait vingt et un ans, peut-être vingt-deux, parce que ça faisait une année qu'il avait commencé à travailler là-bas. Avant ça, il bossait dans un centre pour handicapés, en plus de son boulot d'éducateur spécialisé. C'était dans ce centre qu'il avait rencontré Osnat, une infirmière qui venait, un soir par semaine, former les soignants. Tous deux entretenaient d'excellentes relations, et, un beau jour, elle lui avait proposé cette garde nocturne auprès de Yonatan. « Du point de vue des conditions de travail, il n'y a rien à redire. C'est le paradis, ces tours de garde, il n'y a rien à faire. La nuit, Yonatan dort tout le temps. Il suffit juste de le retourner toutes les deux heures. Une fois sur le dos, une fois du côté droit, l'autre, du gauche. C'est tout. Le reste du temps, tu dors là, et personne pour te déranger. Sa mère est à la ramasse, tout le temps *mastoula*, dans les vapes. La pauvre, pourtant, c'est une femme bien. Elle n'a que Yonatan. Elle a perdu son mari. En fait, je ne sais pas vraiment, mais elle n'a pas de mari, je ne sais pas si elle est veuve ou divorcée, je ne sais rien d'elle. Le mieux, c'est que tu ne poses pas de questions. Ça sert à quoi, les questions, hein ? »

Il savait juste que sa mère était docteur en quelque chose. Rouhèlé, c'est le diminutif qu'on employait à la place de son nom, Rachel. Peut-être « docteur en sociologie », comme ils disent en hébreu. C'était aussi une gauchiste, c'est ce que lui avait dit Osnat. Osnat était plutôt en faveur d'un règlement politique du conflit et, de ce point de vue, j'étais censé m'accorder parfaitement avec elle, avait tranché Ayoub.

« On descend à la prochaine », m'a-t-il dit tout à coup, toujours en hébreu, en appuyant sur la sonnette. Une fois dehors, il est revenu à l'arabe : « Souviens-toi de cet arrêt, à côté de la pizzeria du boulevard Herzl. Tu es à une minute du boulot. » J'ai suivi Ayoub dans une ruelle du quartier de Beït-Hakérem. « C'est la rue du Pionnier, m'a-t-il précisé tout en continuant à me donner des détails sur le travail. La première garde commence à dix-neuf heures, jusqu'à sept heures du matin. En principe, on a le droit de fumer, et il y a même un fauteuil assez confortable qu'on peut incliner. Mais mieux vaut que tu dises, au cours de l'entretien, que tu ne dormiras pas. Bien qu'Osnat sache que tu vas t'endormir. Elle aussi dort. Pas de problème. Il te suffit juste de régler le réveil toutes les deux heures. Pendant son sommeil, je le retourne, puis je recommence à ronfler. Le matin, je me réveille en pleine forme, je dors mieux que chez moi... » Il s'est arrêté devant une maison, puis a poussé un petit portail. Je l'ai suivi dans une allée tracée au milieu d'un modeste jardin. Une maison individuelle à deux niveaux. « Souviens-toi, m'a-t-il recommandé avant de glisser une clé dans la porte, 35 rue du Pionnier. »

Gelée

Une semaine plus tard, je me suis présenté à la maison de Beït-Hakérem pour ma première garde nocturne auprès de Yonatan.

« J'espère que tu arriveras toujours en avance comme aujourd'hui », m'a dit Osnat en m'ouvrant la porte. Elle était seule dans la maison, seule avec Yonatan. Je l'ai suivie dans le couloir et j'ai jeté un regard à la dérobée, à droite, sur un salon aux murs couverts de bibliothèques. J'ai grimpé l'étroit escalier en bois derrière elle jusqu'aux combles où Yonatan était couché.

« Bonjour, Yonatan », a lancé Osnat au moment où nous avons pénétré dans la chambre. Une forte odeur a agressé mes narines, une odeur de renfermé, de médicaments et de nourriture d'hôpital. « Regarde qui vient d'arriver, a-t-elle annoncé à voix haute, comme si, en élevant ainsi la voix, Yonatan comprendrait mieux. Il va passer la nuit avec toi, d'accord, mon petit Yonatan ? »

Yonatan était couché sur le dos. Je l'ai regardé, j'ai hoché la tête, un peu gêné, et j'ai murmuré un « Bonjour » étouffé. La semaine précédente, j'étais venu chaque jour pendant deux ou trois heures pour me familiariser avec mon travail et je ne savais pas s'il me reconnaissait ni même s'il pouvait reconnaître qui que ce soit. Il avait les yeux grands ouverts, et fixait le plafond. J'ai détourné mon regard pour ne pas donner l'impression de dévisager un monstre.

Osnat a pris son sac sur la chaise à côté du bureau. « Ah, j'avais presque oublié », a-t-elle ri pour elle-même et elle s'est approchée d'une penderie qu'elle a nommée l'« armoire du personnel ». « Il y a là des draps et des couvertures pour toi. Tout a été lavé aujourd'hui, mets-toi à l'aise. Rouhèlé va sans doute arriver d'un moment à l'autre, elle sait que tu débutes ce soir. Et si tu as besoin de quelque chose, je serai chez moi dans une demi-heure, mon numéro de téléphone est inscrit sur ce panneau. N'hésite pas à m'appeler jusqu'à minuit, d'accord ? Bon, à demain, sept heures. *Yallah*, bonne nuit, et bonne garde. Au revoir, Yonatan, bonne nuit », a-t-elle dit en revêtant un épais manteau de laine.

J'ai entendu claquer la porte de la maison, j'ai ouvert la fenêtre. Je me suis penché à l'extérieur pour respirer l'air frais. Ensuite, j'ai refermé la baie vitrée en laissant un entrebâillement pour aérer la pièce. Le chauffage central fonctionnait à plein régime, Yonatan était enfoncé jusqu'au cou sous sa couverture.

Il était étendu au milieu de la chambre sur un grand lit. Osnat avait parlé d'un « matelas médical électrique », branché sur un moteur qui imprimait au dos de Yonatan des ondes afin de lui éviter les escarres. « Escarres » était le leitmotiv d'Osnat, de sorte qu'il me semblait qu'au cours de ma garde ma tâche principale serait de les combattre.

Je n'avais rien à faire avec Yonatan jusqu'à vingt heures, l'heure à laquelle il prenait son repas. Je devais lui donner le contenu d'un bol gardé au frais dans un petit réfrigérateur caché dans une encoignure des combles, puis lui faisais avaler une boîte de gelée en guise d'eau car Yonatan était incapable de boire.

Je me suis assis dans le grand fauteuil, jetant un coup d'œil, de temps à autre, à Yonatan, afin de m'assurer que la couverture épousait les mouvements de sa respiration. Le visage inexpressif, les yeux écarquillés, il regardait fixement le plafond. Osnat m'avait expliqué que Yonatan était réduit à cet état végétatif à la suite d'un accident. D'après Ayoub, il s'agissait d'un accident de la route, mais il n'en était pas sûr. Je me suis levé pour épier à la fenêtre les silhouettes dans les appartements éclairés du boulevard Herzl. J'avais toujours jalousé les habitants de hauts immeubles surplombant des rues passantes, ils ne devaient jamais s'ennuyer. Ils pouvaient regarder par la fenêtre, voir des gens et sentir qu'ils n'étaient pas seuls.

L'espace réservé à Yonatan dans la chambre était assez vaste. Les combles étaient aménagés en studio, avec une salle de bains spacieuse et un bureau impressionnant placé près du mur faisant face au lit. Un vieil ordinateur était posé sur le bureau, éteint ; au-dessus, rangés sur des rayonnages, s'alignaient de nombreux livres. Au milieu des volumes, une installation stéréo imposante avec ampli, lecteur de CD, magnétophone à deux pistes et tuner. Dans les angles de la chambre, face au lit, étaient disposés de grands haut-parleurs. À côté de l'installation, deux hautes colonnes contenaient des disques bien rangés.

J'ai détaillé ces disques dont je ne connaissais aucun. Chez moi, au village, et dans l'appartement de Beït-Hanina, nous utilisions seulement un magnéto et des cassettes. Ensuite, j'ai regardé les livres, certains auteurs me paraissaient familiers, bien que je n'en aie pas lu un seul. À dire vrai, les seuls livres que j'aie jamais lus étaient les livres pour enfants que ma mère me rapportait de l'école de Jaljoulya où elle enseignait. Elle insistait sur l'importance de la lecture, bien qu'elle-même ne lise pas beaucoup et qu'à la maison il n'y ait presque pas de livres. Une fois, elle m'avait acheté quelques encyclopédies, dont le directeur de l'école de Jaljoulya était le revendeur, et je les avais dévorées. C'est ainsi que je me suis familiarisé avec le « système reproducteur ». Pendant de longues heures, je décortiquais les étranges illustrations des organes sexuels, surtout féminins, dans l'encyclopédie *Le Corps humain*. J'ai dû lire ce chapitre un million de fois.

J'étais persuadé que, avant son accident, Yonatan se consacrait à la musique. Dans la pièce, il y avait en effet une énorme housse de guitare ainsi qu'une grosse boîte noire qui ressemblait à un coffrage d'ampli. Les murs affichaient des posters d'orchestres que Yonatan, semble-t-il, aimait. Outre les posters, des photos encadrées décoraient les murs, non des photos de famille mais de simples clichés, certains assez flous, de vagues silhouettes en noir et blanc. J'ai pensé qu'il serait intéressant de l'entendre jouer, Yonatan.

J'enviais les gens qui savaient jouer. Enfant, je voulais à tout prix apprendre la musique et, une fois, ce souhait avait été près de se réaliser. Un ingénieur de chez nous avait étudié en Russie grâce à une bourse du Parti, puis était revenu avec une épouse russe que, dans le village, on avait surnommée « La Suite ». Cette dernière avait commencé à donner des cours de piano à quelques enfants. Ma mère m'avait envoyé chez elle, et, chaque mercredi pendant six mois, j'avais reçu une leçon de une heure. Ma maîtresse était assez contente de mes progrès mais, selon elle, je devais avoir un piano pour répéter chez moi. Cela pouvait être un piano d'occasion, voire un orgue. Ma mère s'était rendue exprès à Petah Tikva et m'avait acheté un petit orgue électronique, mais lorsque j'eus apporté mon orgue à La Suite, elle m'avait affirmé que ce n'était pas du tout un orgue mais un jouet d'enfant, elle m'avait montré des boutons qui jouaient des comptines quand on appuyait dessus. Elle avait ajouté que je ne pourrais rien faire avec huit touches car je devais jouer des deux mains, à la maison. Ce fut ma dernière leçon chez elle. À ma mère qui ne comprenait pas pourquoi j'arrêtais, j'ai raconté que la maîtresse avait dit que je n'étais pas assez doué.

Aliments liquides

J'ai pris le bol dans le réfrigérateur et l'ai posé sur la table de chevet. En appuyant de manière prolongée sur une manette, j'ai redressé le corps de Yonatan dans une position confortable pour manger. L'expression de son visage n'avait pas changé tandis que son regard était maintenant dirigé vers les rayonnages et le bureau face au lit. J'ai approché une chaise du lit et j'ai regardé la pendule sur le mur. Dans une minute, il serait vingt heures.

La chose m'avait paru si simple et si naturelle quand Osnat m'avait expliqué et montré comment alimenter Yonatan. Mais, en approchant ma main et en touchant pour la première fois le corps étendu devant moi, j'ai ressenti un tremblement qui a failli paralyser ma main. Cela m'aurait sans doute été plus facile si j'avais pu lui parler, comme Osnat me l'avait conseillé. Mais je me montrais incapable de m'adresser à ce corps. Je ne savais même pas s'il entendait et je n'étais pas sûr qu'il soit capable de voir. Je me suis efforcé de ne pas le frôler, au moment de baisser la couverture remontée jusqu'au cou. J'ai ouvert largement les bras afin de l'éloigner de moi autant que possible et, d'une main hésitante, j'ai essayé de glisser une serviette en papier sous le col de son pyjama. Mes doigts ont ressenti la chaleur qu'il dégageait et j'ai eu un geste de recul, comme si j'avais touché un serpent venimeux.

« On ne peut pas savoir ce dont il est conscient, m'avait affirmé Osnat. On ne sait pas ce qu'il ressent. Ce qui est sûr, c'est qu'il faut se montrer humain et se conduire avec lui comme s'il était éveillé et en pleine conscience de son environnement. Il ne faut pas parler de son état en sa présence, dire des choses du genre "Le malheureux" ou "Il est condamné". » J'ai essayé d'adopter un comportement naturel, j'ai respiré profondément et j'ai arrangé la serviette sous son menton.

Obéissant aux instructions d'Osnat, j'ai rempli une cuillerée à ras bords de l'aliment violet et tenté de l'introduire entre ses lèvres serrées. En vain. Il n'a pas ouvert la bouche, et la nourriture a dégouliné sur ses lèvres puis a commencé à se répandre sur son menton. J'ai pris une serviette sur la table de chevet et essuyé ses lèvres. Ensuite, j'ai rempli une nouvelle cuillerée et, à l'aide de mon pouce et de l'index, j'ai appuyé sur ses joues, palpant sous mes doigts l'extrémité de ses dents, mais sa bouche demeurait close. J'ai donc appuyé de plus en plus fort, m'attendant à ce qu'il ouvre la bouche et me morde les doigts. J'ai essayé de me calmer et de penser que, s'il me mordait, ce serait un miracle médical qui réjouirait tout son entourage.

Au prix d'efforts inouïs, j'ai réussi à desserrer ses lèvres et à introduire la cuillère. Sans résultat tangible. La nourriture est restée dans la cuillère. Je l'ai tournée dans sa bouche et remuée pour qu'il ingurgite la nourriture. « Il faut l'enfoncer à l'intérieur, presque jusqu'à la gorge », m'avait recommandé Osnat. Je me rendais compte que la situation était étrange : aucun mouvement, aucun signe de déglutition. J'ai alors ouvert sa bouche avec plus de force et en ai examiné l'intérieur. Exactement ce que je pensais : toute la nourriture stagnait dans son palais, il n'avait rien avalé. Que faire ?

J'avais déjà compris que ce boulot ne me convenait pas. J'aurais dû refuser cette offre d'emploi. Mais, là, je n'avais plus le choix. J'étais seul, avec une tâche à accomplir. J'ai introduit de nouveau la longue cuillère dans sa bouche, vide cette fois, et j'ai tenté de pousser la nourriture jusqu'au fond de la gorge. De ma main libre, j'ai relevé son menton et rehaussé sa tête dans un geste qui m'a rappelé celui de ma grand-mère enfonçant des grains de blé dans le bec de ses poussins. J'avais compris que quelque chose avait mal tourné, que cela ne devait pas se dérouler ainsi, sauf si quelque chose avait changé, ce soir, dans l'état de Yonatan. Sinon, Osnat ou Ayoub auraient pris la peine de me dire qu'il était difficile, voire impossible, de l'alimenter. J'ai continué à tenter de l'alimenter selon ma méthode, appuyé sur sa bouche pour qu'il l'ouvre, ai introduit la cuillère, relevé son menton, encore et encore. Mes efforts se sont révélés payants. Le bol d'aliment liquide vidé, je suis passé à la gelée, le substitut de l'eau, en procédant de la même façon. Au moment d'achever le repas, je me suis aperçu que j'avais touché Yonatan sans aucune panique et que cela avait pris une bonne heure.

J'ai ôté la serviette, essuyé les lèvres de Yonatan avec deux lingettes humides. Ensuite, j'ai appuyé sur la manette et replacé le lit à l'horizontale. Mission accomplie. Selon mes instructions, c'était tout ce que j'avais à effectuer. Il ne me restait plus qu'à le retourner sur le flanc et le laisser dormir. « Il s'endort dès la fin du repas, m'avait assuré Osnat. Presque toujours jusqu'au matin. »

Pour autant, Yonatan ne s'est pas endormi et a continué à fixer le plafond. J'ai néanmoins décidé de le changer de position. Ce ne fut pas plus difficile que ça : une main sur l'épaule, l'autre à la taille, une traction forte, et Yonatan s'est retourné et couché sur son flanc gauche, les yeux braqués sur moi. J'aurais dû le tourner sur son flanc droit pour m'épargner ce regard, dont la signification m'échappait totalement. J'aurais pu aussi placer ma chaise du côté gauche du lit, mais cela aurait donné, sans nul doute, une mauvaise impression. On doit tenir compte de ses sentiments, me suis-je rappelé. Je suis donc resté à ma place, tentant d'éviter, autant que possible, ce regard effrayant que je croisais de temps à autre et qui prouvait, surtout, que Yonatan refusait de s'endormir.

Brusquement, une odeur âcre et puante s'est répandue dans la pièce, et ce n'était pas l'odeur que j'avais reniflée en pénétrant dans les combles, la première fois. Personne ne m'avait parlé de ça. Ni Osnat ni, bien sûr, ce fils de pute d'Ayoub. Je me suis précipité vers la fenêtre pour l'ouvrir en grand. J'ai essayé de surmonter ma nausée et j'ai injurié Wassim, et Ayoub, et Osnat. Yonatan avait chié dans son lit. J'ai pensé appeler Osnat pour lui annoncer qu'à mon grand regret je rentrais immédiatement chez moi. Au lieu de quoi, je me suis surpris à lui demander, avec la plus extrême politesse et en m'excusant platement de la déranger à une heure aussi tardive, comment me sortir de cette situation. « Très simple, m'a répondu Osnat, tu enlèves sa couche-culotte, tu essuies son petit cul avec des lingettes humides, et tu lui remets une couche-culotte propre. C'est bizarre, ça ne lui arrive presque jamais la nuit... »

J'ai essayé de ne pas réfléchir. Je me suis approché du lit d'un pas déterminé et j'ai rabattu la couverture. Son corps était assez musclé, compte tenu de son état, vigoureux, athlétique, et il portait un pyjama qui m'a paru particulièrement coûteux. Je vais finir ce boulot, ai-je décidé et, d'un même élan, je me suis dit que je ne remettrais plus jamais les pieds ici. Point final. J'achèverais cette nuit maudite et je retournerais vivre ma vie à Beït-Hanina. À cette heure-ci, Majdi et Wassim devaient sûrement se trouver à la maison. Comme j'aurais aimé être en leur compagnie.

J'ai aussitôt repéré les traces de merde. Elles maculaient le fond du pyjama. Sans trop réfléchir, j'ai tiré sur le pantalon. Les dégâts étaient plus importants que je ne le croyais. La merde avait débordé de la couche-culotte et avait sali le dos et, lorsque j'avais baissé le pantalon, elle avait dégouliné sur ses jambes. J'ai essayé de bloquer ma respiration, je l'ai retourné sur le dos, ai détaché les deux agrafes de la couche-culotte et l'ai ôtée. Il était étendu nu, et, un bref moment, je l'ai pris en pitié, me demandant s'il avait conscience de ce que j'étais en train de lui faire et à quoi il pensait. La situation me paraissait assez désespérée : j'avais étalé la merde sur tout son corps ainsi que sur les draps et la couverture. En l'occurrence, les lingettes ne me seraient d'aucune utilité. Je me suis souvenu des instructions d'Osnat au sujet de la douche, « même si, en ce qui te concerne, ce ne sera presque pas nécessaire car je lui fais prendre une douche le matin, pendant ma garde ». J'ai décidé de le placer sur le fauteuil roulant adapté à la baignoire, un fauteuil au siège percé. C'était ce que je devais faire, le passer sous la douche. Je n'avais pas le choix.

J'ai soulevé la tête de Yonatan, l'ai empoigné sous les aisselles et l'ai traîné hors du lit. Il était beaucoup plus lourd que je ne le pensais. Mes bras entouraient son torse. Son fauteuil spécial était plaqué contre le lit. Je l'ai tiré de toutes mes forces, souillant entièrement de merde les draps. J'ai réussi à le transporter en ahanant et à l'asseoir sur son fauteuil. Selon les indications qui m'avaient été fournies, cela aurait dû être simple : on l'attache avec la ceinture prévue à cet effet. Sauf que Yonatan n'avait pas de position stable sur son siège. Il a glissé et ne m'a pas laissé l'attacher. J'étais sur le point de renoncer en essayant, d'une main, de l'empêcher de glisser et, de l'autre, de l'attacher sur son siège qui lui aussi, comme les draps, baignait dans la merde.

Je devais agir comme au combat, sans réfléchir. J'ai rassemblé le reste de mes forces et suis parvenu à desserrer ses cuisses qui s'étaient rabattues d'elles-mêmes, à faire plier son corps lourd et j'ai finalement réussi à le redresser sur son siège, puis à lui passer la ceinture. J'ai retiré les draps souillés et l'alèse en plastique et les ai jetés dans la machine à laver. Ensuite, j'ai placé le fauteuil roulant sous la douche, ouvert le robinet d'eau, vérifié la température. De quoi cette chose était-elle consciente ? Si

Yonatan avait ressenti quelque chose, cette nuit-là, alors il avait sûrement dû éprouver une haine indicible à mon égard. J'allais terminer le boulot et ne plus jamais remettre les pieds ici.

Cette nuit-là, je n'ai pas réussi à dormir. Étendu sous une couverture sur le canapé convertible, j'essayais de temps à autre de fermer les yeux et de penser à du football, à des phases de jeu, exercice qui en général m'aidait à m'assoupir. En vain. Cette nuit-là, j'ai réfléchi à la manière dont j'annoncerais à Osnat, au matin, que je quittais ce boulot et à la façon dont je l'accuserais de ne pas m'avoir dit toute la vérité. « En général, à vingt heures, il s'endort… » Ben, voyons… Alors, pourquoi est-il resté yeux grands ouverts jusqu'à minuit ? Et encore, cela avait nécessité une douche, un shampoing, ainsi qu'une lutte désespérée pour lui passer une couche-culotte et un pyjama !

Au matin, j'étais censé me doucher, changer mes vêtements sales pour d'autres que j'avais apportés, et me rendre directement au dispensaire après un long sommeil, parce que « ça vaut mieux de dormir là que chez soi », à en croire Ayoub. J'ai renoncé à la douche. Le dégoût m'avait submergé à la pensée que je devrais me tenir, à poil, pieds nus, sur le sol même où s'était répandue hier toute la pourriture du siège de Yonatan. Je fus saisi par la nausée en me remémorant les événements de la nuit. Je me suis contenté de m'asperger le visage et de me brosser les dents au-dessus du lavabo, j'ai utilisé une serviette de l'armoire du personnel, en regrettant de ne pas en avoir apporté une.

Osnat est arrivée cinq minutes après sept heures. Elle avait une clé de la maison.

« Bonjour, a-t-elle chuchoté. Yonatan dort encore…

– Bonjour.

– Et alors, ça s'est bien passé ? Il a l'air de bien dormir, a-t-elle dit en bâillant.

– Oui, ça s'est bien passé », me suis-je surpris à dire.

J'ai pris dans mon sac le maillot de corps, la chemise et le pantalon que j'avais prévu de mettre le matin et que j'avais laissés dans l'armoire du personnel. J'y avais aussi rangé ma trousse de toilette. « Je te souhaite une garde agréable », ai-je lâché à Osnat, en me précipitant dans l'escalier. Pourquoi ne lui avais-je rien dit de ce que je pensais ? Et qu'allais-je faire désormais ? Le visage en feu, j'étais en colère contre moi-même.

J'ai attendu le bus à l'arrêt du boulevard Herzl, imaginant Wassim en train de préparer le café et de presser Majdi de se lever. C'était la première fois, depuis mon installation dans l'appartement de Beït-Hanina, que je ne partais pas à mon travail en même temps qu'eux. Pourquoi n'avais-je rien dit à Osnat ? Et si je disparaissais tout simplement, sans prendre la peine de lui dire un mot ? Que pouvait-il arriver si je ne revenais pas le soir même, à dix-neuf heures ? Bon, ce serait peut-être embarrassant. Osnat en parlerait à Ayoub, qui lui-même se retournerait contre Wassim, mais qu'est-ce que ça pouvait me faire ? Je pouvais aussi bien l'appeler de mon bureau en arrivant et lui annoncer que je ne reviendrais plus. Pour certaines choses, il faut procéder comme ça : trancher dans le vif. C'est ce que j'ai décidé de faire. Bon, j'avais perdu une chemise et un pantalon dans cette histoire, mais ce n'était pas grave.

Le bus 23 approchait ; il a stoppé au feu du carrefour, avant d'arriver à la station. Une ligne desservie de loin en loin, mais idéale pour moi, étant directe jusqu'au tribunal de grande instance de la rue Salah Eddine, à deux minutes à pied de mon bureau. J'ai compté les pièces de monnaie dans ma main. Je prépare toujours la monnaie à l'avance car je déteste causer de l'embarras au conducteur. Une voiture blanche a freiné devant l'arrêt, juste avant que le bus ne s'y engage. Je détestais aussi les chauffeurs s'arrêtant aux stations de bus.

« Pardon, ai-je entendu quelqu'un m'appeler, et je me suis retourné en direction de la voix. Je suis Rachel, la mère de Yonatan. Où dois-tu te rendre ? »

Je me suis penché et j'ai regardé le siège du passager à travers la fenêtre.

« Wadi Jouz.

– Bon, alors, monte, c'est sur ma route. »

J'ai jeté un dernier coup d'œil au bus 23 qui avançait, j'ai ouvert la portière et me suis hâté de m'asseoir.

J'ai pris soin de regarder devant moi et de respirer en silence.

« Je vais au mont Scopus, Wadi Jouz est sur mon chemin, a t-elle dit sur un ton qui m'a rappelé le regard inexpressif de son fils.

– Merci beaucoup.

– Je t'ai vu descendre l'escalier, ce matin. J'étais dans la cuisine. »

J'ai acquiescé et compris soudain qu'il y avait eu quelqu'un d'autre pendant cette nuit de cauchemar. Mais je n'avais pas senti sa présence ; à aucun moment, je n'avais entendu une porte s'ouvrir ni des bruits de pas. Aucun signe de vie.

« La nuit d'hier a été plutôt difficile », a-t-elle murmuré, et je ne savais pas si c'était une question ou un constat. « À mon retour du travail, dans la soirée, je suis montée te souhaiter la bienvenue mais j'ai vu que tu étais occupé avec Yonatan sous la douche, et j'ai préféré ne pas vous déranger, tous les deux. »

J'ai hoché la tête, confus. Ainsi donc, elle avait été là, témoin de ce que j'avais enduré…

« Je sais que ce que je vais te dire pourra te paraître bizarre, mais, cette nuit, il t'a fait passer un test. C'est pourquoi j'ai préféré ne pas m'en mêler. »

Je n'ai pas répondu, et tous deux, nous avons continué à nous taire. Nous roulions lentement, les rues étaient encombrées. J'ai regardé les gens dans les voitures immobilisées à côté de nous, tentant de deviner où ils se rendaient.

« Où dois-tu descendre à Wadi Jouz ? m'a-t-elle demandé en arrivant sur la nationale 1.

– Près du tribunal de grande instance, ce serait parfait », ai-je répondu parce que je savais que c'était sur le chemin de l'université et que la plupart des Juifs n'aimaient pas s'engager dans les quartiers arabes.

« Tu habites là ?

– Non, je travaille au dispensaire.

– Mais ce n'est pas à côté du tribunal…

– Non, mais à deux minutes à pied. »

Elle a poursuivi sa route après le tribunal, tourné à droite comme quelqu'un qui connaissait parfaitement le trajet, puis à gauche dans Wadi Jouz. La voiture s'est arrêtée pile en face du dispensaire.

« Bon, à ce soir », a-t-elle lancé.

Marlboro light

Daoud Abou-Ramila, mon unique cas actif, m'attendait à la porte du service. Assis sur le sol, il tenait un gros sac. « Je n'ai rien pris ce matin, j'ai déjà commencé le sevrage », a-t-il claironné en m'apercevant et en éclatant de rire. Ce matin-là, j'étais censé l'accompagner au centre de désintoxication de Lifta : il était passé devant une commission d'urgence et avait répondu aux critères requis. Le lit du centre réservé aux toxicos de la ville orientale venait de se libérer.

J'ai pointé puis préparé un café pour nous deux. Il était manifestement ému, ses gestes étaient nerveux et saccadés. « Je ne vais pas te décevoir, tu vas voir, je meurs d'envie d'être là-bas. Jamais je ne t'oublierai, tu me sauves la vie. » Après le café, j'ai appelé un taxi à la station de taxis Al-Aqsa, et nous nous sommes préparés à descendre.

« C'est ici, le service des drogues ? » Derrière moi, j'ai tout à coup entendu la voix d'une femme hors d'haleine, au moment précis où je m'apprêtais à fermer le bureau.

« Oui. » Je me suis retourné pour faire face à une jeune fille svelte et bouclée, qui mâchait du chewing-gum tout en essayant de reprendre son souffle.

« Bonjour, a-t-elle dit en me tendant la main. Je m'appelle Leïla, je suis la nouvelle stagiaire. Désolée pour le retard, je me suis un peu perdue en route. Walid t'a averti de ma venue, n'est-ce pas ? »

Le taxi était déjà là, le chauffeur klaxonnait. « Dis-lui d'attendre une minute », ai-je demandé à Abou-Ramila, qui a alors détaché son regard de Leïla et s'est précipité dehors.

« Walid est mon nouveau superviseur et il m'a demandé de t'accompagner à Lifta. Il ne t'a pas prévenu ? »

Walid ne m'avait rien dit à propos d'une nouvelle stagiaire.

« Très bien, on y va », lui ai-je répondu, en fermant la porte et en la précédant jusqu'au taxi. Abou-Ramila était déjà assis à côté du chauffeur. Leïla et moi, nous avons pris place à l'arrière.

« Daoud, je te présente… Leïla ? » J'espérais ne pas m'être trompé sur son nom. Elle a opiné : « Leïla. »

Sans se retourner, Daoud a commencé à faire mon éloge. « C'est le meilleur employé, je te le jure, il m'a sauvé la vie. Je suis prêt à tout pour lui », a-t-il reniflé. Ses propos m'énervaient un peu, tandis qu'ils faisaient naître un sourire sur les lèvres de Leïla.

Pourquoi Walid avait-il voulu qu'elle m'accompagne à Lifta ? Puis je me suis rappelé que, cette année, Walid n'avait pas l'intention d'encadrer d'étudiants. Il était clair qu'il me la refilerait, étant le seul à m'occuper d'un cas un peu actif dans ce service…

« Tu as appris ce qui s'est passé au dispensaire du sud de la ville ? m'a interrogé Leïla.

– Non.

– Tu n'es pas au courant ? Tout le monde ne parle que de ça.

– Oui, *Allah youstour*, Dieu nous en préserve, ai-je entendu la voix de Daoud sur le siège avant. Combien ils en ont tués, là-bas ? Trois, quelque chose comme ça ?

– Deux. Et blessé grièvement plusieurs autres personnes », lui a répondu Leïla.

Je me suis alors souvenu d'avoir entendu parler de cet incident, peut-être au dispensaire ou à la radio dans l'autobus, mais cela m'était sorti de l'esprit. Je ne suivais pas les nouvelles à ce moment-là, je n'écoutais pas la radio ni ne lisais les journaux. Sauf les vieux magazines que Majdi rapportait parfois de son hôtel.

Leïla a raconté qu'un patient du service de désintoxication était devenu fou, avait brandi un couteau et poignardé les gens au hasard. Une secrétaire et une assistante sociale étaient mortes sur le coup. Leïla avait suivi une formation auprès d'une des blessées de ce dispensaire. Cette histoire l'avait beaucoup émue. « C'est effroyable », a-t-elle dit ; quelle chance que cela ne se soit pas déroulé pendant l'un des deux jours où elle s'y rendait pour sa formation. Après cet incident, le secrétariat du département à l'université avait décidé de l'intégrer au service de Walid, bien qu'elle n'ait pas voulu travailler avec des Arabes – non pas, surtout pas, parce qu'ils étaient arabes mais à cause des budgets. « Je voulais effectuer un véritable stage, pas une moitié de stage », s'est-elle défendue. Cependant, elle était heureuse qu'on lui ait trouvé une solution car elle n'aurait jamais pu retourner au dispensaire du sud de la ville et elle craignait de perdre une année d'études.

Après que nous eûmes appuyé sur l'interphone, le directeur du centre de désintoxication est venu à notre rencontre. « Comme c'est beau, cet endroit, hein ! » s'est exclamée Leïla en regardant les maisons en pierre taillée abandonnées, au pied de la colline.

« Tu n'as jamais entendu parler de Lifta ? » s'est étonné Daoud qui se montrait de plus en plus nerveux et faisait passer son sac d'une main à l'autre, en attendant l'ouverture du portail. Sur la terrasse de l'entrée, quelques patients étaient assis, un gobelet de café en polystyrène à la main, suçotant leurs cigarettes. Sûrement des vétérans. Car, pendant les premiers jours de sevrage physique, les patients demeuraient la plupart du temps consignés dans leur chambre.

Le directeur a souhaité la bienvenue au nouveau patient et nous a serré la main. Je lui ai présenté Leïla, puis il nous a fait faire le tour du bâtiment et montré d'un geste triomphant le bureau, la salle de réunion, les chambres des patients, la cuisine et la salle à manger. Il nous a proposé du café, mais nous avons préféré y renoncer. J'ai tendu la main à Daoud pour lui dire au revoir, mais il m'a serré dans ses bras. Des larmes coulaient sur ses joues. Je lui ai rappelé que je viendrais lui rendre visite une semaine plus tard, et que, s'il désirait que je lui apporte quelque chose, il devrait transmettre sa demande à l'assistante sociale du centre.

À mon retour au service, Khalil m'a apostrophé : « Eh, tu reviens juste à temps. On avait peur de mourir de faim. » Leïla est apparue dans mon dos, et le silence est retombé dans la pièce. Ils savaient qu'elle devait arriver, Walid les avait déjà renseignés. Mes deux collègues se sont mis en quatre pour paraître plus galants que de coutume. Ils se sont extirpés de leurs fauteuils, ont salué Leïla, lui ont serré la main, tout en la détaillant de la tête aux pieds. Elle souriait et répétait leurs prénoms pour être sûre de les avoir retenus. Chadi, le regard audacieusement planté dans celui de Leïla, a expliqué que Walid s'était rendu à la mairie et qu'il ne tarderait pas. « Assieds-toi, en attendant », lui a-t-il proposé en avançant son propre fauteuil et en prenant place dans celui de Walid.

« Tu n'as pas de chance », m'a souri Khalil en me tendant l'argent du petit-déjeuner. « S'ils avaient envoyé un stagiaire et pas une stagiaire, il t'aurait remplacé pour les courses. » Tous ont pouffé. « Je t'invite », a susurré Chadi à Leïla, en ajoutant vingt shekels. « Depuis quand t'es devenu aussi généreux ? » l'a raillé Khalil en adressant un regard appuyé à Leïla, un sourire fat sur la face.

« Non, merci, a répondu Leïla avec un sourire. J'ai déjà mangé. Merci beaucoup.

– Vraiment ? » a insisté Chadi, puis il s'est tourné vers moi : « Bien, prends donc des Marlboro light avec l'argent. »

Au moment de quitter le service, Leïla s'est levée et m'a demandé : « Je peux t'accompagner ? »

Revolvers

Au bout d'un mois de travail avec Yonatan, Osnat m'a jugé capable d'effectuer une garde de jour sans difficulté, et a donc accepté de me remplacer une nuit, à la condition que je fasse de même en journée. Mais comme cela faisait plus de deux mois que je n'avais pas rendu visite à ma mère – l'absence la plus longue que je me sois jamais autorisée – et comme l'Aïd al-Ad'ha – la fête du Sacrifice, pendant laquelle mon service chômait et mes collègues retournaient pour trois jours dans leurs villages – approchait, j'ai décidé de regagner ma maison.

Élève à l'école primaire, je passais les deux premiers jours de la fête à Tira, chez ma grand-mère paternelle. Tous les enfants de Tira recevaient des revolvers en cadeau et, avant de m'y rendre, Oum-Bassem m'achetait le revolver le plus cher qu'elle pouvait trouver à Jaljoulya. Les revolvers de ma grand-mère coûtaient davantage que ceux que mes oncles offraient à leurs enfants et ils étaient même plus beaux et plus gros que ceux que les autres petits-fils d'Oum-Bassem recevaient de leurs parents. Je ne me souviens pas de l'époque précise à laquelle cet épisode s'est déroulé. Peut-être étais-je alors au jardin d'enfants ou en préparatoire. J'entrais dans la maison d'Oum-Bassem, dans mes habits de fête, pour recevoir mon revolver, quand je l'ai entendue murmurer à ma tante Maryam, qui lui avait demandé pourquoi elle dépensait autant d'argent pour moi : « Parce que, lui, c'est un orphelin, c'est écrit dans le Coran, c'est une bonne action ! »

J'aimais bien Tira pendant la fête du Sacrifice parce que, chaque fois, mes oncles égorgeaient un mouton ou un veau, dans la cour de ma grand-mère. J'aimais aussi cette fête parce que je pouvais jouer avec mes cousins, qui avaient le même nom de famille que moi. À Jaljoulya, personne d'autre ne portait ce nom. En général, dans chaque classe, il y avait au moins quatre élèves avec le même patronyme, et moi, j'étais le seul de ma classe – et, je l'ai compris ensuite, de tout Jaljoulya. Parfois, je signais d'un autre nom sur les examens et les devoirs à la maison et, le plus souvent, je choisissais le nom de famille d'Oum-Bassem et de ses petits-enfants. Eux aussi l'appelaient grand-mère comme moi, pourquoi avais-je un patronyme différent ? Les instituteurs n'étaient pas dupes, pas même les nouveaux, et, après qu'ils s'en furent ouverts auprès de ma mère, elle m'a révélé qu'Oum-Bassem n'était qu'une sorte de grand-mère honorifique, et non ma véritable grand-mère. Je le savais, je n'étais pas stupide. Sur mes cahiers et sur mes relevés de notes, il y avait inscrit mon nom de Tira, mais je continuais à donner un nom différent à mes camarades.

Je me sentais étranger dans ma classe, dans le village, avec mon patronyme bizarre, je me sentais comme les autres étrangers de Jaljoulya. Tout le monde savait que ces étrangers débarquaient là parce que la police les éloignait de leurs villages d'origine à cause des « vendettas », c'est le terme qu'on utilisait, mais je n'en avais pas encore compris la signification. Néanmoins, je savais qu'il y avait quelque chose de trouble concernant ces étrangers, que leur père était en prison, qu'il ne fallait pas les fréquenter. Certains étaient taxés de collaboration avec les autorités israéliennes, et ceux-là étaient particulièrement honnis. Je n'ai jamais eu d'enfants de collabos dans ma classe car j'ai toujours appartenu au groupe des avancés, dont ne faisaient pas partie les enfants que la police avait inscrits à l'école. Nos instituteurs nous mettaient en garde contre eux et accusaient l'État de déverser toutes ses immondices sur Jaljoulya. Certes, moi aussi j'étais un étranger, mais un étranger d'un autre genre, un étranger du groupe des avancés, le meilleur ; un étranger aimé de ses maîtres, un étranger avec de bonnes notes ; un étranger dont la mère était institutrice dans sa propre école. Ma mère m'avait expliqué que ce n'était pas la police qui nous avait installés à Jaljoulya, mais qu'elle-même avait choisi d'y emménager à cause de son travail à l'école. Je savais pertinemment que ce n'était pas vrai et que c'était la police qui nous y avait amenés, comme ceux qu'on y jetait, comme les enfants des vendettas et des collabos.

Je me souviens qu'une fois ma grand-mère paternelle s'était obstinée à me faire rester à Tira, après la fête, refusant que je retourne chez ma mère, à Jaljoulya ; elle avait juré qu'elle ne parlerait plus à mon oncle s'il me ramenait chez ma mère. La fête finie, je suis resté à Tira. Mes cousins avaient repris l'école, et je demeurais seul à la maison avec ma grand-mère. Au bout de quelques jours, ma mère était arrivée chez ma grand-mère dans une Jeep de la police. Elle était assise sur le siège arrière, puis elle était descendue en compagnie de deux policiers en casquette bleue et dans un uniforme qui ressemblait à celui qu'Oum-Bassem m'avait acheté à son retour du pèlerinage de La Mecque. Ma mère pleurait, me tirait de force, puis elle m'a pris dans ses bras et a couru jusqu'à la Jeep de la police, tandis que grand-mère hurlait : « Espèce de pute, tu as tué mon fils et maintenant tu enlèves son fils. Espèce de traînée, suicide-toi, ça vaut mieux, sale chienne ! »

J'ai serré la main de ma mère, elle a serré la mienne de toutes ses forces. Je lisais dans son regard l'envie de m'étreindre, mais elle savait qu'elle devait se retenir et elle y a renoncé. Son regard est devenu vitreux. Ma mère et moi, nous ne nous enlaçons pas ni ne nous embrassons. Parfois, j'essaie d'imaginer la sensation d'un contact charnel et j'éprouve un sentiment bizarre : je suis sûr que, bébé, elle m'a pris dans ses bras et m'a étreint, au moins pour m'allaiter, mais ça non plus je n'arrive pas à l'imaginer. Parfois, je pense que cela m'aiderait beaucoup de voir une photo où elle me tient dans ses bras comme un bébé.

« Cela fait plus de huit semaines que je ne t'ai pas vu, a-t-elle soupiré, tentant de dissiper son malaise. Comment t'es-tu débrouillé pour tes vêtements ?

– Je me suis débrouillé. J'ai lavé mon linge de corps dans le lavabo, oui, je me suis débrouillé.

– Tu as faim ? s'est-elle enquise, en soulevant les sacs bourrés de linge sale.

– Pas maintenant.

– Tu as besoin de la salle de bains ? » a-t-elle demandé avant d'y pénétrer pour trier le linge et mettre en marche la machine à laver. J'ai fait non de la tête.

« Maman, je vais aller dire bonjour à Oum-Bassem. »

Dans la cour, la porte d'Oum-Bassem était ouverte. « *Siti*, grand-mère, ai-je appelé avant de frapper à sa porte.

– *Min ?* Qui est-ce ? Ah, c'est toi ! *Tfadal*, je t'en prie, entre ! »

Elle était assise sur son tapis de prière au milieu du salon, avec, près d'elle, une radio qui diffusait des versets du Coran à plein volume. L'heure de la prière de midi était proche, et Oum-Bassem, qui ne pouvait plus entendre la voix du muezzin du village, avait recours à la radio jordanienne pour connaître les heures de la prière qui devait avoir lieu une minute exactement après la radio, car c'était le décalage horaire qu'elle avait établi entre Amman et Jaljoulya.

Elle ne m'avait pas vu dans l'encadrement de la porte. La main au-dessus de ses yeux, elle a tenté de se soulever du tapis. « Ne bouge pas, *siti*, grand-mère, c'est moi, ai-je dit en m'approchant.

– *Ahlan, ahlan, ahlan!* Sois trois fois bienvenu ! »

Elle a tendu les bras en ma direction. Je me suis accroupi pour l'étreindre très fort, elle m'a embrassé sur les joues et sur la tête.

« Comment vas-tu, *ya 'habibi*, mon chéri ? a-t-elle souri, débordant de joie. Alors, c'est comme ça, espèce de bandit ! Cinquante-quatre jours sans venir nous voir ! Comment vas-tu ? Bien ?

– Je vais bien. Et toi ?

– *Al'hamdoulillah*, Dieu merci. Tu vois, j'attends la prière, et cette radio bouge tout le temps. Ces Jordaniens, ils peuvent pas se tenir tranquilles, chaque fois que je les trouve sur la radio, ils disparaissent. C'est pas l'heure de la prière, hein ?

– Non, pas encore. Bientôt.

– Quand es-tu arrivé ? Maintenant ?

– À la minute.

– Bon, va manger d'abord, pendant que je fais ma prière. Ensuite, je veux te parler. Parce que c'est pas bien, comment tu te conduis avec ta mère... Qu'est-ce qu'elle t'a fait de mal pour que tu te conduises comme ça ? »

Au moment où j'allais m'éloigner, elle a glissé la main sous le canapé et en a sorti une enveloppe. « Un peu de *hilwé*, ta récompense, pour tes notes et tes examens. Que Dieu soit toujours avec toi, *wallah*, par Dieu, dans chaque prière, je prononce ton nom et demande à Dieu qu'Il te protège. » Elle m'a tendu la main, j'ai pris l'enveloppe et l'ai embrassée sur la joue.

« *Allah ma'ak !* Que Dieu soit avec toi, je reviens bientôt. »

Je me souviens de la première fois où son fils, Bassem, est venu en visite à Jaljoulya. Il avait une épouse au teint clair qui ne savait pas parler notre langue. Oum-Bassem avait décoré la cour, et nous l'avions aidée à accrocher des ballons et des panneaux en carton sur lesquels j'avais moi-même écrit : « En l'honneur du docteur Bassem Abou-Ras. » Les quatre sœurs de Bassem étaient venues de bon matin avec leurs enfants pour attendre le docteur. À son arrivée, il avait embrassé sa mère et ses sœurs, elles lui avaient présenté leurs enfants qu'il avait étreints et embrassés. À chacun, il avait offert un avion à piles électriques et aux lumières clignotantes. Je me souviens que j'attendais, moi aussi, un baiser et un avion, et Bassem avait demandé : « Et ce charmant garçon, c'est le fils de qui ? » Une des tantes a dit que nous n'étions que des locataires. « C'est mon petit-fils, avait répliqué Oum-Bassem, je le chéris comme mon fils. » Ensuite, elle m'avait conduit à l'intérieur et chuchoté que Bassem m'avait apporté le plus bel avion, mais qu'elle le gardait afin que les autres enfants ne soient pas jaloux. Il m'avait fallu beaucoup de temps pour comprendre que, le lendemain, Oum-Bassem s'était rendue à Petah Tikva pour m'acheter un avion télécommandé.

Depuis notre départ de Tira pour nous installer à Jaljoulya, maman et moi avons habité chez Oum-Bassem. L'appartement que nous occupions, elle l'avait fait construire pour Bassem au moment où il était parti étudier la médecine en Italie, mais il n'y était jamais revenu. J'avais un an quand nous avons emménagé chez Oum-Bassem. Une année après le décès de mon père – j'avais moins de un mois à sa mort –, ma mère s'était enfuie de Tira. À la fin du deuil, les proches de mon père et le propre père de ma mère, qui était en fait l'oncle de mon père, le frère de son père, avaient demandé à ma mère qu'elle épouse en secondes noces un oncle, le jeune frère de mon père, afin de préserver son honneur.

Jusqu'à ce jour, j'ignore ce qui s'est réellement passé là-bas, mais je sais que ma mère avait transgressé la coutume en refusant d'épouser mon oncle et s'était réfugiée à Jaljoulya. Elle avait abandonné sa maison et celle de mon père, avait tout laissé derrière elle, m'avait emmené, avec un petit sac de vêtements. Les membres de la famille ne lui avaient jamais pardonné et avaient coupé toute relation avec elle. Sa propre famille avait fait de même. Mes oncles paternels et mon unique oncle maternel ne nous ont jamais rendu visite, même pendant les fêtes, alors que c'est un devoir religieux de se rendre auprès des femmes de la famille. Je me souviens que ma mère a pleuré sans cesse le jour où on lui a annoncé au téléphone que son père était décédé. Mes oncles étaient venus me chercher pour l'enterrement, tandis que ma mère était restée à Jaljoulya.

Dans l'enveloppe d'Oum-Bassem, il y avait cinq cents shekels.

« Maman, c'est beaucoup trop, je me sens un peu confus…

– Ne la déçois pas », m'a-t-elle répondu en allumant une cigarette.

Ma mère est toujours gênée de fumer devant moi. Elle n'a jamais fumé à l'extérieur, seulement à la maison. Son regard quête ma permission avant de prendre une cigarette. Ma mère n'a pas encore quarante-cinq ans, mais elle paraît beaucoup plus vieille. Elle est fluette, sa peau est toute ridée. Surtout, son regard trahit quelque chose de vieux, ce regard qui n'a jamais changé et qui implore le pardon.

Comme à chaque fête du Sacrifice, ma mère a acheté de la viande et du charbon. Comme à chaque fête, elle s'est efforcée de prouver que nous étions comme les autres, que la fumée et l'odeur des grillades s'élevaient aussi de notre cour. « Tu peux allumer le gril ? » m'a-t-elle demandé avant de gagner la cuisine pour préparer la viande et les salades. « D'accord », ai-je répondu en sortant dans la cour. De jeunes enfants jouaient avec des pétards, et la musique s'échappait des voitures qui roulaient au hasard dans les rues. J'ai vidé le sac de charbon sous la plaque du gril, tandis que ma mère me rejoignait avec une boîte d'allumettes et un allume-feu : « Sers-toi de ça, c'est mieux. Le pétrole laisse un goût à la viande. »

Ma mère et moi avons toujours mangé seuls la viande de la fête du Sacrifice. Nous n'avons jamais égorgé de mouton car « Qui peut bien l'égorger ? » disait-elle toujours quand j'étais enfant et que je voulais un mouton à moi dans la cour, comme en avaient certains de mes camarades de classe, bien que je n'aie jamais envisagé qu'on l'égorge. Le feu a pris et, à l'aide de pinces, j'ai essayé de disposer les morceaux de charbon autour de l'allume-feu, en évaluant la direction du vent et en ménageant des aérations précises. Autrefois, j'aimais bien m'occuper des braises. J'y étais obligé. « Par exemple, lors de la fête du Sacrifice – les mots de mon professeur de religion résonnaient dans ma tête –, tout le monde n'a pas assez d'argent pour acheter un mouton, tout le monde ne peut pas se payer de la viande. La vertu d'un bon musulman est de se soucier de ses voisins, de penser aux autres, ceux qui n'ont pas de quoi. Le bon musulman doit donner de la viande à ses voisins affamés et ne pas penser qu'à son propre estomac. » Je me souviens que je voulais me montrer bon musulman mais, par-dessus tout, pendant la fête du Sacrifice, je ne voulais pas être le voisin affamé.

Appuyée sur sa canne, Oum-Bassem est sortie à pas lents. « Tu veux que je t'aide ? » Je me suis avancé vers elle. « Je n'ai plus de forces, a-t-elle ri. Tu vois à quoi se réduit un être humain ? » Elle a posé sa main gauche sur la main que je lui tendais et a continué à se dandiner jusqu'à la chaise en plastique posée dans la cour. Elle haletait et respirait à grand-peine, tout en essuyant sa sueur à l'aide d'un mouchoir blanc. Ma mère est arrivée avec un plateau en cuivre garni de brochettes de mouton et de kébab.

« Cette fois-ci, tu dois manger avec nous, Oum-Bassem », a dit ma mère tout en sachant qu'elle n'en ferait rien. Cela n'était jamais arrivé. Car, comme dit le Coran, on ne touche pas à la nourriture d'un orphelin.

« J'aurais bien voulu, a-t-elle prétendu, tu sais bien dans quel état se trouve désormais mon estomac. À part du *lében*, un peu de yaourt, je ne peux rien mettre dans ma bouche.

– Nous avons aussi du *lében*, ai-je dit, et Oum-Bassem a éclaté de rire.

– Merci, je viens d'en manger deux. »

Ma mère s'est assise sur une chaise et a échangé des regards complices avec Oum-Bassem. J'ai étalé les braises, posé le gril par-dessus et l'ai enduit d'un demi-oignon mariné dans de l'huile d'olive.

Oum-Bassem a pris sur elle d'ouvrir les hostilités : « Et alors ? C'est comme ça, deux mois sans venir nous rendre visite ?

– Je suis très occupé, ai-je répondu sur un ton laconique.

– *'Alina ?* Et c'est à nous que tu veux faire croire ça ? »

Tendue, ma mère s'est redressée sur sa chaise.

« Tu crois que je ne sais pas ?

– Quoi ?

– Il n'y a qu'une seule raison pour tenir un homme éloigné de sa mère, a dit Oum-Bassem tandis que je gardais le silence. Allez, raconte, elle est belle ? Bien sûr qu'elle est belle. Tu es beau et tu prendras une belle femme. »

J'ai commencé à m'occuper du kébab. J'ai posé le gril sur les braises, la fumée s'est élevée dans les airs. Sur un côté, j'ai déposé une brochette de petits oignons et de tomates.

« Pourquoi tu as honte ? Il n'y a que nous ici.

– Non, j'étais vraiment très occupé.

– Alors, il n'y a pas de jeune fille ? Je ne te crois pas. »

J'ai secoué la tête en retournant le kébab et les légumes sur le feu.

Oum-Bassem a échangé de nouveau un regard avec ma mère, a respiré un bon coup et a recommencé : « Maintenant que tu as terminé tes études et que tu as un métier, c'est le moment de trouver une fiancée digne de toi. Pas vrai ? » – elle s'est tournée du côté de ma mère qui opinait avec impatience.

Et voilà la rengaine. Encore une fois, j'allais entendre les mots que ma mère se refuse à prononcer, les prières dont elle sait qu'elle ne peut pas les exprimer elle-même. Une femme, une maison, de la terre. Jusqu'à quand vas-tu plier devant la famille de ton père ? Quand vas-tu exiger enfin ton dû ? Comment pourras-tu te marier sans ta terre ? Qui accepterait d'épouser un homme sans une maison pour s'y installer ? Il ne te manque rien, et tu as droit à la plus belle de toutes, de quoi as-tu honte ? Après tout, c'est la terre de ton père.

« Je crois que le kébab est prêt, ai-je dit, et ma mère s'est empressée de me présenter un plat pour y déposer les boulettes de viande.

– Jusqu'à quand ? » Oum-Bassem n'a pas attendu ma réponse. « Ça suffit, il est temps que tu exiges ce qui te revient.

– Rien ne m'est dû, l'ai-je interrompue.

– Et comment que ça te revient ! C'est ton droit et c'est aussi celui de ta mère !

– Ma mère peut faire valoir ses droits elle-même.

– Moi ? s'est récriée ma mère. Qu'est-ce qu'on va dire de moi ?

– Tu aurais dû y penser il y a vingt ans », lui ai-je rétorqué en regrettant aussitôt mes paroles, mais je ne me suis pas excusé et me suis contenté d'un regard désolé en sa direction. Elle se taisait, fixant le feu. Oum-Bassem marmonnait une prière. Puis le silence est retombé. Un pétard a explosé quelque part.

J'ai disposé sur le gril, à intervalles réguliers, les brochettes de mouton dont je savais que nul ne les mangerait. Une forte odeur de graisse consumée a envahi la cour. Le vent avait tourné, et la fumée a pénétré directement dans mes yeux.

Couche propre

De colocataire à la présence la plus constante, je suis devenu, peu à peu, une sorte d'occupant clandestin. En général, je revenais du travail à seize heures trente, je me douchais, changeais de vêtements, préparais mon sac et, à dix-huit heures quinze, je partais pour ma garde de nuit auprès de Yonatan. Mes rencontres avec Majdi et Wassim se réduisaient aux fins de semaine pendant lesquelles eux-mêmes ne travaillaient pas.

De temps à autre, je songeais encore à abandonner mon

travail auprès de Yonatan. Je n'avais pas réellement besoin de ce revenu, mon salaire de travailleur social me suffisait, et je n'utilisais pas du tout l'argent perçu pour mes gardes. Je n'éprouvais pas le besoin d'économiser, à ce moment-là, et, de toute façon, je n'avais aucun projet d'avenir. Seule la perspective de longues heures solitaires dans l'appartement jusqu'au retour de Majdi et de Wassim m'avait convaincu qu'il était préférable de ne pas démissionner.

En outre, je commençais à aimer me trouver là, dans les combles de la maison de la rue du Pionnier. Le travail physique devenait plus facile, avec le temps, se conformant à la description que m'en avaient donnée Ayoub et Osnat ; un dîner rapide, puis le profond sommeil de Yonatan qui durait presque toujours jusqu'au matin.

De temps à autre, Osnat me demandait de la remplacer le week-end ou de venir plus tôt, à dix-huit, voire dix-sept heures, et j'acceptais de bon gré. Parfois, il arrivait que je me trouve en compagnie de Yonatan pendant vingt-quatre heures. Osnat pensait peut-être que j'acceptais pour gagner un peu plus d'argent, mais, en fait, je n'avais rien de mieux à faire et je préférais Yonatan et sa chambre chauffée à l'appartement glacial et vide de Beït-Hanina.

Mes gardes de jour auprès de Yonatan n'étaient pas particulièrement compliquées. Après le petit-déjeuner, qui comprenait le même bol d'aliment liquide et de gelée, je mettais Yonatan sous la douche, certes pas toujours facilement mais avec beaucoup moins de difficultés que le premier jour, le savonnais avec un savon liquide et une éponge légère, en des tas d'endroits dont je ne prends pas soin moi-même, quand je me douche. Je lui soulevais la tête, savonnais son cou, derrière les oreilles, frottais son entrejambe. En me baissant, je nettoyais méticuleusement les fesses de Yonatan, à travers le trou pratiqué dans son siège pour évacuer les liquides. Ensuite, je lui lavais les cheveux avec un shampoing pour bébé. Après la douche, je l'essuyais un long moment car Osnat m'avait expliqué qu'il devait être complètement sec, faute de quoi il pourrait souffrir de plaies et de champignons. Je l'essuyais partout, allant jusqu'à passer la serviette entre ses doigts de pieds, l'un après l'autre. Puis j'enduisais tout son corps avec une crème spéciale et, ce faisant, tâchais de masser ses os comme j'avais vu Osnat le faire, une fois.

Ensuite, je le portais sur son lit, le langeais, lui enfilais un pyjama propre, le transportais sur son fauteuil à appuie-tête et le traînais jusqu'à la fenêtre. Parfois, j'allumais la radio, toujours branchée sur Galgalaz, la radio militaire diffusant de la musique et l'état du trafic.

Bien vite, j'ai compris que Yonatan n'affichait pas toujours la même expression : parfois, il souriait, en tout cas quelque chose ressemblant à un sourire se dessinait sur son visage ; parfois, il laissait échapper des bruits que j'interprétais, en partie, comme des soupirs de contentement et d'autres comme des gémissements de malaise ou de douleur. Je savais quand il en avait assez de se tenir près de la fenêtre et je le ramenais à son lit et, quand sa position couchée l'incommodait, je le retournais de l'autre côté.

Bien que ce ne fût pas facile, j'ai aussi appris à changer les couches-culottes et à laisser le lit sec. Pour cela, il fallait incliner le corps sur le flanc de la main droite, veiller à ce qu'il ne roule pas et, de l'autre main, ôter la couche, nettoyer les fesses avec des lingettes humides, saupoudrer de talc, ajuster la nouvelle couche au bon endroit, attaches ouvertes et prêtes, et, à ce moment-là, libérer la main droite et laisser le corps rouler sur le dos. Alors, il était plus facile de fermer les attaches de la couche et de vérifier avec deux doigts qu'elle ne le comprimait pas trop ni n'était trop lâche.

J'effectuais toutes ces opérations avec des gants et, aussitôt après, je me savonnais les mains. Puis j'attendais que Yonatan s'endorme pour retourner dans la salle de bains me frotter les bras jusqu'aux coudes, enfonçant mes ongles dans le savon, une fois, puis une nouvelle fois, et me rinçant indéfiniment sous l'eau chaude.

La chose que j'évitais le plus, c'était de croiser le regard de Yonatan. Je préférais que ses yeux soient clos, parce qu'ils avaient quelque chose d'effrayant. Tout dans cette créature allongée me paraissait si sain : la chevelure lisse et châtaine, coupée régulièrement (une fois toutes les deux semaines, le jeudi, un coiffeur venait lui passer la tondeuse) ; la peau du visage glabre et pâle (Osnat le rasait tous les trois jours au rasoir électrique) ; les yeux noisette. Tout était si naturel. C'était un beau gars, Yonatan.

Parfois, pendant son sommeil, j'allumais la lampe de son bureau, m'asseyais sur le fauteuil et je feuilletais ses livres ou puisais dans les disques des rayonnages. Il y avait là un album de sa promotion, épais et blanc, qui portait sur la couverture ce titre : « Lycée artistique de Jérusalem. Quatorzième promotion. » Quatre ans avaient passé depuis que cette photo avait été prise, mais le jeune Yonatan n'avait pas changé. Il avait gardé la même expression sérieuse qu'il affichait alors. Ses grands yeux graves, l'air concentré. Sauf que, sur la photo, il apparaissait bien campé sur ses deux jambes, un appareil photo autour du cou, la main droite tenant l'appareil, un doigt appuyé sur l'obturateur pour se photographier dans un miroir. Sous la photo, une légende à l'écriture penchée : « Nous avons cherché, sans fin, et nous n'avons pas trouvé de meilleur photographe pour nous donner une photo de toi, Yonatan. Prends soin de toi, tous nos vœux de succès à *Bama'hané**, espèce de planqué ! Avec notre affection. P.-S. : Cesse de te montrer aussi sérieux et souris au moins une fois à l'objectif. »

Parfois, assis à son bureau, j'étais saisi de panique, je me retournais brusquement, m'attendant à voir Yonatan penché au-dessus de moi en train de me regarder fouiller dans ses affaires. D'une manière ou d'une autre, je sentais qu'il pouvait se relever à tout moment. Il me semblait qu'il se jouait de nous tous, couché dans son lit et conscient de tout, couché là parce qu'il l'avait décidé et non parce qu'il était malade. Son corps ne trahissait aucun signe de maladie ni même une cicatrice ou une blessure qui témoignent qu'il avait été victime d'un accident. Il ressemblait à s'y méprendre à la photo de son album de promotion. « Lycée artistique de Jérusalem. Quatorzième promotion. »

Le problème le plus sérieux, depuis le moment où Yonatan s'endormait et jusqu'à ce que je sois moi-même engourdi par la fatigue, était de tuer le temps. Bien que je fasse de grands efforts, fermant les yeux, bâillant comme ma mère me l'avait jadis appris quand je souffrais d'insomnie, je n'ai jamais réussi à m'endormir avant minuit. Il me restait plus de cinq heures à occuper dans ces combles, auprès d'un cadavre gisant sur un lit médical. Après avoir demandé la permission à Osnat, j'ai écouté les disques de Yonatan. Outre son système stéréo, il possédait un mini-appareil Sony pour CD, avec des écouteurs. « Mais

* Littéralement « Au camp », magazine de l'armée israélienne.

je ne sais pas si tu vas aimer sa musique, m'avait averti Osnat. Il a des goûts bizarres, tu sais. »

Je ne connaissais pas un seul disque de son impressionnante collection. Aussi ai-je décidé de commencer par le sommet de la pile et de continuer dans l'ordre. Au début, je n'écoutais pas la musique pour l'apprécier mais juste pour combler les heures vides. Assis sur le canapé face à Yonatan, écouteurs sur les oreilles, la couverture du disque en main, j'écoutais, j'essayais de retenir le nom des groupes, le titre des chansons. Parfois, quand il y avait un livret joint au disque, je tentais de suivre les paroles. Il avait vraiment des goûts bizarres, Osnat avait raison. Certains morceaux ne ressemblaient à rien de ce que j'avais entendu jusque-là, sans parler de la musique de Wassim et de Majdi dans notre appartement, ni de la pop égyptienne que mon colocataire des dortoirs de l'université avait l'habitude d'écouter. Ces chansons ne ressemblaient pas, non plus, à celles qu'il m'arrivait d'entendre dans le bus, à la radio israélienne, sur Galé Tsahal ou sur la Trois.

Le premier disque que j'ai écouté était celui d'un groupe appelé Sonic Youth ; les airs qu'il jouait ressemblaient, au début, à des grincements de menuiserie. Mais j'ai écouté le disque jusqu'au bout, deux fois pendant cette nuit-là, jusqu'à ce que la fatigue me ferme les yeux.

Petite cuillère, tranche de citron et briquet

Très vite, Walid, le directeur du service, a concocté un dossier actif pour Leïla et m'a demandé de l'accompagner lors de sa première visite à domicile dans la vieille ville qui était, à l'époque, l'un des gros foyers de la drogue à Jérusalem. À elle seule, la vieille ville pouvait remplir deux services de désintoxication, mais personne ne voulait y travailler, et rares étaient ceux qui désiraient vraiment obtenir de l'aide au-delà de la garantie d'allocation.

Leïla était arrivée à l'heure au bureau, à huit heures trente tapantes, une demi-heure après moi. J'ai essayé de surmonter mon embarras, plongeant le nez dans la paperasse dont je n'étais pas sûr de connaître le contenu, et j'ai fourré quelques formulaires dans mon sac. Afin de ne pas regarder Leïla, je gardais en permanence les yeux baissés vers mes pieds. « Bon, si tu es prête, on y va... »

Je ressentais quelque chose en présence de Leïla. J'ignorais si c'était la même tension et la même gêne que j'éprouvais en présence de toute jeune fille arabe, ou si c'était autre chose. En tout cas, je tentais de réprimer ce trouble, ne voulanr pas ressembler aux autres hommes que je connaissais qui frétillaient devant le moindre jupon. Je ne suis pas comme ça et, de toute façon, les filles ne m'intéressent pas tant que ça, me sermonnais-je, alors que je savais pertinemment que c'était moi qui ne les intéressais pas.

« Tu marches trop vite, m'a dit Leïla, nous ne sommes pas en retard, n'est-ce pas ?

– Pardon », lui ai-je répondu en me retournant. Nos regards se sont croisés. Je me suis attardé un instant et, pour la première fois, je l'ai fixée droit dans les yeux. J'ai rougi, je sentais mes joues en feu, et je me suis haï à cause de cela. Plus que jamais, je voulais accélérer le pas, prendre mes jambes à mon cou et disparaître.

« Tu es si timide », a souri Leïla. D'où tirait-elle une telle phrase ? Mais cela m'a plu, j'y voyais une sorte de compréhension, de confiance, d'absence de peur. Parfois, quand j'entendais mes collègues parler des filles, ou Majdi, j'étais sûr que, si j'avais été une fille, j'aurais eu peur de tous les hommes de la planète. J'ai ralenti le pas, tout en précédant un peu Leïla, afin que nul ne soupçonne que nous marchions côte à côte. Je pouvais emprunter les ruelles et raccourcir le trajet de Wadi Jouz jusqu'à la vieille ville, mais j'ai choisi de m'en tenir aux rues principales afin d'avoir des témoins et d'éviter que nous nous retrouvions seuls. Nous avons grimpé jusqu'à la rue Salah Eddine et, de là, jusqu'à Mousrara. J'essayais de régler mon allure sur la sienne. Au moment de traverser la rue de Mousrara à la porte de Damas, nous étions proches l'un de l'autre, et Leïla a lâché tout à trac : « Tu es différent de tes collègues du service. »

J'ai accéléré le pas, Leïla courait derrière moi.

Sur l'esplanade de la porte de Damas, j'ai reconnu quelques individus et j'ai baissé le regard, pour mieux les ignorer. Certains se tenaient derrière des étals de jouets et de parfums, d'autres étaient appuyés le long de la muraille à se tourner les pouces. En pénétrant sous la voûte de la porte de Damas, j'ai murmuré à Leïla sur un ton professionnel : « La porte de Damas est l'un des plus gros repaires de dealers du coin. » On était mercredi, l'heure était matinale, et l'activité du marché assez faible.

« Combien de temps nous faut-il pour arriver ? m'a-t-elle demandé en regardant sa montre.

– Cinq minutes.

– Dans ce cas, si on allait chez Lina, qu'en dis-tu ? Ça fait longtemps que je n'y ai pas mis les pieds. »

Le rez-de-chaussée du Lina' Houmous était bondé. Le serveur nous a indiqué qu'il y avait de la place à l'étage, nous avons grimpé l'escalier et trouvé une table pour deux. Je n'aurais pas dû accepter, me suis-je sermonné. Leïla arborait un sourire que je distinguais du coin de l'œil. Il me semblait, je ne sais pourquoi, que je l'amusais. C'est sûr, me suis-je dit, elle se prend pour une aristo, cette étudiante d'une grosse ville de Galilée, face à cette caricature de rustre d'un village du Triangle, un type pataud avec les filles, tout honteux. Or elle n'a aucune idée de la manière dont ils s'expriment, ces bouseux. Je n'oublierai jamais la blague à propos du gars du Triangle qui demande à une chrétienne de Galilée de danser avec lui et s'entend répondre : « Tu t'appelles Mouhammad, tu viens du Triangle, et tu veux danser avec moi ? » Je ne sais pourquoi, je pensais que Leïla était chrétienne bien que, contrairement aux étudiantes chrétiennes que j'avais croisées, elle ne portât pas de croix. De nombreux étudiants chrétiens arboraient une croix en évidence à l'université. Une croix qui signifiait, en fait : « Eh, regarde-moi bien, je ne suis pas musulman, pas vraiment arabe. »

Nous avons commandé un simple houmous, sans pois chiches entiers ni fèves. « Hummm, j'adore Lina », a dit Leïla en se servant la première de houmous à l'aide d'une pita. Je regardais ses gestes : elle n'était pas du genre à prendre du houmous avec une cuillère pour l'étaler sur un coin de pita. Ses doigts repliaient le pain de la bonne manière, et raclaient une portion respectable de houmous. Ensuite, elle a pris un morceau d'oignon. « Cela ne te dérange pas ? m'a-t-elle demandé en croquant un gros bout. Et alors, tu ne manges pas ?

– Je n'ai pas faim », ai-je menti. Pour tout dire, je n'avalais rien car le fait de manger m'a toujours paru méprisable, bestial, une activité à effectuer en solitaire, portes et fenêtres fermées. Sûrement pas face à une jeune fille et encore moins celle-ci, qui m'inspirait quelque trouble. Un trouble que je m'efforçais de réprimer en vain.

« Je n'ai pas faim, mais je vais manger un peu. » J'ai coupé délicatement un petit bout de pita et l'ai trempé dans l'énorme bol. J'ai baissé la tête et l'ai introduit dans ma bouche, en mâchant discrètement, lèvres fermées, essayant de ne pas laisser échapper de bruit de mastication. Je me suis aussitôt essuyé la bouche pour être certain de ne laisser aucune trace. En général, quand je mange, je suis sûr que non seulement j'ai oublié des miettes autour de mes lèvres mais que mes joues sont maculées, que mon visage entier est dégoûtant.

La svelte Leïla, aux cheveux bouclés et aux traits fins, a rapidement terminé sa part : « Dis-moi, tu vas finir le tien ? » Je lui ai fait non de la tête, elle a attiré mon bol vers elle et l'a terminé, cette fois, avec une fourchette et sans pita. À la fin du repas, chacun de nous a payé sa part.

Nous devions nous rendre dans le quartier d'Al-Wad, dans la maison de Charif Abou-Siam, le patient de Leïla.

« *'Hoch Abou-Siam ?* C'est ici, la cour d'Abou-Siam ? » J'ai interrogé un marchand assis sur un tabouret de paille au seuil de son épicerie, là où je supposais que se trouvait la demeure de cette famille. Un vacarme d'enfants retentissait depuis l'autre côté du portail vert que le marchand avait désigné du doigt. Une dizaine d'enfants nous ont accueillis tandis qu'une femme âgée, qui approchait du portail les mains occupées à arranger son foulard, les chassait et nous questionnait : « *Tfadalou*, bienvenue, vous êtes du service ? *Tfadalou.* » La petite cour carrée était entourée par des chambres ; des escaliers de béton grimpaient aux étages supérieurs sans aucune logique. Une partie des chambres à l'étage était encore nue, sans plâtre ni peinture, et, partout, fenêtres et portes étaient ouvertes. « Vous prendrez du thé ou du café ?

– Rien, merci, a dit Leïla. Tu es la mère de Charif ?

– Oui, a répondu la vieille femme qui s'est aussitôt mise à donner les noms des autres enfants regroupés autour d'elle. Ce sont ses enfants. Deux garçons et une fille, leur mère s'occupe en ce moment du bébé, a-t-elle précisé en indiquant l'une des chambres. C'est la maison de Charif. Il n'est pas là, il n'y a que sa femme. Dieu seul sait où il vadrouille en ce moment. Avant, il était fort comme un chameau de caravane. *Inch'Allah*, que le secours lui vienne grâce à vous, mes enfants ! »

Une jeune femme a ouvert la porte de la maison de Charif. « Je vous en prie, entrez, je vous en prie, il fait froid dehors. Apporte des chaises, *ya walad*, gamin. » Son fils a apporté des tabourets en plastique dans la pièce éclairée par une unique ampoule suspendue à un fil électrique au milieu du plafond. Un radiateur à pétrole trônait dans la pièce. Des matelas étaient accumulés dans les coins, empilés les uns sur les autres ; non loin du radiateur, un bébé dormait.

La femme de Charif devait avoir moins de trente ans. Elle portait un pantalon de survêtement ample et vert et un vieux pull, elle se tenait assise face à Leïla, le regard éteint, et répondait à ses questions : « Chaque jour, Charif quitte tôt la maison. Impossible de savoir où il se rend, il dit qu'il va au travail, mais il n'apporte pas d'argent. Il revient ivre à des heures pas possibles, il ne rentre que complètement saoul et s'il lui reste une dose pour le matin. Parfois, il prend une petite cuillère, une tranche de citron et un briquet, et il commence à préparer sa dose. Devant les enfants. Il se fait un garrot et introduit la seringue dans ses veines. » La jeune femme tenait une serviette en papier avec laquelle elle s'essuyait, régulièrement, les yeux et le nez. Assise face à elle, Leïla, munie d'un bloc et d'un stylo, opinait de la tête. La stagiaire a posé d'autres questions, surtout à propos des enfants, avec un professionnalisme surprenant, elle ne paraissait pas émue par les larmes de la femme et s'adressait à elle sans aucune compassion ni commisération.

« Les enfants ne vont plus à l'école. De toute façon, on ne les a pas inscrits cette année. Pour quoi faire ? L'année dernière, ils étaient inscrits, mais ils s'échappaient de l'école et vagabondaient dans les rues de la vieille ville. » Un voisin lui avait raconté qu'il avait vu l'aîné demander l'aumône à des touristes porte de Jaffa, ou parfois même à des fidèles venus prier, le vendredi, à la mosquée. « Qu'ils restent à la maison, ça vaut mieux, au lieu de traîner dans la rue. » L'aîné avait été arrêté une fois, pour avoir tenté de voler le sac d'un touriste, alors qu'il était encore en cours élémentaire deuxième année. Les plus jeunes l'imitaient. Des amies lui avaient dit que le service avait des internats pour les enfants dans cette situation, et même si, jadis, elle ne pouvait comprendre qu'une mère envoie ses enfants dans un internat et ne les voie plus, désormais, elle savait que c'était la seule chose à faire pour les sauver. « Qu'on les place juste dans un bon endroit. Au moins, ils auront un lit propre, de la nourriture et des études, peut-être qu'ils vont apprendre un métier qui leur donne un gagne-pain, pour plus tard. S'ils restent dans cet état, il est clair qu'ils finiront comme leur père que plus rien ne fera renoncer aux drogues. » Les grands frères de son époux avaient essayé, à plus d'une reprise, de le sevrer, l'avaient enfermé dans une chambre pendant deux jours, avaient juré qu'ils ne le libéreraient pas, et lui avait eu beau crier, supplier, pleurer comme un bébé, ils n'avaient pas renoncé. Mais, à la fin, eux aussi en avaient eu assez et, au bout de un jour ou deux, il était revenu complètement ivre à la maison.

Charif était le benjamin, avait précisé sa femme. Ses cinq frères menaient des vies rangées et avaient quitté le quartier, chacun avait sa propre maison, à Dahiyat al-Barid, à A-Ram, où ils demeuraient avec leurs familles. Seul Charif était resté avec sa mère dans la vieille ville, après son mariage. Sa belle-mère occupait une chambre, tandis qu'elle et Charif disposaient des trois autres pièces. Or, à cause de la nouvelle loi de résidence dans la ville, qui annulait la couverture sociale pour les habitants des quartiers éloignés comme Dahiyat al-Barid ou A-Ram, tous les frères étaient revenus dans la maison familiale, car aucun d'eux ne voulait perdre l'assurance maladie, les prestations sociales et les écoles de la municipalité, ni surtout le bénéfice de la carte d'identité bleue. Aussi avaient-ils abandonné leurs vastes maisons et étaient-ils revenus, « et nous, nous sommes restés dans une pièce unique, racontait-elle à Leïla, et eux ont construit deux autres chambres en haut, alors, la municipalité est venue et a annoncé qu'elle allait les détruire parce qu'on les avait construites sans permis, maintenant, en plus, on a la justice sur le dos, et tout le bordel… Le matin, a-t-elle ajouté en s'essuyant le nez, je ramasse les matelas et, la nuit, je les déplie. Tous ensemble, on dort dans cette pièce, comme vous pouvez le voir ».

Sur le trajet du retour, Leïla marchait les yeux baissés, sans un mot. En arrivant au service, elle m'a prié de lui donner le nom de l'assistante sociale du dispensaire et, avant de quitter la pièce, elle m'a demandé de lui indiquer les meilleurs internats de la région.

Pantalon de velours

L'odeur des vêtements de Yonatan me revient en ce moment. D'une manière ou d'une autre, le parfum agréable de l'assouplissant les imprégnait encore sans avoir absorbé l'odeur de médicament qui stagnait dans les combles.

La veille de la fête, je suis arrivé rue du Pionnier une heure avant ma garde et j'ai demandé à Osnat, avec précaution, si je pouvais être un peu en retard pour ma garde du lendemain.

« À quelle heure penses-tu arriver ?

– Je ne sais pas vraiment, mais je serai ici à minuit au plus tard. Ça te va ?

– C'est parfait, a-t-elle souri. À condition qu'il s'agisse d'une fille. »

J'ai rougi, et il m'a semblé que j'avais laissé échapper un sourire stupide que je ne parvenais pas à dissimuler.

« *Sahteïne*, félicitations, s'est-elle écriée en se tournant vers Yonatan et en haussant la voix pour qu'il l'entende. Notre timide a enfin trouvé une petite amie, tu le crois ? »

Puis elle s'est tournée vers moi en me demandant quelques détails.

« Une stagiaire dans notre service.

– Quel âge a-t-elle ?

– Vingt et un ans.

– Comment s'appelle-t-elle ?

– Leïla.

– Elle est belle ? »

J'ai acquiescé de la tête.

« Comme c'est mignon ! Et où allez-vous passer votre soirée ?

– Dans une fête… À l'hôtel Hyatt.

– Et qu'est-ce que tu vas mettre pour l'occasion ? »

J'ai haussé les épaules : « J'y vais comme ça, avec les vêtements que je porte. »

Osnat secouait la tête de droite à gauche : « Excuse-moi de te le dire, mais tu vas faire fuir ta petite amie si tu te pointes avec tes habits de tous les jours. »

Jusque-là, les vêtements ne m'avaient jamais préoccupé. Je ne m'étais jamais acheté autre chose que des chaussettes, des maillots de corps et des slips aux étals de la porte de Damas. De temps à autre, lors de mes visites chez ma mère, je découvrais qu'elle m'avait acheté des jeans, une chemise ou un survêtement. Avant mon inscription à l'université, elle m'avait préparé toute une garde-robe adaptée au froid de Jérusalem.

Osnat a ouvert l'armoire de Yonatan : « Viens voir ce qu'on va bien pouvoir te trouver. » Je demeurais stupéfié devant la quantité d'habits rangés là. Je n'avais jamais ouvert cette armoire et, je ne sais pourquoi, il me semblait qu'il n'y avait que des pyjamas. Mais j'ai compté des dizaines de chemises multicolores, repassées, suspendues à des cintres et, à côté, pendaient une infinité de pantalons. Sur les étagères reposaient des T-shirts en piles triées par couleurs, tout était si propre et si bien rangé.

« Tu as exactement la taille de Yonatan, a remarqué Osnat. Il possède tant de jolies choses. N'est-ce pas, Yonatan ? » Jetant un coup d'œil vers le lit, elle a ajouté : « N'est-ce pas, Yonatan, que tu es d'accord de prêter un ou deux vêtements à notre ami ici présent pour qu'il sorte avec sa petite amie ? » Ce n'est pas vraiment ma petite amie, me suis-je dit, elle m'a juste invité à la fête des étudiants arabes pour le début du second semestre.

Pour la première fois, j'allais la fréquenter en dehors du travail. Cela m'émouvait, certes, et, surtout, m'effrayait.

Osnat continuait à farfouiller dans l'armoire, à examiner les chemises, pour finalement décrocher une chemise noire boutonnée au col rigide. « Le noir ira très bien avec ta peau claire… Bon, voyons quoi d'autre… Non, pas de jean, elle en a sûrement plus qu'assez de te voir tout le temps avec le même jean, tes vêtements se ressemblent tous… Ah, ça, ça peut aller. » Elle a sorti de l'armoire un pantalon en velours d'une couleur qu'elle a qualifiée de « blanc cassé » ainsi qu'une veste en velours de la même couleur, avec deux coudières en cuir marron.

« *Yallah*, va essayer tout ça, je veux voir comment ça te va.

– Pas question…

– Tais-toi et change de vêtements, allez, bouge-toi, je n'ai pas le temps. »

Le pantalon tombait à la perfection ; aussi bien la taille que la longueur des jambes convenaient. J'ai glissé la chemise dans le pantalon et enfilé la veste. Un sourire épanoui s'est étalé sur le visage d'Osnat en m'apercevant revêtu des habits de Yonatan, elle s'est approchée, m'a fait tourner dans tous les sens, puis a pris une ceinture de cuir brun avec une large boucle rectangulaire. J'ai introduit la ceinture dans les passants du pantalon, tandis qu'Osnat se penchait pour saisir une paire de chaussures en cuir marron qui paraissaient neuves. Dans le tiroir, il y avait cinq paires de chaussures de ville et trois de sport. « Ça vaut mille fois mieux que tes baskets blanches », a-t-elle laissé tomber, tout en reculant pour mieux contempler son œuvre. Elle m'a examiné des pieds à la tête, puis m'a complimenté : « Parfait !

– Ce n'est pas moi », ai-je protesté. Je me sentais engoncé dans ce déguisement.

« Et comment que c'est toi ! Demain, tu vas te rendre à ta fête avec ces vêtements. Ils te vont à merveille, et tu ne vas pas tout gâcher avec tes fripes. »

Il m'était agréable de m'entendre dire que j'avais belle allure. Ce que venait de déclarer Osnat m'insufflait de l'espoir et, pendant un bref moment, je me suis vraiment senti un autre homme. L'homme que j'aurais voulu être.

« Tu sais quoi ? Non seulement tu as les mêmes mensurations que Yonatan mais, dès la première minute où tu as pénétré ici avec Ayoub, j'ai eu un pincement au cœur, j'ai eu le sentiment que je te connaissais depuis des années et, aussitôt, je me suis sentie bien en ta compagnie. Et ce n'est qu'ensuite que j'ai compris pourquoi. Tu lui ressembles vraiment, tu sais ? À Yonatan. N'est-ce pas, Yonatan, que vous vous ressemblez beaucoup ? »

Elle a pris son sac, m'a souhaité une garde agréable et nous a dit au revoir à tous les deux.

Semelle

Je suis revenu relativement tôt de la fête. Vers vingt-deux heures trente, je me trouvais déjà dans la rue du Pionnier. J'ai ouvert la porte sans bruit, en essayant de marcher sur la pointe des pieds afin que les chaussures en cuir à semelle épaisse de Yonatan n'ébranlent pas la maisonnée. J'ai eu le cœur glacé en découvrant du coin de l'œil Rouhèlé assise au salon. Parfois, il m'arrivait d'oublier purement et simplement son existence. Je me suis immobilisé. Mon cœur battait la chamade. Je me tenais sous ses yeux dans les vêtements de son fils couché là-haut, inerte.

« Bonsoir », ai-je réussi à lâcher, toujours pétrifié. Elle était penchée au-dessus de classeurs ouverts et de papiers épars, une bouteille d'alcool débouchée devant elle. Elle m'a examiné de la tête aux pieds. Elle a hoché la tête, sans dire un mot, s'est versé un autre verre et s'est replongée dans ses papiers. J'ai grimpé l'escalier, en évitant de faire du bruit, jusqu'à la chambre de Yonatan.

Osnat était assise sur le canapé du studio, un livre à la main. L'air surpris, elle m'a dévisagé puis a regardé sa montre.

« Qu'est-ce qui s'est passé ? a-t-elle murmuré.

– Tout va bien. Il n'est rien arrivé.

– T'en es sûr ? Tu ne m'as pas l'air dans ton assiette.

– Rachel est en bas. Elle m'a vu dans les habits de Yonatan.

– Bêtises… Laisse tomber. Je suis sûre qu'elle s'en fiche. À part ça, elle ne doit plus voir grand-chose à cette heure, avec tout ce qu'elle boit. Calme-toi. Si ça peut te rassurer, je peux lui en parler et lui dire que c'était mon idée, bien que ce ne soit pas nécessaire, crois-moi. Au fond, c'est quelqu'un de compréhensif et de bon. Sais-tu qu'elle a milité naguère avec les Femmes en noir* ? »

Après le départ d'Osnat, je me suis débarrassé des vêtements, les ai fourrés dans la machine à laver et j'ai enfilé mon pantalon de survêtement et mon maillot de corps. Je me suis planté devant les colonnes de CD de Yonatan, devenus de plus en plus familiers à mes oreilles, et j'ai choisi d'écouter *Berlin* de Lou Reed. J'ai placé le CD dans l'appareil, ai fait défiler jusqu'à la chanson de la mère à laquelle on arrache ses enfants, celle avec les pleurs

* Association militante israélienne, née au début de la première Intifada, en 1988. Elle organise des manifestations contre l'occupation, des inspections aux barrages militaires, des soutiens à la population palestinienne.

de bébé à la fin. J'ai retourné Yonatan sur le flanc gauche, son visage face au mien. Je me suis assis sur le canapé, en écoutant la musique, puis j'ai pris *La Sonate à Kreutzer* de Tolstoï sur un rayonnage, en tentant de me concentrer sur ma lecture. Je ne voulais me souvenir d'aucun détail de la fête.

Elle portait une longue robe noire avec, par-dessus, un manteau de laine. Elle était chaussée de talons hauts et s'était légèrement maquillée. D'elle, je ne reconnaissais que les créoles accrochées à ses oreilles car elle les avait portées dans notre service. Elle est passée devant le vigile posté à l'entrée des dortoirs universitaires et m'a souri. Je crois qu'elle était aussi embarrassée par son accoutrement que moi par le mien.

« Salut.

– Salut. »

Nous avons dévalé d'un même pas la pente menant des dortoirs au club Orient-Express de l'hôtel Hyatt, à distance respectable l'un de l'autre, sans ouvrir la bouche. Notre seul dialogue émanait du claquement de ses talons aiguilles mêlé au chuintement des semelles épaisses de Yonatan. Son parfum m'étourdissait. Je baissais le regard, tentant de dissimuler mes sentiments qui me devenaient étrangers, confus. Que ressent-elle à cette heure ? Du regret, tout comme moi ? Pourquoi n'est-elle pas la même Leïla légère et drôle, la même Leïla bavarde comme une pie rencontrée hier dans notre service ?

« Leïla », ai-je chuchoté. C'était la première fois que je prononçais son nom. Je ne sais même pas pourquoi je l'avais appelée, peut-être voulais-je seulement dire son nom.

« Quoi ? » a-t-elle demandé, en tournant son visage vers moi. J'ai fait un signe de la tête pour dire « Rien, rien de rien », et j'ai de nouveau plongé mon regard à terre.

Leïla s'était obstinée à me rembourser le billet que je lui avais acheté à la caisse. Elle m'a juste permis de lui offrir un jus d'orange. Moi, j'ai pris un Coca-Cola. Nous étions parmi les premiers. Il y avait une profusion de places assises. Une mélodie sirupeuse de Wadih El Safi berçait la salle en fond sonore, mais nul ne dansait. Assis l'un en face de l'autre, nous nous taisions. Contrairement à son habitude, Leïla évitait de croiser mon regard. Un long moment est passé.

« Je suis désolée pour mon attitude, mais tu ne vas pas croire l'interrogatoire que j'ai dû subir de la part de ma camarade de chambre quand elle a appris que je me rendais à cette fête. J'ai l'impression d'un flic qui surveille tout le temps mes faits et gestes pour les rapporter aux parents. C'est une fille abominable, je la hais à un point ! "Tu y vas seule ? Avec qui tu y vas ? Pour quoi faire, tu y vas ? Tu n'as pas de devoirs à faire ? Et c'est quoi, ces vêtements ?" C'est la première fois que je me rends à une fête d'étudiants, cette robe, je l'ai achetée aujourd'hui, au centre commercial. J'ai vingt et un ans, alors pourquoi je n'aurais pas le droit ? Pour qui se prend-elle ? »

Les étudiants commençaient à envahir la salle. Bien vite, je cessai de me sentir gêné à cause de mes vêtements qui paraissaient modestes en comparaison de ceux que les autres portaient. Je ne connaissais pas cet aspect de l'université ; de toute façon, je ne fréquentais personne à la fac. Leïla se détendit, elle se mit à sourire et à bavarder. « Pourvu que ma camarade de chambre ne déboule pas ici avec son *hijab* », a-t-elle gloussé. Je me sentais bien. La pièce était de plus en plus bondée et l'atmosphère bruyante ; peu à peu, le rythme de la musique s'est accéléré, et des couples plus nombreux ont occupé la piste de danse. Le premier chanteur à passer fut Shadi Jamil, dans le style musical paysan, puis Sabah Farkhi a suivi, qui a laissé place à de la pop égyptienne trépidante. Il était clair que Leïla voulait danser. Elle se balançait au rythme de la musique, fredonnait les paroles. Je ne connaissais pas la plupart des chansons, ce qui a étonné Leïla: « Quoi, tu ne connais pas Amr Diab ? »

Je ne sais pas danser. Je n'ai presque jamais assisté à des mariages, qui sont le lieu où tout le monde apprend à danser. À Jaljoulya, on ne nous connaissait pas suffisamment pour nous inviter à des mariages et, à Tira, on ne nous invitait pas du tout. Je me suis planté au milieu de la piste, sans bouger un doigt, tandis que Leïla dansait devant moi avec des gestes gracieux. Elle souriait tout le temps, et je n'avais même pas l'impression que je la gênais à demeurer là, bras ballants, comme un épouvantail. Peu à peu, je me suis convaincu que personne ne me regardait, que tous avaient bien mieux à faire, et j'ai enfin osé remuer mes membres. J'ai imité les mouvements des hommes autour de moi, tout en maintenant une distance respectable par rapport à Leïla. Je ne cessais de me seriner que c'était une collègue de travail. Soudain, mon corps fut saisi d'un tremblement, et j'ai aussitôt compris qu'on me regardait. Lorsque le gars qui dansait devant moi s'est déplacé, je les ai vus me fixer, me scruter et pouffer. D'abord, j'ai repéré Khalil. Il a brandi une bouteille de bière comme pour me dire « À ta santé ! », puis a éclaté de rire. Chadi et Walid étaient assis à côté de lui. J'étais pétrifié. Je savais exactement ce qu'ils se racontaient, je pouvais entendre leurs blagues, leurs rires, je percevais l'ironie dans leurs regards. Leïla avait saisi que quelque chose me préoccupait, elle a jeté un œil sur leur table, puis est revenue vers moi sans cesser de danser, a fait une grimace et haussé les épaules comme pour dire « Quelle importance ? » Elle s'est efforcée de sourire de nouveau tout en continuant à danser, mais elle aussi savait que je n'étais plus là désormais, sur la piste de danse de l'Orient-Express. Cinq minutes plus tard, j'ai annoncé à Leïla que je m'en allais, sans attendre sa réponse.

Après avoir quitté Yonatan, sur le chemin de l'arrêt de bus du boulevard Herzl, ma décision était prise. Cela ne pouvait plus continuer ainsi. J'allais mettre bon ordre dans ma vie, dès aujourd'hui. Dans ma tête se succédaient des images de révolution. Désormais, je ne fuirais plus devant quiconque. Pour qui se prenaient-ils donc, ces minables, dont les critiques et les rires m'avaient empêché de trouver le sommeil ? Pourquoi avais-je été assez stupide pour m'en aller de cette fête et abandonner ainsi Leïla ?

La voiture blanche de Rouhèlé s'est arrêtée à ma hauteur, devant la station du bus.

« Tu te rends à ton bureau ?

– Oui, merci », et je suis monté à côté d'elle.

Si elle fait une seule remarque à propos des vêtements, ai-je pensé, je ne lui demanderai même pas pardon. J'en ai assez d'avoir peur. Marre. Si elle dit un mot, je quitte la voiture pour ne plus jamais revenir dans son studio puant. Je n'ai pas besoin de ce boulot merdique.

Mais Rouhèlé n'a pas évoqué les vêtements. Elle s'est tue pendant tout le trajet. Elle conduisait calmement, comme à son habitude, et ses traits ressemblaient à ceux de Yonatan, tout comme son regard, perdu dans l'inconnu. Dans ma tête retentissait le fracas des guitares de Metallica qui accompagnerait les images de la révolte que j'allais déclencher, ce jour même, dans le service. Je m'imaginais dressé de toute ma stature, hurlant, les remettant un par un à leur place et eux, mes collègues, dont tout sourire aurait quitté les lèvres, bouche cousue, apeurés, comprenant soudain qu'aucun d'eux ne chercherait plus à me défier. Et si, au lieu du bureau, je me rendais au dortoir de Leïla ? Je lui achèterais des fleurs et l'attendrais à la porte de l'immeuble. Oui, face au monde, face à sa camarade de chambre avec son hijab, je lui tendrais le bouquet et, même, je ne tremblerais pas au moment de lui murmurer : « Je t'aime. »

« Merci », ai-je dit à Rouhèlé au moment où elle a freiné devant la porte de mon bureau. Je marchais différemment, je le ressentais au bruit de mes pas. J'étais un homme nouveau, robuste, la tête haute, un homme qui ne rase plus les murs, venu lancer là sa révolution. Une houe dans une main, un fusil dans l'autre.

Il était huit heures du matin, plus que deux heures avant l'arrivée du premier collègue. J'imaginais Khalil se pointer tout sourire, gloussant, et me lâcher une vanne, du genre : « C'est comme ça ? Tu laisses en plan une jeune fille ? » Je ne lui dirais pas un mot, je n'y ferais même pas attention. J'attendrais que tous soient là, qu'ils entament leur journée comme d'habitude, qu'ils cancanent, qu'ils rigolent, et alors, au moment où ils sortiraient leur argent pour le petit-déjeuner, je le leur jetterais à la figure et ouvrirais les hostilités. Je ne me défendrais plus. Je ne ferais qu'attaquer, sans relâche, le visage empourpré de colère. Je vais leur montrer qui sont les froussards ici, qui sont les cyniques pour lesquels chaque fille n'est qu'une paire de jambes et un cul. Peu importait si Walid se trouvait là. Certes, je ne m'adresserais pas directement à lui, mais je voulais absolument qu'il entende mon opinion sur mes collègues. Je les voyais se recroqueviller dans leurs fauteuils et moi, retourner à mes dossiers, comme si de rien n'était mais la poitrine gonflée d'orgueil.

« La lutte... » Je pouvais encore entendre la voix de ma mère, alors que je me tenais devant elle, retenant mes larmes malgré la douleur, et là elle avait compris, sans que j'aie prononcé un mot, que j'avais encore une fois essuyé des coups sur le chemin de la maison. « La lutte », l'ai-je entendue proclamer (je n'ai découvert que plus tard que c'était une citation tirée d'un livret révolutionnaire vietnamien oublié sur une étagère). « La lutte, c'est comme deux hommes dont l'un mord le doigt de l'autre. Tous deux ont mal, mais le vaincu sera celui qui dira le premier : J'ai mal. »

Je me souvenais parfaitement de cette phrase, bien qu'elle n'ait jamais été pertinente en ce qui me concerne. Je n'ai jamais senti que je mordais le doigt d'un adversaire, mon doigt était juste dans sa bouche, et il n'y avait aucune chance qu'il hurle de douleur à cause de moi. Je n'ai jamais rendu les coups, je me contentais de les encaisser et de m'enfuir. Exactement comme ma mère qui, elle aussi, avait fui des années avant que moi-même je ne doive partir pour la première fois, et qui m'avait expliqué qu'elle avait fui à cause de moi, pour moi, afin que je ne souffre pas là-bas. Elle ne voulait pas que je me sente rejeté et ostracisé. Plus tard, elle m'a raconté qu'elle n'avait pas fugué, mais qu'elle m'avait éloigné, comme elle l'avait fait en plein milieu d'année scolaire à l'école élémentaire, lorsqu'elle avait compris que même dans ce nouveau village je n'étais pas le bienvenu, et elle m'avait alors mis à l'abri dans une école juive de Petah Tikva, après avoir fait jouer toutes ses relations au Syndicat des enseignants. J'avais étudié là-bas pendant deux ans, je m'y sentais bien, beaucoup mieux qu'auparavant. Personne ne me disait que mon père avait tué quelqu'un, personne ne m'accusait d'être le fils d'un collabo. Les enfants ne me parlaient pas du tout, et moi non plus. Je me débrouillais très bien dans les études et, très vite, j'ai maîtrisé l'hébreu, je parlais comme eux et j'écrivais mieux que la plupart d'entre eux.

Quand, au secondaire, ma mère m'a ramené à Jaljoulya, j'ai pleuré, mais elle m'a dit que ça ne dépendait pas d'elle, que la conseillère d'orientation lui avait dit que je ne m'intégrais pas à Petah Tikva, que ça ne me convenait pas. Au collège, il n'y eut plus de coups, car ma mère y enseignait et veillait sur moi. Deux fois au moins par jour, elle entrait dans ma classe pour s'assurer que j'allais bien. Ensuite, j'ai commencé à l'éviter, et aujourd'hui, je suis désolé de ne pouvoir me remémorer une seule de ses étreintes.

Cinq minutes ne s'étaient pas écoulées depuis mon arrivée au bureau que les images de la révolte se sont évanouies d'elles-mêmes. Je savais que Leïla allait arriver bientôt, parce que c'était son jour de stage. J'ai quitté le service, fermé la porte et annoncé à l'homme à tout faire que je ne me sentais pas bien, le priant d'avertir Walid que je devais me rendre chez le médecin. J'ai pointé avant de m'en aller. Pour ma garde de nuit, rue du Pionnier, je suis parti une demi-heure plus tôt. Je suis descendu du bus près du tribunal de grande instance et j'ai marché dans l'obscurité jusqu'à mon service, vide à cette heure, avec, en main, une enveloppe dans laquelle j'avais glissé un mot de ma plume sur du papier administratif: « Je démissionne de mon travail », le tout signé. Nul ne me chercherait. J'ai glissé l'enveloppe dans le casier du directeur.

Dans mon casier, j'ai trouvé un petit billet ainsi rédigé: « Je t'ai attendu et tu n'es pas venu. J'espère que tout va bien. Je voulais te remercier pour la nuit d'hier, ce fut merveilleux. Tu m'appelles demain ? »

CHAPITRE III

Trousse à maquillage

L'avocat écrasa son mégot dans le cendrier, ouvrit la porte de son bureau et monta en silence l'escalier. Branché à son chargeur, le téléphone portable de son épouse était sur une table basse dans le salon. L'avocat pénétra dans la chambre à coucher où reposaient son épouse et son enfant. Par habitude, il retint son souffle afin de percevoir la respiration de son enfant. Au pied du lit, il aperçut le cartable dont son épouse se servait pour se rendre à son travail, et qu'il lui avait offert pour son vingt-septième anniversaire. Combien de fois lui avait-il fait la remarque de ne pas le laisser traîner ainsi sur le sol. En vain! Elle avait coutume de jeter habits, chaussures et sacs à même le plancher. L'avocat avait toujours pensé qu'une telle attitude relevait de la distraction ou de la précipitation propres à une femme retrouvant chez elle deux enfants en bas âge, mais lorsque, cette fois, il ramassa le cartable, il comprit que cette manière de se défaire de ses objets, malgré ses prières répétées, trahissait une sorte de rébellion prémonitoire que tout œil exercé eût été capable de déchiffrer.

Il descendit à son bureau avec le cartable et le téléphone portable de son épouse. Elle ne se réveillerait pas et, même dans ce cas, elle ne remarquerait pas leur disparition. La plupart du temps, elle ne se rappelait pas où elle laissait ses affaires. Combien de fois n'avait-elle pas cherché son cartable qu'elle avait, en fin de compte, laissé dans la voiture ou dans son bureau. Quant au téléphone, elle le cherchait chaque matin, en appelant à partir du fixe.

L'avocat s'empara d'abord d'un carnet bleu dont la couverture portait ce titre : « Agenda du travailleur social », l'habituel cadeau de l'Union des travailleurs sociaux à l'occasion du Nouvel An. Il voulait examiner son écriture, espérant que l'écriture du billet n'était pas celle de son épouse. Il relut le billet, et la douleur le transperça aussitôt : « Je t'ai attendu et tu n'es pas venu. J'espère que tout va bien. Je voulais te remercier pour la nuit d'hier, ce fut merveilleux. Tu m'appelles demain ? » Dans l'agenda, il dénicha quelques numéros de téléphone, quelques banales notations et, semble-t-il, des noms de patients. Il remit l'agenda dans le sac, farfouilla, sortit quelques mots qui lui parurent assez anciens. Pourquoi garde-t-elle tous ces bouts de papier ? Le désordre de son épouse le mit en colère. Il lut ces billets dans l'espoir d'y découvrir quelque chose de suspect, une preuve flagrante. Mais à quoi s'attendait-il ? À une lettre d'amour ? Au dessin d'un cœur transpercé d'une flèche avec son nom à elle et celui de son amant ? Bien que chaque phrase, chaque numéro de téléphone, chaque date de rendez-vous éveillât ses soupçons, il ne trouva aucune preuve accablante. Il recopia dans son propre carnet quatre numéros de téléphone consignés de manière répétée dans l'agenda de son épouse, puis il fouilla encore dans la poche centrale à la recherche d'autres documents et, à son grand dépit, il n'y découvrit que des rapports sociaux liés à son travail ou à ses études.

Après cette brève inspection, l'avocat décida d'examiner aussi son portable avant de remettre le tout en place. Au début, il fit défiler les SMS reçus, copia quelques noms inconnus, bien qu'il n'eût rien trouvé de suspect dans ces messages : la plupart provenaient de femmes ou, peut-être, d'individus s'étant attribué des noms de femmes. Mais l'avocat avait conscience que, désormais, il ne pouvait plus se fier aux apparences : les noms de femmes sur son répertoire pouvaient tout aussi bien dissimuler des noms de code. Car la ruse de sa femme transparaissait déjà dans le billet qu'il avait trouvé, où elle n'avait laissé ni sa signature ni le nom de son amant. Il comprit tout à coup à quel point cette femme, qui lui avait toujours paru empotée et tête de linotte, pouvait être précautionneuse et méticuleuse pour effacer toute trace derrière elle. En faisant défiler la liste des SMS envoyés, l'avocat ne s'attendait plus à trouver des preuves contre elle : la plupart lui étaient destinés car, bien évidemment, elle avait effacé les autres, comme si elle s'était attendue à ce qu'un jour son époux la soupçonne.

L'avocat éteignit le portable de son épouse et décida de consulter le détail de ses appels auprès du fournisseur de réseau. De toute façon, comme il avait joint le compte téléphonique de son épouse aux dépenses de son cabinet pour alléger ses charges fiscales, son appareil était enregistré sous son propre nom. Il commanderait donc cette liste afin de pouvoir vérifier, à tête reposée, des numéros suspects, des conversations énigmatiques, longues, non identifiables, réalisées avec cet appareil.

Cela réussit à apaiser un peu l'humiliation de l'avocat. Concentré comme il l'était désormais sur son enquête, son épouse ne devenait plus qu'un dossier à traiter avec toute la compétence requise. Mais cette impression de soulagement s'évanouit au moment où il ouvrit une petite poche du cartable et en sortit une trousse à maquillage en plastique. Il sentit son sang bouillonner. Elle, elle qui se moquait tout le temps des femmes qui consacraient des heures à se pomponner devant leur coiffeuse, la voilà qui emportait un nécessaire à maquillage dans ses affaires. Tout à coup, elle lui apparut comme ces femmes qu'il reluquait aux feux rouges, le matin, coincé au milieu des bouchons. Il l'imagina en train d'abaisser le pare-soleil de la voiture qu'il lui avait achetée, d'examiner ses traits dans le miroir, extraire de son cartable la trousse de maquillage, froncer les lèvres, appliquer le rouge à lèvres, ébouriffer sa chevelure, appliquer du Rimmel sur ses cils et se poudrer le nez. Pute. Fille de pute. Pourquoi ne se maquillait-elle pas à la maison ? Pourquoi critiquait-elle ces femmes, alors qu'elle se conduisait exactement comme elles ? Elle qui se plaignait devant lui de la nécessité de se maquiller pour un mariage cachait une trousse à maquillage dans ses affaires, trousse qu'il lui avait en outre lui-même offerte car il aimait les femmes maquillées et espérait que son épouse, en les imitant, réveille son désir déclinant. Dans sa perverse duplicité, elle lui refusait ce qu'elle offrait à d'autres. Il l'imaginait dans les toilettes de son bureau, effaçant toute trace de fard de son visage, avant de monter dans sa voiture et de revenir vers lui, à la maison.

La colère embrasa de nouveau l'avocat. Son cœur battait, le désir d'égorger son épouse, de presser les artères de son cou à deux mains, le saisit. Les doigts tremblants, il alluma une cigarette afin de remettre un peu d'ordre dans ses idées. Après tout, il avait un plan et, au besoin, un plan alternatif. Certes, il s'était spécialisé en droit criminel et ne s'était jamais occupé de droit matrimonial, mais il connaissait un peu le tribunal israélien des affaires familiales et celui de la charia musulmane. Dans les deux instances, un homme peut divorcer et, dès qu'un dossier est ouvert devant l'une des deux juridictions, c'est là que se déroulera la procédure. Tout Arabe, et surtout un avocat comme lui, sait que les chances de l'homme sont meilleures devant le tribunal de la charia. S'il prouve l'infidélité de son épouse, elle ne touchera rien. Plus que l'aspect financier, il voulait surtout garder les enfants. Or, le tribunal de la charia laissait les enfants à la garde du père et non à celle de la mère. Et s'il était prouvé qu'elle l'avait trompé, elle ne reverrait plus jamais ses enfants. Le billet qu'il avait trouvé n'était certes pas une preuve d'adultère irréfutable, mais il dénicherait certainement d'autres preuves, implacables celles-là, et alors, il s'adresserait au tribunal de la charia de la vieille ville. Entre-temps, il ne fallait absolument pas qu'elle se rende compte de quoi que ce soit. Elle ne devait se douter de rien car, si elle prenait les devants et s'adressait au tribunal des affaires familiales, elle obtiendrait gain de cause.

L'avocat éteignit sa cigarette. Il retira du cartable de son épouse une feuille sur laquelle étaient griffonnés quelques mots en arabe et la plaça, ainsi que le billet accusateur, dans un coffre protégé par un code personnel. Il ne faut surtout pas qu'elle soupçonne quelque chose, se dit-il, et il mit aussitôt le livre du billet, cette maudite *Sonate à Kreutzer*, dans son dossier secret. Il quitta la pièce en silence et grimpa de nouveau l'escalier, déposa le téléphone portable à sa place ainsi que le cartable au pied du lit. Il écouta la respiration de son enfant et, à son corps défendant, il contempla son épouse endormie sur le flanc, les jambes dénudées jusqu'au haut des cuisses. Un brusque désir s'empara de lui, alors qu'il était persuadé de ne plus en éprouver à son égard.

Alarme

L'avocat quitta son domicile à cinq heures du matin. Il ne savait pas s'il souhaitait vraiment que son épouse s'aperçoive de son départ, cependant il claqua la porte derrière lui. D'un côté, il s'était résolu à ne rien changer à ses habitudes et, de l'autre, il voulait exprimer sa colère, qu'elle sache à quel point il la haïssait. Avant de monter dans sa voiture, il espérait encore qu'elle se réveillerait, qu'elle courrait à sa rencontre et l'interrogerait sur son comportement. Faute de quoi, il mit le contact et appuya à fond sur l'accélérateur, comptant sur les rugissements du moteur pour la sortir de son lit. Peut-être était-elle réveillée et avait-elle décidé de ne pas bouger et de ne pas lui poser de questions ? Il était très rare que l'avocat se rende à son cabinet le vendredi, et encore plus rare qu'il y aille à une heure aussi matinale. Pendant tout le trajet, l'avocat pria pour qu'elle l'appelle, il voulait entendre l'inquiétude percer dans sa voix, mais elle n'en fit rien.

Il se gara sur son emplacement habituel. Le parking était vide, le vigile n'était pas encore arrivé. Il descendit l'escalier qui menait à la rue King George. Un véhicule de la police passa en silence ; les éboueurs étaient les seuls individus présents à cette heure dans cette rue qui, d'ordinaire, était bondée. Des caisses de pain et des sacs de légumes s'amoncelaient sur le trottoir, sur le seuil des restaurants. Les piles de suppléments du week-end attendaient que les kiosquiers les insèrent dans les éditions du jour. Des caisses de lait s'entassaient devant les cafés. Ce spectacle plaisait à l'avocat. Il arpenta le haut de la rue en chemisette, sa serviette en cuir à la main droite ; la fraîcheur de l'aurore hérissait les poils de ses bras et un frisson délicieux lui parcourut le corps.

Vendredi était chômé au cabinet. Certes, dans le coin, beaucoup d'entreprises fonctionnaient au moins jusqu'à midi, mais l'avocat, dont la plupart des clients étaient arabes, préférait fermer le jour sacré des musulmans, d'autant que les barrages devenaient plus hermétiques autour de Jérusalem afin d'empêcher les fidèles de Cisjordanie de venir prier à la mosquée Al-Aqsa. Le vieil immeuble en pierre taillée était encore plongé dans l'obscurité ; l'avocat éclaira la cage d'escalier et gagna le premier étage. Quelques secondes après son entrée dans le bureau, l'alarme se déclencha. L'avocat paniqua un peu parce qu'il ne se souvenait plus du code de désarmement mais, sans trop réfléchir, il tendit la main jusqu'au disjoncteur, rabattit cinq fusibles, et l'alarme se tut. Il fit de la lumière dans le bureau vide, avec l'impression qu'il n'était pas seul. Hésitant quelque peu, il s'approcha de la vaste salle de réunion, dont il ouvrit avec précaution la porte et jeta un regard à l'intérieur, sur l'imposante table ovale en acajou, sur les confortables fauteuils disposés tout autour et sur la bibliothèque truffée d'ouvrages juridiques de référence, dont la vocation était davantage d'impressionner la clientèle que d'être consultés.

L'avocat ouvrit le bureau de Tareq, vide, puis frappa à la porte des toilettes, pour plus de sûreté. Son propre bureau était verrouillé, il tourna délicatement la clé dans la serrure, poussa le battant et s'immobilisa un instant sur le seuil. De là où il se tenait, il constata que la fenêtre était fermée, que les stores n'avaient pas bougé et n'avaient pas été percés, ainsi qu'il le redoutait tout le temps. Désormais certain d'être seul, l'avocat déposa sa serviette sur la table, gagna la kitchenette et mit en marche la machine à café. Depuis son installation en centre-ville, et bien que son cabinet n'eût jamais subi d'effraction, il redoutait celle qui ne manquerait pas de survenir un jour. Les bureaux et les entreprises des environs étaient la cible rêvée des cambrioleurs, et lui, se sachant différent, craignait un cambriolage prémédité. Après tout, il avait dû plus d'une fois changer, à l'entrée de l'immeuble, la plaque dorée portant son nom et celui de Tareq, en hébreu, anglais et arabe, après que les inscriptions en arabe eurent été maculées à la peinture noire.

Cinq heures et demie. Pourquoi n'appelait-elle pas ? Il se dit qu'à cette heure l'enfant devait commencer à se réveiller. Était-elle tombée du lit après le vacarme qu'il avait déclenché en partant ou avait-elle continué à dormir ? Il est vrai que la veille elle s'était couchée complètement épuisée. Les invités étaient partis tard et, comme à son habitude, elle avait refusé de se mettre au lit avant d'avoir placé la vaisselle sale dans la machine, nettoyé le salon et lavé le sol de la cuisine. Elle doit être sûrement à bout de forces, se dit l'avocat en regardant sa montre ; il décida de lui accorder une demi-heure de plus.

Il ouvrit sa serviette, en retira *La Sonate à Kreutzer*. La douleur le saisit, une fois encore. Il se sentait stupide d'attendre ainsi qu'elle l'appelle, parce qu'il lui semblait que, s'il percevait une nuance d'inquiétude dans sa voix, tout rentrerait dans l'ordre. Mais rien n'allait s'arranger. Plus rien ne serait comme avant. Sa main tremblait en tenant le billet de sa femme. Il devait se calmer, mais il ne savait pas comment surmonter le choc. Comment pourrait-il apaiser sa fureur et étouffer ce désir incoercible de lui faire du mal, la torturer et la réduire à néant ? Il devait se montrer réfléchi, il s'était toujours montré réfléchi, prudent, pesant chacune de ses décisions et de ses attitudes.

L'avocat pensait être préparé au pire. Il était prêt à la mort de ses parents, bien que tous deux soient encore en bonne santé. Enfant, il avait pensé à leur mort, et cette idée effroyable lui avait alors été si insupportable qu'il n'en avait plus trouvé le sommeil. Puis ces pensées devinrent plus concevables, plus tolérables et, en fin de compte – sans doute lorsque lui-même fut devenu père –, la perspective de leur décès lui sembla dans l'ordre des choses.

L'avocat se voyait même supporter une grave maladie qui frapperait brutalement l'un de ses enfants, la mort subite du nourrisson ; un accident à l'école ou sur la route. Certes, cette idée l'accablait particulièrement, et la douleur qu'elle lui infligeait lui rappelait les anciennes frayeurs de son enfance, mais il voulait aussi se montrer résolu à affronter tout malheur. Bien sûr, il avait pensé plus d'une fois à la disparition de son épouse et, à dire vrai, cette pensée, même lorsqu'elle lui vint la première fois, ne lui infligea pas la même douleur. C'était une douleur raisonnable, voire acceptable. Dans les scénarios qui encombraient son esprit, le spectacle de ses enfants pleurant leur mère lui brisait le cœur, et c'est pourquoi, à cette étape de la vie où sa propre mort ou celle de son épouse pouvaient se révéler tragiques pour leurs enfants, il préférait que tous deux continuent à vivre. Néanmoins, il le savait en son for intérieur, dès lors que ses enfants se résigneraient à la mort de leurs parents, il se pouvait que le scénario du décès de sa femme soit le plus souhaitable. Même quand leurs relations étaient au beau fixe, parfois, avant le sommeil, l'avocat s'imaginait un meilleur avenir sans elle. Et, pour la première fois, le fait qu'elle aussi puisse penser ainsi lui glaça le sang. Elle aussi, avant de s'endormir, devait souhaiter la disparition de son époux.

Comment se faisait-il que lui, qui s'attendait à tout, n'eût jamais envisagé une éventuelle infidélité de son épouse ? Il connaissait, bien sûr, des tas d'anecdotes en matière de tromperies, mais il avait toujours estimé que ce genre de conduite était réservé à des femmes d'un genre particulier et à des époux d'une autre espèce que la sienne. Comme il était naïf et stupide ! L'avocat regrettait de ne pas avoir prêté attention aux propos de sa propre sœur grâce à qui, ou par la faute de qui, il avait connu son épouse. Il se souvint que sa sœur avait fait tout son possible pour le mettre en garde, mais lui, comme un idiot, avait balayé ses arguments. Non pas, au demeurant, qu'il éprouvât un amour passionné pour son épouse mais parce qu'il souhaitait, dans une large mesure, lier sa vie à quelqu'un qui ne ressemblât ni à sa sœur, ni à sa mère, ni à sa parentèle si vieux jeu. Ses parents n'auraient jamais envoyé leur fille étudier à l'université et loger dans le dortoir d'étudiants s'ils n'avaient su que lui, son frère, qui avait achevé sa spécialisation en droit à Jérusalem, y ferait office de *mou'haram*, de parent au premier degré servant de chaperon à sa vertu. « Elle étudie avec son frère, à Jérusalem », répétait à l'envi sa mère aux proches, aux voisins ou aux simples connaissances. Coiffée d'un hijab depuis le collège, la sœur de l'avocat le conserva à Jérusalem pendant ses études de pédagogie. Tous étaient conscients que, sitôt ses études terminées, elle reviendrait au village où elle aspirait à enseigner. À cette époque-là, l'avocat visitait sa sœur au moins une fois par semaine, sans jamais rencontrer sa camarade de chambre, car elle estimait qu'un homme étranger n'avait pas le droit de se trouver en compagnie de sa colocataire. Lorsque l'avocat rencontra pour la première fois cette dernière, sa future épouse, sa sœur avait pensé à tort qu'elle était allée à une fête estudiantine et qu'elle ne serait pas de retour avant minuit. Ce soir-là, l'avocat avait répondu à l'invitation de sa sœur et lui avait apporté deux parts de grillade mélangée, le plat typique de Jérusalem, qu'elle aimait particulièrement. Or sa camarade était revenue avant vingt-deux heures : une jeune femme svelte, frêle, aux cheveux bouclés et au regard triste. Elle avait revêtu une robe noire, vaporeuse et élégante. Il s'était levé dès l'arrivée de la jeune fille à laquelle sa sœur s'était empressée de dire : « C'est mon frère. » Avec une mauvaise volonté flagrante, elle avait fait les présentations avant que l'avocat ne quitte la chambre.

L'avocat avait toujours souhaité lier son sort à une fille de Galilée. Les gens de Galilée avaient tendance à se sentir supérieurs à ceux du Triangle, et l'avocat n'était pas loin de penser de même. Il avait honte de son accent de paysan et, dès son arrivée à l'université, il avait adopté celui, plus délié, moins rugueux, des Galiléens qui lui paraissaient plus modernes, plus instruits, plus élégants. Leur situation économique était meilleure et ils venaient d'écoles plus prestigieuses.

Dès cette époque, l'avocat savait qu'il devait se marier. Il venait d'achever son habilitation, il travaillait comme avocat salarié à l'aide juridictionnelle, l'instance qu'il avait choisie pour son stage, et, parallèlement, préparait l'ouverture d'un cabinet d'avocats à Jérusalem-Est. Avant de s'établir à son compte, le mariage, ou au moins des fiançailles, ne pourrait lui faire que du bien. L'avocat connaissait les préventions qu'éprouvaient les gens de Jérusalem-Est à l'égard des célibataires qui passaient pour moins sérieux, plus minables. Mais, surtout, une femme arabe répugnerait à se rendre au cabinet d'un avocat célibataire, ne serait-ce que par crainte des ragots. Les femmes – il le savait depuis son stage – représentaient la clientèle à laquelle il était impossible de renoncer, car les épouses, mères et sœurs de prisonniers qui s'adressaient à un avocat pour qu'il représente leurs êtres chers étaient nombreuses. La plupart des familles palestiniennes de Cisjordanie préféraient envoyer une femme contacter un avocat de Jérusalem car leurs chances de franchir les barrages militaires sans permis de circuler étaient supérieures à celles des hommes.

Elle lui avait plu au premier regard. Elle était belle, et il avait craint qu'elle le fût aussi aux yeux des autres. L'avocat n'avait pas oublié la colère de sa sœur quand il l'avait interrogée au téléphone, le lendemain, pour savoir si sa camarade de chambre avait un petit ami. Il avait ri lorsqu'elle avait bredouillé : « Mon frère, ce n'est pas une fille pour toi, elle n'est pas comme nous. » Sa sœur ignorait que c'était précisément ce qu'il recherchait : une fille « pas comme nous ». La jeune fille ne fréquentait personne, du moins à sa connaissance, mais sa sœur avait imposé de ne pas inviter de garçons dans leur chambre. Elle portait des chemisiers à manches courtes, des jeans serrés, allait aux fêtes estudiantines et fréquentait les cafés : ces reproches ne firent qu'encourager l'avocat à tenter de la connaître.

Il était timide. Il avait près de vingt-cinq ans et toujours pas de petite amie. Certes, quelques étudiantes arabes avaient attiré son attention, mais il n'avait jamais osé leur parler et se contentait de ruminer sa souffrance, ses rêves éveillés et ses divagations nocturnes. L'avocat ne savait pas à quoi il ressemblait. L'aurait-il su qu'il aurait dit qu'il n'avait rien de séduisant. Personne ne lui avait jamais dit un mot sur son apparence. Les miroirs renvoyaient des aperçus variables de sa physionomie, les photos ne lui étaient d'aucun secours, elles révélaient aussi, chaque fois, un être différent. Parfois, il pensait qu'il n'était pas mal mais, le plus souvent, il était persuadé d'être laid. Ni maigre, ni gros, ni musclé – il ne pratiquait aucun sport –, ni mou, il était de taille moyenne, et il aurait aimé être un peu plus grand. Il avait le teint clair, comme tous les membres de sa famille, du moins en comparaison de l'Arabe moyen. Il se réjouissait d'avoir la peau claire mais aurait été enchanté d'être blond ou, du moins, châtain.

Son apparence ne le préoccupait pas outre mesure, c'était son métier et sa réussite qui lui offriraient le droit d'épouser une femme digne de ses espérances. Certes, il n'était pas fortuné et même si, grâce à ses premières économies, il avait acquis une voiture, une Fiat Punto d'occasion, il misait sur l'excellence de ses résultats en licence pour savoir que son avenir était assuré.

Une semaine après cette rencontre inopinée, l'avocat se rendit chez sa sœur aux dortoirs du mont Scopus. C'était l'après-midi, et il savait pertinemment que les cours de sa sœur s'achevaient à dix-huit heures. Il frappa à la porte sans recevoir de réponse. Il décida d'attendre et de se promener entre les bâtiments et, au bout de quelques instants, il aperçut la camarade de chambre de sa sœur qui arrivait de la station de bus. Elle était vêtue d'un jean bleu et d'un chemisier blanc aux impressions fleuries. Elle portait à l'épaule un sac qui heurtait, à chaque pas, ses genoux. Sa chevelure était longue et bouclée, elle était de petite taille, peut-être un mètre soixante-cinq. Exactement comme il les aimait. Ainsi habillée, en contraste avec la robe de soirée noire dans laquelle il l'avait vue pour la première fois, elle paraissait plus adolescente. Il la vit pénétrer dans son immeuble et il décida de griller une autre cigarette avant de monter frapper à sa porte. Tout en fumant, l'avocat se répéta ce qu'il allait lui dire, et imagina les réponses de la jeune fille. Hésitant, il faillit renoncer, mais il écrasa son mégot et, le cœur battant, grimpa l'escalier quatre à quatre.

« Qui est-ce ? » demanda-t-elle, de l'autre côté de la porte. Il annonça son nom, qu'il était le frère de sa camarade de chambre, et, alors, elle entrouvrit le battant et lui jeta un regard.

« Elle n'est pas là. Elle termine à six heures.

– Je le sais, répondit l'avocat qui s'embrouillait. S'il te plaît », pria-t-il en lui tendant une barre de chocolat à travers l'entrebâillement.

Elle prit le chocolat : « Pas de problème, je vais le lui donner.

– Non, dit l'avocat, affolé par le ton de sa voix. C'est pour toi. »

Il se souvient de l'éclair de mépris qu'il avait surpris dans son regard. Elle demeurait sur le seuil, sans lui proposer d'entrer. Elle ne voyait aucun intérêt à recevoir quoi que ce soit de sa part. « Si tu désires que je le remette à ta sœur, je le ferai. Sinon, reprends ton chocolat et va-t'en, je ne te connais pas. »

Elle lui rendit le chocolat, et l'avocat s'empressa de décamper.

Cette nuit-là, désemparé, de retour dans sa chambre de Cheikh Jarah, il appréhendait l'appel humiliant que lui adresserait sa sœur. Il se méprisait. Mais que croyait-il donc ? Qu'en lui offrant du chocolat, il obtiendrait qu'elle l'invite à prendre un café et qu'ils auraient alors une conversation pendant laquelle elle succomberait à son charme ? Parlons-en de son charme ! Quel type stupide ! S'intéresser à la camarade de chambre de sa sœur... Cette décision malheureuse allait le ridiculiser aux yeux de celle-ci. Lui, l'homme sensé, pondéré, commettre une telle bévue ? Il fumait cigarette sur cigarette, tentait de chasser ses pensées noires devant la minuscule télé, essayait de lire, de se plonger dans ses dossiers, sans cesser de redouter l'appel inévitable. L'avocat imaginait sa sœur pénétrer dans sa chambre et sa camarade l'accueillir en se plaignant du culot de son frère, cet obsédé sexuel, en brandissant la maudite barre de chocolat. Mais le téléphone ne sonnait toujours pas. Vers vingt-deux heures, il n'y tint plus et appela sa sœur, qui lui demanda de ses nouvelles et ne mentionna pas le fâcheux incident de l'après-midi.

« Tu es seule ? osa-t-il lui demander.

– Non », répondit sa sœur. Il entendit une porte s'ouvrir et comprit qu'elle était sortie pour poursuivre leur conversation.

« J'ai pensé justement te rendre visite…

– Dommage que tu ne sois pas venu. Et si tu venais demain ? Ma camarade de chambre étudie jusqu'à vingt heures. Vers dix-huit heures, d'accord ? »

Le lendemain, l'avocat arriva chez sa sœur vers dix-neuf heures. Il ne restait jamais plus d'une heure chez elle, et il ne voulait pas qu'elle soupçonne quelque chose. Ils s'assirent sur le lit de sa sœur et conversèrent ; elle avala le repas qu'il lui avait apporté et lui, incapable de manger, regardait les photos accrochées au-dessus du lit de sa camarade. Certaines, estima-t-il, avaient été prises dans la cour de sa maison, d'autres dans son salon. Sur les photos, son père et sa mère paraissaient assez âgés, elle devait être la benjamine. La demeure et l'ameublement étaient ceux d'une famille arabe moyenne. La mère portait un foulard fleuri, comme il sied aux femmes de son âge, il avait compté trois sœurs et deux frères, mais il y avait là aussi de jeunes enfants, peut-être des neveux.

L'avocat chercha des yeux la barre de chocolat, en vain. Peut-être l'avait-elle cachée ou l'avait-elle engloutie ? Un bref instant, la pensée qu'elle l'eût jetée lui serra le cœur.

Peu avant vingt heures, l'avocat quitta sa sœur et se dirigea vers le portail des dortoirs.

C'est alors qu'il la vit arriver en compagnie d'une amie. L'avocat redoutait de s'adresser à elle devant quelqu'un d'autre. Pétrifié, il resta assis sur un banc et la regarda s'approcher. Il baissa le regard lorsqu'il s'aperçut qu'elle l'avait remarqué. Soudain, elle fut devant lui. L'avocat était cramoisi de honte.

« Tu es venu voir ta sœur ? » Elle s'adressa à lui en premier. L'avocat se redressa, jeta un regard timide vers elle et acquiesça.

« Je te rejoins tout de suite », dit-elle à son amie. Cette dernière les salua et tourna les talons.

« Que veux-tu ? » L'avocat réussit à surmonter son embarras, respira profondément. Cette fois, il ne se laisserait pas détourner de son plan. Exactement comme au prétoire.

« Je suis venu pour savoir quelle serait ta réaction si je me rendais chez tes parents et demandais ta main à ton père », déclama-t-il, fidèle à sa décision. Il voulait lui prouver qu'il n'avait que d'honnêtes intentions. Il manquait de temps et, comme à son habitude, il avait opté pour un certain pragmatisme.

« Quoi ? s'écria-t-elle, surprise. Ma réaction, c'est non. Voilà ma réaction. »

L'avocat conserva tout son sérieux, tentant de surmonter l'humiliation qui le submergeait. Il hocha la tête.

« Bien, dit-il. Dans ces conditions, je te prie de m'excuser si j'ai pu te causer du tort. » Il aurait voulu prendre ses jambes à son cou.

« Dis-moi, tu es normal ?

– Je te demande pardon, dit-il, n'aspirant qu'à disparaître pour retrouver sa chambre et sa déception à soigner.

– Pourquoi tu me demandes pardon ? Je ne te connais pas. Je t'ai vu, en tout et pour tout, deux secondes, et tu veux demander ma main ? Dis-moi, tu te crois au néolithique ?

– Je t'avais apporté du chocolat.

– Parfait, sourit-elle.

– Tu l'as jeté ?

– Pourquoi ? Du chocolat belge de qualité ! Tu crois que je suis assez stupide pour le jeter ?

– Et alors, qu'en as-tu fait ?

– J'ai mangé un morceau et j'ai caché l'autre, à cause de ta sœur.

– Tu ne lui en as même pas proposé un morceau ?

– Sûrement pas. Ta sœur est infernale.

– Tu vois ? répondit l'avocat qui commençait à espérer. C'est bon signe…

– Bon signe de quoi ?

– Tu commences à haïr ma sœur, comme toute femme mariée déteste sa belle-sœur. »

Elle éclata de rire, d'un rire merveilleux, exaltant.

Un mois plus tard, l'avocat se rendit en compagnie de son père et de sa mère au domicile de la jeune fille, au village de Tamra, pour demander sa main. Après une courte période de fiançailles, au cours de laquelle il acheva ses études et son stage, le mariage eut lieu, et ils emménagèrent dans un appartement à Beït-Safafa.

Photocopieuse

À six heures trente, l'avocat commença à regretter de n'être pas resté chez lui. Il étouffait, ses gestes étaient nerveux, il passait, de temps à autre, la main sur son crâne, il inspirait et expirait bruyamment, frottait ses tempes, fumait sans cesse. Il avala trois gobelets de café en moins d'une heure. Ses pensées étaient désordonnées, des images de sa femme l'obsédaient : heureuse, souriante, pimpante et attirante. Pourquoi ne l'appelait-elle pas ? Il frappa du poing sur la table. Ça suffisait comme ça, il ne pouvait plus continuer ainsi. Il appellerait le père de son épouse, lui parlerait du billet qu'il avait trouvé et le prierait poliment de reprendre cette dévergondée chez lui. Mais l'avocat n'avait aucune idée de la manière dont son père réagirait face à cette accusation. Et s'il prenait le parti de sa fille ? Peut-être se révélerait-il comme un individu cupide et non comme un homme d'honneur ? L'avocat n'avait aucun moyen de le savoir. Il n'avait jamais noué de relations étroites avec la famille de son épouse. Cette famille galiléenne dont il avait tant désiré faire partie et dont il s'attendait à ce qu'elle fût éclairée s'était révélée plus modeste aux plans économique et intellectuel que n'importe quelle autre famille qu'il connaissait dans le Triangle. Son père avait travaillé toute sa vie comme maçon, sa mère était restée au foyer, et son épouse était la seule de sa famille à avoir étudié à l'université.

Et pourquoi n'appelait-elle pas, cette pute ? Il était impossible qu'elle dorme encore à cette heure. Il lui était donc indifférent à ce point ? Il n'y avait aucune raison qu'elle ne l'appelle pas, à moins qu'elle ne se fût éveillée pendant qu'il fouillait dans ses affaires. Mais elle dormait, il avait vérifié avec soin. Elle ne pouvait le soupçonner de quoi que ce soit. Ou alors, le fait d'être sorti à une heure aussi matinale un jour de congé l'avait-il alertée ? Peut-être avait-elle déjà quitté la maison, en emmenant les enfants jusqu'à son village natal ? Cette pensée le terrorisa. Persuadé que c'était ce qu'elle avait fait, il composa son numéro, l'imaginant fuir dans sa voiture neuve. Elle répondrait tout en conduisant et lui assènerait la vérité. Ses propos déborderaient de fiel, et les enfants assis à l'arrière écouteraient leur mère bien-aimée accabler leur père. Ils étaient capables de la croire, se désola l'avocat.

« Allô, répondit-elle, d'une voix tout à fait éveillée. D'où m'appelles-tu ? »

L'avocat fut content de l'entendre. Le ton de son épouse l'apaisa.

« T'es debout ? l'interrogea-t-il en tentant de dissimuler le tremblement de sa voix.

– Oui, fit-elle en riant. Pourquoi ? Tes enfants te laissent dormir, toi ? Mais, dis-moi, qu'est-ce qui t'arrive ? T'es devenu fou ?

– Pourquoi me poses-tu cette question ?

– Pourquoi tu m'appelles d'en bas ? Tu ne peux tout simplement pas monter au premier ?

– Je suis au bureau.

– Quoi ? Pourquoi ? Il est arrivé quelque chose ?

– Non, rien. Je me suis levé de bonne heure, et j'ai de la paperasse à liquider, alors je suis venu au bureau.

– Et moi qui croyais comme une imbécile que tu dormais, rit-elle à haute voix, et j'ai fait taire les enfants pour qu'ils ne te dérangent pas…

– Ah, vraiment ? dit l'avocat, s'efforçant d'abonder sur le ton de la plaisanterie.

– Dis-moi, tu vas t'attarder au bureau ?

– Je ne sais pas, vraiment pas.

– Zut, même un vendredi, on va pas te voir ? Ça suffit, tu te tues au travail. Mais, à midi, tu seras là au moins ?

– Hein ? Je vais voir si je peux terminer d'ici là. »

L'avocat commençait à se rassurer. Il se convainquit finalement qu'elle était persuadée qu'il dormait encore au rez-de-chaussée, dans la chambre de la petite. De tous les cas de figure, il n'avait naturellement pas envisagé le plus logique. Les jours de congé, ne restait-il pas toujours un long moment au lit après que la maisonnée eut repris vie ? Et pourquoi donc son épouse penserait-elle qu'aujourd'hui était différent ?

« Fais-moi plaisir, ne tarde pas, lui suggéra-t-elle de manière assez persuasive. Et, à part ça, n'oublie pas que, ce soir, je vais voir Diana.

– Je n'oublie pas », mentit l'avocat. Il venait de se souvenir qu'elle lui avait annoncé qu'elle se rendrait avec des camarades de travail auprès d'une collègue qui avait accouché un mois plus tôt. Son humeur s'assombrit de nouveau. Cette visite en apparence anodine ressemblait à un alibi.

« Bien, dit-il, sentant sa voix trembler. Je te rappelle plus tard. Je ne sais pas combien de temps je vais rester ici. » En reposant le combiné, il sut qu'il devait la piéger. Cette nuit même.

L'avocat se précipita à la photocopieuse pour reproduire le billet trouvé dans *La Sonate à Kreutzer*, ainsi qu'une page écrite de la main de son épouse trouvée dans sa serviette. Il prit une lettre à en-tête du cabinet sur le comptoir de Samah, et rédigea une demande d'expertise à l'adresse d'un graphologue. L'avocat y signalait qu'il n'avait pas besoin d'un rapport en bonne et due forme pour être produit devant la justice, comme l'exigeait parfois son cabinet, mais qu'il se contenterait d'une conversation téléphonique pour savoir si les deux écritures appartenaient, oui ou non, à une seule et même personne. L'avocat ajouta qu'il s'agissait d'une affaire urgente et qu'il serait heureux que le graphologue lui réponde le plus vite possible (il souligna de deux traits « le plus vite possible ») et, pour plus de sûreté, il joignit le numéro de son téléphone portable. Debout devant le fax, il regarda sa montre et comprit qu'il envoyait son document dans un bureau désert. Il n'était pas encore sept heures du matin.

L'avocat dissimula le billet et la page dans l'une des nombreuses poches de sa serviette. Il désirait entendre de la bouche du graphologue que les deux écritures différaient. Il imaginait le graphologue lui annoncer au téléphone qu'il s'agissait soit d'un « faussaire professionnel », soit d'une ressemblance exceptionnelle, mais en aucune manière d'une même écriture, au point que l'affection submergerait son cœur et le pousserait à offrir à son épouse le cadeau le plus cher qu'il lui ait jamais acheté avant de revenir chez lui, l'étreindre, l'embrasser et l'étouffer sous les mots d'amour qu'il ne lui avait pas murmurés depuis si longtemps.

Debout devant sa fenêtre, il regardait la rue King George. Un camion de marchandises occupait le milieu de la chaussée. Des fidèles en chemises blanches et chapeaux noirs passaient sous ses fenêtres, tenant en main leurs phylactères dans des sacoches en toile ressemblant à des coussins noirs ornés de broderies dorées. Tout à coup, l'avocat regretta d'avoir quitté la maison sans avoir vu ses enfants, sans avoir embrassé sa fille ni chatouillé le ventre de son fils jusqu'à le faire hurler de rire, comme seuls les bébés savent le faire. Il s'assit à son bureau et navigua entre les titres du jour sur un site Internet. Puis, sur la page d'accueil de Google, il écrivit ces mots dans « Recherche » : « Pourquoi les femmes sont-elles infidèles ? »

L'avocat lut avec attention toutes les réponses et accorda une pertinence toute scientifique à des articles superficiels parus dans des magazines féminins à la futilité désespérante. Sa fureur augmenta lorsqu'il découvrit que la proportion de femmes infidèles équivalait presque à celle des hommes volages. Néanmoins, les femmes avançaient des raisons spécifiques : elles recherchaient de l'attention, du dévouement et du réconfort, parce que leurs époux ne leur accordaient rien de tout ça, et elles avaient donc tendance à se consoler dans les bras d'un autre. Sur un site, il put lire qu'une partie des femmes devaient se satisfaire sexuellement hors de leur foyer, leur mari se montrant de plus en plus épuisé, alors que leur propre sexualité, elle, ne faisait que s'épanouir. Une sexologue prétendait que son expérience de thérapeute lui avait appris que les femmes voulaient se sentir toujours aussi attirantes et désirables et pas seulement des ménagères mûrissantes. Des femmes trompaient également leur époux avec un amant plus riche, séduites par des fêtes éblouissantes, des diamants et des restaurants de luxe. Des détectives privés témoignaient que les femmes infidèles étaient plus prudentes que les hommes, et des conseillers conjugaux insistaient sur le fait qu'elles étaient plus discrètes, les tenant pour des menteuses plus accomplies.

L'avocat compara son propre cas à tout ce qu'il venait de lire. Il passa rapidement d'un site à l'autre ; il ne s'était jamais senti aussi humilié. Des articles sur l'infidélité, l'avocat passa à des informations sur l'« hymen ». Sa certitude que son épouse fût vierge, le soir de leurs noces, était dénuée de tout fondement. Une proportion élevée de femmes avaient recours à des hyménoplasties. Il existait des capsules sanguines en peau que des femmes issues de sociétés où la virginité revêt une valeur sacrée avaient tendance à utiliser. La pensée qu'elle ait pu le tromper depuis le premier jour le mit encore plus hors de lui que le fait qu'elle ait pu lui être infidèle après le mariage. L'avocat n'avait jamais supposé que la virginité pût lui être essentielle, mais il découvrait là que cela lui avait toujours importé. Plus que tout au monde. Les discussions avec ses amis sur le sujet lui revinrent à l'esprit, et la manière dont il avait toujours méprisé les mâles arabes peu disposés à épouser une fille ayant déjà eu un petit ami. Comme il était stupide lors de ces discussions et comme il se sentait stupide aujourd'hui. Ainsi, pas plus tard que la veille, il avait ricané quand son ami le comptable s'était montré réticent envers l'éducation mixte avec des Juifs, de crainte qu'à l'adolescence sa fille ne pense à tort, sous l'influence de ses condisciples juifs, que les relations sexuelles avec des garçons de son âge étaient sans conséquence. L'avocat était incapable d'expliquer comment les opinions et les croyances qu'il estimait profondément ancrées en lui avaient pu changer en une nuit. Devait-il donc ressentir les choses dans sa chair pour comprendre qu'il n'était, au fond, qu'un conservateur ? Eh bien, soit, il était vieux jeu et, désormais, il n'en aurait plus honte. Comme un imbécile, il avait clamé devant qui voulait l'entendre que le retard des sociétés arabes n'était pas dû à leur situation économique, ni à l'occupation, ni à un système éducatif pourri, mais bien au statut de la femme. Comme un demeuré, il citait des écrivains et des politiciens israéliens qui avaient usé de cet argument devant lui. Un lèche-cul, voilà ce qu'il était.

Et il ne prenait conscience qu'à l'instant que le seul objectif de ces écrivains et de ces politiciens-là était de provoquer une nouvelle catastrophe dans la société arabe.

Il comprenait, pour la première fois de sa vie, ce que signifiait l'honneur. Lui qui avait tant péroré et même plaidé contre le crime d'honneur. Lui qui avait condamné cette pratique et la considérait comme barbare, ce n'était qu'à cette heure qu'il découvrait sa méprise. Puisse un de ses proches la tuer ! Mais qui le pourrait ? Lequel de ses frères mariés accepterait de courir le risque de se faire incarcérer et de détruire sa vie et celle de ses enfants ? Dommage qu'elle ne soit pas morte. Mais qu'adviendrait-il des enfants ? Son cœur fut déchiré, en songeant à la détresse de ses enfants privés de leur mère.

Strudels

L'avocat parcourait le haut de la rue King George qui, peu à peu, s'éveillait à la vie. Les bus circulaient à une fréquence plus régulière mais demeuraient encore à moitié vides. Les trottoirs grouillaient de prolétaires, ouvriers, éboueurs, personnel des restaurants, vigiles et vendeuses. « Comment ça va ? » l'interrogea, d'une voix mécanique, un vigile posté à l'arrêt de bus, et l'avocat, qui avait toujours répondu aux vigiles vérifiant par ce moyen l'accent des passants avec une salutation en hébreu à même de dissiper leurs soupçons, se contenta, cette fois, de hocher la tête, ce qui suffit pour que le vigile ne lui demande pas ses papiers d'identité.

L'avocat savait pertinemment qu'il y avait peu de chances que la librairie soit ouverte mais il tenta le coup. Il s'avança jusqu'à la porte du magasin pour examiner les horaires. En consultant sa montre, il s'aperçut qu'il ne restait plus qu'un quart d'heure avant l'ouverture, à huit heures trente. Il décida donc de ne pas retourner à son bureau et gagna son café.

« Bonjour, lui lança Oved sur un ton solennel, en apercevant l'avocat pénétrer dans le café désert.

– Bonjour, lui répondit l'avocat, en s'asseyant au bar.

– Le café sera bientôt prêt. » L'avocat acquiesça en regardant Oved et l'employé arabe de la cuisine préparer l'ouverture du café. Oved sortit du four un plateau de strudels chauds, fourrés à la pomme et aux noix, et enfourna à la place des chaussons au fromage ; l'employé arabe disposa les strudels sur un plateau en verre, puis les découpa en tranches. « Le percolateur chauffe », s'excusa Oved. L'avocat lui dit qu'il avait le temps et qu'il allait attendre, s'il n'y voyait pas d'inconvénient.

« Bien sûr que non, se récria Oved. Tout l'honneur est pour moi. »

L'avocat jeta un œil aux journaux. Il feuilleta quelques pages, éplucha quelques titres sans s'attarder sur leur contenu, regarda les photos, passant rapidement de l'un à l'autre.

« Tout va bien chez toi ? lui demanda Oved en posant une tasse de café devant l'avocat.

– Oui, impeccable », répondit-il d'un ton peu convaincant. Oved laissa échapper un petit rire.

« Tu peux fumer, dit-il. Il n'y a encore personne. »

Le portable de l'avocat sonna, il se hâta de le tirer de sa poche de pantalon, vit que l'appel provenait du bureau du graphologue et sortit dans la rue. Non, il n'avait pas besoin d'un rapport officiel. Oui, bien sûr, la facture était à adresser au cabinet, comme d'habitude. La confirmation du graphologue ne fit qu'aggraver la déprime de l'avocat, cette histoire n'était pas un fantasme de son imagination.

Il revint dans le café, et Oved, remarquant l'expression affligée de l'avocat, préféra se taire. L'avocat avala son café en silence, tandis que son esprit divaguait sans être pour autant moins embrouillé. Il écrasa son mégot au moment où Sarah, la vieille habituée, pénétrait dans le café, appuyée sur le bras de sa Philippine, son accompagnatrice habituelle.

L'avocat remercia Oved, paya et s'en alla. Avant toute chose, il retournerait chez lui et chasserait sa femme. Il la traînerait par les cheveux dans les rues, comme il l'avait vu faire des millions de fois dans des films égyptiens. La librairie n'était pas encore ouverte, mais, à travers la vitrine, il vit une vendeuse ranger des papiers derrière la caisse. Il alluma une autre cigarette et attendit qu'elle approche de la porte et retourne l'écriteau de « Fermé » sur « Ouvert ». L'avocat lui fit un signe de la tête. « Mérav ne travaille pas aujourd'hui ? » l'interrogea-t-il, peut-être pour lui prouver qu'il était un client régulier et ne pas éveiller ses soupçons, bien qu'elle n'eût aucune raison de le suspecter. « Non, répondit-elle, pas aujourd'hui. »

L'avocat gagna les rayonnages d'où, la veille, il avait retiré la maudite *Sonate à Kreutzer*. Il prit un livre au hasard, l'ouvrit, et son cœur se serra en apercevant le nom « Yonatan », écrit de la même main, dans le coin gauche de la page de garde. Le livre suivant portait la même inscription.

« Il sont arrivés hier. » La vendeuse s'approcha et lui montra quatre caisses dans un coin du magasin. « On a déjà défait deux cartons. J'ai repéré quelques bonnes occasions que je vais ranger aujourd'hui.

– Je peux regarder ?

– Bien sûr, répondit-elle, après une hésitation. Le problème, c'est que je ne sais pas à quel prix ils sont. » L'avocat était prêt à payer n'importe quel prix pour emporter tous les livres de ce « Yonatan ».

« Tu sais quoi ? réfléchit la vendeuse en s'avançant vers les cartons avec un cutter pour couper le Scotch marron. Regarde et choisis ce qui te plaît. Ensuite, j'appellerai le patron et lui demanderai à quel prix te les vendre, d'accord ? »

L'avocat se pencha sur les cartons et, afin de ne pas éveiller de soupçons, ouvrit chaque livre qu'il fit semblant d'examiner avec attention. Dans le coin gauche de chaque page de garde figurait la même signature, de la même écriture.

« En effet, il y a là de bonnes choses, dit-il, sans prendre la peine de lire les titres. Mais, dis-moi, tout ça appartient à une seule personne ?

– Oui. On appelle ça une liquidation.

– Une liquidation ?

– Quelqu'un a dû vendre sa bibliothèque.

– Ça arrive souvent ?

– Et comment ! La plupart des livres que nous avons ici proviennent de liquidations, les gens vendent des bibliothèques entières. En général, il s'agit d'héritages. Les héritiers ne savent que faire de ces livres, et il s'adressent à mon patron. Il se rend chez eux, fixe un prix d'ensemble, bon, ça doit bien marchander un peu, et, à la fin, il décide d'acheter ou non.

– Eh bien, dis donc, ça signifie que je suis en train de fureter dans la bibliothèque d'un mort.

– Non, pas forcément, pouffa la vendeuse. Certaines personnes vendent de leur propre chef, avant de quitter le pays, par exemple. »

L'avocat vérifiait la signature d'un autre livre qu'il tenait en main.

« Alors, là, je meurs d'envie de savoir qui était le propriétaire de ces livres.

– Je l'ignore, cette vente a été effectuée pendant le service de Mérav.

– Bien, bien, répondit l'avocat, un peu dépité. Il y a vraiment des choses merveilleuses là-dedans. »

Il tentait ainsi de préparer le terrain pour acquérir la plupart des livres de ce Yonatan. Il ne savait pas combien de livres il pourrait emporter sans provoquer la méfiance de la vendeuse. Il aurait tant aimé prendre tous les cartons, qu'elle appelle son patron pour qu'il donne un prix global. Il devait y avoir là près de deux cents ouvrages estampillés « Yonatan », et il les convoitait tous. D'autres lettres de son épouse devaient être dissimulées entre les pages, d'autres mots amoureux comme celui trouvé la veille, et il était saisi à la fois de la crainte et du désir de les lire tous. Il fouilla dans les livres, les classa en espérant que d'autres billets en tombent, puis en posa certains sur le sol. Maintenant, il s'intéressait aux titres pour savoir, au bout du compte, ce qu'il allait acheter. La plupart étaient des romans, mais aussi beaucoup de livres d'art, de dessin et, surtout, de la photographie, avec des reproductions en noir et blanc, et parfois en couleurs. Le cœur de l'avocat battait la chamade : il ne voulait laisser aucun livre de ce Yonatan dans le magasin. N'importe qui pouvait en acquérir un, trouver une lettre écrite par son épouse et la jeter à la poubelle, sans lui accorder d'intérêt.

L'avocat décida d'en prendre une dizaine sur-le-champ et de revenir le dimanche matin pour en acheter d'autres, même si, entre-temps, ils seraient plus difficiles à repérer car ils auraient été sortis des cartons et mis en rayonnage, classés par sujet, auteur ou langue.

Psychanalyse

Penché au-dessus de son bureau, l'avocat épluchait frénétiquement les ouvrages achetés. En vain. Peut-être les minuscules billets étaient-ils collés aux pages, se dit-il, et il entreprit de les feuilleter de nouveau, cette fois avec plus de méticulosité, page après page, caressant le papier dans l'espoir de sentir un renflement.

Son épouse appela au beau milieu de la journée, et l'avocat, plongé dans sa recherche de preuves, lui répondit sur le ton qu'il avait lorsqu'il était concentré sur l'affaire d'un client : « Non, non, je suis très occupé en ce moment, je ne serai pas là pour le déjeuner. Je ne sais pas à quelle heure je vais rentrer. Non, sûrement pas tard. Oui. À bientôt. »

Qui peut bien être ce Yonatan, se demandait l'avocat adossé à son fauteuil en cuir et, de toute façon, pourquoi lui avait-elle écrit en arabe ? Le fait qu'un Juif comprenne l'arabe était improbable et qu'il puisse le lire encore plus. La preuve, il n'y avait pas un seul livre en arabe dans les cartons. Ce Yonatan pouvait être l'un de ces Israéliens ayant étudié l'arabe au collège dans le but d'intégrer les renseignements militaires. Mais l'avocat savait qu'il eût été plus naturel qu'elle lui écrive en hébreu, puisqu'elle le maîtrisait parfaitement et qu'il n'y avait aucune raison que son écriture arabe compliquée rende les choses plus difficiles à ce Yonatan. Ou alors était-ce une sorte de jeu amoureux entre eux, rumina l'avocat, et le dossier de preuves étalé devant lui devint une affaire personnelle. Peut-être ce Yonatan était-il un de ces Juifs proclamant, du matin au soir, qu'ils désirent apprendre l'arabe et que son épouse, sa maîtresse zélée, avait répondu à son souhait et lui enseignait sa langue par ce moyen. Ou alors était-ce une sorte d'excitant pour ce Yonatan, saisi par le désir, le même désir qui l'avait saisie, elle, d'être aimée par un étranger. L'avocat n'avait-il pas lu, ce matin-là, que la tentation de l'aventure était l'une des causes principales d'infidélité entre époux ?

L'idée que son épouse ait un amant juif apaisa un peu l'avocat. Un amant étranger, qui ne puisse pas médire de lui avec ses connaissances : à n'en pas douter, il éprouvait un vif soulagement malgré la blessure cuisante de l'infidélité. Avec un Juif, éventuellement d'origine ashkénaze, l'infidélité ne serait qu'une passade et non l'occasion de piétiner l'honneur de l'avocat. Un amant juif serait le problème de sa femme, tandis qu'un amant arabe lui semblait une tentative de l'humilier, lui. « Il a juste volé à des Juifs », disaient certains de ses clients pour tenter de convaincre l'homme de loi qu'en fin de compte leur parent était innocent car les lois des Juifs étaient différentes, ce qui minimisait le vol. Pour eux, ce vol était une broutille, les Juifs ne sont-ils pas des gens prévoyants ? Ils ont des compagnies d'assurances, ils possèdent de l'argent et, dans une certaine mesure, voler un véhicule à un Juif était une sorte d'emprunt, voire de restitution à des propriétaires légitimes, et non un délit passible de condamnation.

Et si l'amant était un Arabe comme lui, un amateur d'ouvrages d'occasion qui avait acquis la bibliothèque de ce Yonatan, leur propriétaire originel. Ou bien le contraire ? Ce Juif appelé Yonatan avait acheté les livres d'occasion vendus à la librairie par l'amant arabe. Il n'avait pas trouvé d'autre billet que celui glissé dans *La Sonate à Kreutzer*. Ce scénario lui parut le plus logique. Son épouse n'avait-elle pas évoqué naguère cette *Sonate* devant lui ? Pourquoi précisément ce livre, alors qu'elle ne s'intéressait pas du tout à la littérature ? Certes, elle avait affirmé alors que c'était le livre préféré de ses condisciples pendant ses études complémentaires de psychanalyse, mais il se pouvait qu'elle eût précisé cela en s'apercevant de sa bourde. Et il se pouvait, se dit l'avocat, que cette *Sonate* fût vraiment prisée par ses condisciples ; il se pouvait que son amant fût un condisciple arabe car l'avocat n'avait jamais pris la peine de vérifier qui étudiait avec elle, s'il y avait eu d'autres étudiants arabes qu'elle. Ce genre de détail sur ses études n'avait jamais intéressé l'avocat et, compte tenu de ce qu'elle gagnait, ses études et son travail lui avaient toujours paru plutôt comme un passe-temps, un dérivatif, qu'il avait favorisé afin que son épouse eût d'autres occupations que les enfants et le foyer. Il s'agissait évidemment d'un amant arabe, conclut l'avocat, un collègue qui avait acheté *La Sonate à Kreutzer*, puis l'avait revendu à la librairie, et ce Yonatan l'avait acquis sans savoir qu'il y avait, enfoui dans ces pages, un billet d'amour en arabe. Il était raisonnable de supposer que ce Yonatan avait utilisé ce billet à l'écriture énigmatique comme signet.

Cet Arabe n'était peut-être pas un étudiant mais un enseignant ? Un homme cultivé qui avait séduit son épouse par son savoir et lui avait témoigné quelque sensibilité, à la manière hypocrite des psychanalystes ? Un homme qui serait allé jusqu'à fanfaronner à propos des livres qu'elle devait lire, parmi lesquels *La Sonate à Kreutzer*. Mais pourquoi un enseignant qui, sans doute, bénéficiait d'un revenu conséquent, aurait-il vendu ses livres ? Il devait s'agir d'un étudiant.

Pourvu que ce soit un amant juif, se dit l'avocat, même si en son for intérieur il savait que la probabilité était faible. Outre la honte, et la crainte que l'infidélité de son épouse ne soit devenue à son insu un sujet de racontars entre ses amis, l'avocat était jaloux qu'elle ait pu le tromper avec un amateur de livres. N'avait-il pas acheté cette *Sonate* par hasard, alors que son amant, quel qu'il fût, l'avait lue depuis longtemps, ce que prouvait le parfum suranné de ses pages ? L'avocat était mal à l'aise à l'idée qu'elle l'ait trompé avec un intellectuel. La figure de l'amant qui, jusque-là, était incarnée par un loup amateur de chair fraîche, enclin à humilier l'autre, se métamorphosa en érudit chaussé de lunettes, sensible et délicat, prêtant une oreille compatissante à son épouse. Un individu qui la comprenait, la réconfortait et la rassurait. Soudain, il imagina son épouse s'échappant vers les bras de son amant pour être consolée, et il voyait le bigleux se saisir doucement de la main de son épouse et la caresser. S'ensuivaient des ébats débridés…

L'avocat ne se souvenait pas de la dernière fois où il avait senti les larmes couler sur ses joues. Il pleura jusqu'à s'assoupir.

Sandwich au thon

Il se réveilla en sursaut en entendant le téléphone sonner. Le bureau était plongé dans la pénombre, et il lui fallut quelques instants pour comprendre où il se trouvait et reconstituer les derniers événements. Il alluma la lampe de bureau, regarda la pendule et vit qu'il était plus de dix-huit heures.

« Je le crois pas, entendit-il son épouse dire après avoir pris le combiné. Tu es où ?

– Je me suis un peu assoupi. J'avais pas mal de boulot.

– Même le vendredi ? Les enfants n'arrêtent pas de te réclamer. Arrête, avec ce boulot, tu te tues à la tâche.

– Bon, bon, j'arrive bientôt.

– Bientôt... En tout cas, je suis déjà en retard. Je vais déposer les enfants chez Nili, d'accord ?

– D'accord. J'irai les prendre si j'arrive avant toi. Combien de temps tu vas rester chez Diana, d'après toi ?

– Pas plus d'une heure. Quand je pars de là-bas, je t'appelle, d'accord ?

– Oui, impeccable.

– Tu as mangé ?

– Oui. »

Depuis le dîner de la veille, il n'avait rien absorbé, hormis du café. Il fit un tour aux toilettes. Il retourna à son bureau et, outre *La Sonate à Kreutzer* et le billet de son épouse, glissa deux livres dans sa serviette, avant d'enfouir les autres dans un tiroir qu'il verrouilla. Il brancha l'alarme, ferma le bureau et sortit.

L'avocat connaissait la maison de Diana à Cheikh Jarah et, selon ses calculs, si son épouse quittait vraiment leur foyer et laissait les enfants chez Nili, l'épouse du gynécologue, il lui faudrait une demi-heure avant d'arriver chez Diana.

Il marcha à pied jusqu'à la rue piétonne de Nahalat Shiva, en direction du seul café ouvert en cette veille de sabbat. Dans le centre-ville, des jeunes gens et des jeunes filles se dirigeaient vers la grande synagogue de la rue King George. C'étaient des nationaux religieux, les hommes au visage glabre, aux chemises blanches et aux calottes crochetées, tandis que les filles portaient des chignons et des jupes jusqu'aux genoux. Elles lui parurent plus délurées que les religieuses orthodoxes. Soudain, l'avocat jalousa ces jeunes en route pour la prière. Il remarqua les échanges de regards timides entre les vierges confuses et les jeunes fiers-à-bras qui, tous, lui semblèrent, pour une raison inconnue, pleins de confiance. Il pensa aux hommes que les filles désirent et aux autres qui devaient se contenter de miettes ou compter sur l'argent de leurs parents, leur savoir, pour grappiller un peu d'amour et bâtir un foyer. Jamais l'avocat ne s'était senti aussi laid. Sa démarche était hésitante, et il espérait que personne ne s'apercevrait de sa détresse. Il se méprisait pour avoir pensé que grâce à sa réussite, sa voiture et ses revenus importants, il était un parti convoité. Pendant des années, il avait estimé que son épouse avait eu de la chance de tomber sur lui et de partager sa vie, de bénéficier des fruits de son cerveau aiguisé et de son zèle acharné. Il se méprisait à ce point qu'en un instant il saisit l'ampleur de l'infidélité de son épouse. Elle avait été, se souvint l'avocat, une femme très désirable, et il frémit de tous ses membres à la pensée qu'elle l'était encore.

Le café était vide. L'avocat s'assit à la terrasse et commanda un sandwich au thon et un café au lait. Une musique israélienne douce était diffusée par la radio militaire. L'avocat fuma, sirota son café et, bien qu'il n'eût pas faim, il dévora goulûment le sandwich au thon posé devant lui et songea à en commander un autre. Il ne cessait de regarder sa montre mais, si on l'avait interrogé, il aurait été incapable de donner l'heure. Il examinait sa montre pour mesurer le temps qui lui restait, non pour connaître l'heure.

Il paya, laissa un pourboire généreux au jeune serveur et remonta vers la rue King George, surpris par la sérénité que le sabbat étendait sur la ville. La quiétude n'était troublée que par le tic-tac des feux tricolores du centre-ville destiné à guider les piétons aveugles dans leur traversée. L'avocat régla son pas sur ce compte à rebours jusqu'au parking. Il consulta à nouveau sa montre et, bien que craignant d'être en avance, il effectua le court trajet qui le séparait de Jérusalem-Est à une allure modérée, comme pour éviter de profaner le sabbat.

Dans la ville orientale, l'heure du crépuscule était la plus affairée. Dans quelques instants, tout allait changer : les habitants iraient se coucher, la ville orientale s'éteindrait et la ville occidentale, après le dîner du sabbat, s'illuminerait de couleurs dans l'attente des fêtards laïcs, pour la plupart des soldats en permission.

L'avocat roulait lentement, calmement, tandis que son cœur palpitait au moment d'arriver à Cheikh Jarah et de pénétrer dans la rue où était située la demeure de Diana ; il chercha du regard la voiture bleue de son épouse. Je suis sans doute en avance, se dit-il, tentant de se consoler, de crainte de ne pas apercevoir son véhicule garé devant la maison de la récente parturiente. Des voitures stationnaient des deux côtés de la rue, l'avocat avançait au pas pour repérer celle de son épouse. Faute de la localiser, il décida de l'appeler pour savoir où elle se trouvait. Si elle prétendait être chez son amie, il aurait ainsi la confirmation définitive de ses soupçons. Il manipula les boutons incorporés au volant de sa Mercedes neuve pour actionner le téléphone mains libres du tableau de bord. L'avocat imaginait son épouse lui mentir, regarder l'écran de son portable, faire taire son amant, aspirer une profonde bouffée d'air et lui répondre avec le plus grand naturel.

« Allô, il entendit la voix de son épouse et appuya sur l'accélérateur.

– Allô, et alors, où es-tu ?

– Je me gare à l'instant. Le petit a un peu pleuré. Et toi, tu es où ?

– Je suis en route vers la maison, répondit l'avocat avec un énorme soulagement. Je voulais juste te dire que j'y serai dans cinq minutes.

– Parfait ! Passe prendre les enfants. Au moins, le petit. Il m'a déchiré le cœur. J'ai presque eu envie de revenir à la maison à cause de ses pleurs. »

L'avocat retourna chez lui. Radio Ramallah diffusait une chanson d'un chanteur connu. Et, bien qu'il ne connût qu'une partie des paroles, il accompagna le chanteur. Presque guilleret.

Egon Schiele

Sa fille s'était endormie sur le canapé, face à la télé. L'avocat attira contre lui son fils, qui jouait avec ses cheveux, comme d'habitude à l'heure de s'endormir, une tétine enfoncée dans la bouche, en clignant des yeux. L'avocat examina le nez de son fils et se convainquit qu'ils avaient tous deux le même nez, pas trop long et un peu épaté. Son fils lui ressemblait. Il essaya de se souvenir qui lui avait affirmé ça. Il vérifia l'orteil de son pied droit. Il avait entendu dire que l'orteil du pied était l'un des indices les plus sûrs de la paternité, mais il ne se rappelait pas si c'était une blague ou un fait avéré. Il ôta ses chaussures et tenta de comparer son orteil à celui de son fils, sans pouvoir décider s'ils avaient le même. Entre-temps, son fils s'était endormi, mais l'avocat savait qu'il devait continuer à l'enlacer jusqu'à ce que son sommeil soit suffisamment profond pour qu'il ne se réveille pas dans son berceau. Il regarda la pendule au cadre orné d'un cerisier et de guirlandes métalliques qu'ils avaient reçue en cadeau du comptable et de son épouse à l'occasion de leur pendaison de crémaillère. Son épouse avait dit : une heure. L'avocat essaya de calculer le moment de son retour. Lorsqu'il lui avait annoncé qu'il avait pris les enfants chez leurs amis, elle avait dit qu'elle reviendrait dans une heure. Une heure s'était écoulée, et, selon son calcul, si elle quittait à cet instant la maison de son amie de Cheikh Jarah, elle serait chez eux dans un quart d'heure environ.

L'avocat se releva lentement du fauteuil en cuir, en s'efforçant de réduire ses mouvements et en s'assurant que les yeux de son fils demeuraient clos. Il traversa le salon à pas de loup en direction de la chambre à coucher et, d'un geste délicat, posa la tête de son enfant sur l'oreiller, en soutenant son cou de la main gauche, puis laissa le reste de son corps glisser dans le berceau. L'enfant ouvrit les yeux un bref moment. L'avocat remonta la couverture légère sur lui et repassa au salon pour porter sa fille dans la chambre de son frère. « Au nom d'Allah, clément et miséricordieux », se surprit-il à murmurer, à l'image de sa propre mère et des femmes musulmanes quand elles soulèvent un bébé dans leurs bras.

La pensée que son épouse retrouve une maison paisible et des enfants endormis réjouit l'avocat. Elle rentrerait avec le sourire et, comprenant qu'elle n'aurait pas besoin de coucher les enfants, elle lui donnerait un petit baiser. Ensuite, ils dégusteraient un verre de vin et iraient au lit, peut-être prendraient-ils une douche ensemble, comme jadis.

Il prit sa serviette et descendit dans son bureau. Il alluma une cigarette, sûr que son épouse rentrerait avant qu'il ne l'ait terminée. L'entendrait-il arriver ? Il restait aux aguets. Il ne voulait pas rater l'expression joyeuse sur son visage quand elle comprendrait qu'ils disposaient d'une soirée ensemble. Mais même s'il ne l'entendait pas, elle descendrait sûrement jusqu'à lui, frapperait à sa porte et lui donnerait le baiser tant espéré.

L'avocat s'interdit de rouvrir sa serviette. Il voulait oublier le maudit billet et *La Sonate à Kreutzer*, ainsi que tous les livres de Yonatan. Il exhala une longue volute de fumée. Tout cela devait avoir une stupide explication... Lorsqu'elle reviendrait, il lui montrerait le billet, et elle rirait en s'écriant : « Où as-tu trouvé ça ? » Elle lui dévoilerait alors la risible vérité. Sauf que l'avocat ne savait pas quel type d'explication le rasséréneraít. Peut-être avait-elle écrit ce billet pour lui-même et, d'aventure, il s'était retrouvé entre les pages de *La Sonate à Kreutzer*. « Oh, là, là ! » l'imagina-t-il s'esclaffer d'une voix juvénile, alors qu'elle tiendrait le billet à deux mains comme un rouleau, en lirait le contenu et qu'un court laps de temps s'écoulerait avant qu'elle ne se souvienne des circonstances de sa rédaction. Une réaction naturelle et authentique, qui ne laisserait place à aucun doute. Peut-être quelque chose comme : « Oh, là, là, je t'avais écrit cela pendant mes études et ta sœur a pénétré à ce moment-là dans la bibliothèque du mont Scopus, je l'ai glissé dans un livre, tellement je me sentais embarrassée. Comment l'as-tu trouvé ? J'ai cherché ce livre pendant des heures, parce que la bibliothécaire était passée à ce moment-là avec son chariot. »

Non, ce scénario n'était pas plausible. Elle aurait sûrement une autre explication : ce Yonatan était un condisciple qui lui avait demandé de traduire cette phrase en arabe. Ou encore, elle avait écrit ce billet à un autre, avant leur rencontre. L'idée qu'elle ait eu un petit ami arabe avant de le connaître ébranlait sa tranquillité d'esprit. Avait-elle eu une liaison avant lui ? Il respira profondément et s'efforça de se souvenir de ses conversations avec ses amis dans lesquelles il vantait son ouverture d'esprit ; non, ça ne le dérangerait pas d'épouser une Arabe qui aurait eu une liaison avec un autre. Il se rappela comment il s'était récrié devant ces mêmes amis qui, tous, s'obstinaient à exiger la virginité de leur future épouse, alors que la plupart d'entre eux fréquentaient des filles arabes qu'ils appelaient leurs « petites amies », tout en sachant qu'ils ne recherchaient que la bagatelle et qu'ils les rejetteraient ensuite sans aucun remords. Mais si sa femme avait eu une liaison avant lui, pourquoi ne lui avoir rien dit ? Il lui aurait sans aucun doute pardonné. Vraiment ? Oui, si elle s'était conduite de façon loyale. Enfin, peut-être. Mais ce n'était pas ce qu'elle avait fait. Et quel genre de liaison était-ce ? Avait-elle couché avec lui puis fait recoudre son hymen par un chirurgien ou, alors, avait-elle truqué l'épanchement sanguin pendant leur nuit de noces ? Et si elle n'avait pas couché, lui aurait-il pardonné ? Et s'ils n'avaient fait que s'embrasser ? Ou se tenir la main ? Ou échanger des mots doux ?

L'avocat chassa ses idées noires, essayant de retrouver la sérénité qui l'avait gagné après s'être assuré que son épouse s'était bien rendue auprès de son amie. Il décida que, au retour de son épouse, il lui tendrait le billet en attendant ses explications, qui seraient sûrement crédibles et raisonnables. Après tout, il la connaissait et savait qu'il n'y avait aucun risque qu'elle le trompe. Aucun risque, vraiment.

L'avocat écrasa sa cigarette dans le cendrier, il lui semblait entendre des bruits provenant de l'étage. Il fit rouler son fauteuil jusqu'à la porte de son bureau, entrouvrit le battant et tendit l'oreille. « Leïla », chuchota-t-il, sans recevoir de réponse. Elle n'était pas là. Il songea à prendre une douche, peut-être en aurait-il le temps avant qu'elle n'arrive, mais il renonça à cette idée parce qu'il n'aimait pas laisser les enfants sans surveillance, surtout le petit. Il pouvait se réveiller à tout moment et pleurer sans que personne l'entende. Mais, surtout, il ne voulait pas rater le moment où son épouse pénétrerait dans la maison. Il espérait tant ce sourire qui dénouerait toute cette énigme, qui lui garantirait que tout était en ordre. Que rien n'avait changé.

Normalement, elle aurait dû être de retour. Mais l'avocat estima que le fait de l'avoir avertie qu'il passait prendre les enfants lui avait donné le sentiment d'avoir un peu plus de temps pour rester chez Diana et papoter avec ses amies. Il n'allait pas l'appeler, il ne voulait pas passer pour un barbon qui harcèle son épouse et chipote pour chaque minute. Elle allait arriver. Bien qu'il se soit promis de ne pas regarder le billet et les livres dans sa serviette, il ne put se retenir. Juste les livres, se jura-t-il, et il sortit les deux livres de Yonatan qu'il avait choisi d'emporter chez lui. Le premier était un album de dessins d'un peintre appelé Egon Schiele. L'avocat feuilleta l'ouvrage, examina les gravures au fusain un peu floues de personnages nus, tordus et difformes. Il continua à passer en revue les dessins en se demandant si c'était un artiste sérieux ou un peintre mineur. Comment savoir ? Ces dessins lui déplaisaient, mais l'avocat était novice en matière d'art, ce qui le désola. Il tapa le nom du peintre sur un moteur de recherche et comprit qu'il s'agissait d'un artiste de renom. J'aimerais bien savoir ce que ce Yonatan fait dans la vie, se dit-il, et il se répéta le nom du peintre célèbre « Egon Schiele, Egon Schiele » – une bribe de connaissance qui l'aiderait à combler ses lacunes culturelles, surtout en art, toutes ces lacunes qui lui pesaient. Il se souvint de l'un de ses collègues du tribunal lui disant : « Ne me dis pas que tu ignores qui est Tchekhov ! » Ce souvenir en ramena un autre, antérieur et non moins cuisant, au temps de ses études universitaires, lorsqu'un étudiant juif s'était montré surpris et avait ricané en découvrant qu'il ne connaissait pas les Rolling Stones. Il avait réagi comme ses camarades arabes qui, pour éluder ce genre de déconvenues, détournaient la discussion sur le chapitre des différences culturelles : « Pourquoi ? Et toi, tu connais une chanson de Fayrouz ? T'as la moindre notion des écrits d'Al-Mutanabbi ? » Néanmoins, dans ce genre de situation, l'avocat éprouvait toujours un pincement au cœur.

De nouveau, il scruta la signature de la page de garde, « Yonatan », et passa à l'autre ouvrage : *Cent ans de solitude* de Gabriel García Márquez. Ce titre, justement, et son auteur lui étaient familiers. Il feuilleta les vieilles pages bien conservées, s'interrompit un instant pour vérifier que le bruit qu'il entendait ne parvenait pas de la maison, et jeta un coup d'œil furtif à la signature. Il reprit l'album de Schiele. Quelque chose clochait. Certes, c'était le même nom, mais les deux signatures étaient un peu dissemblables. Il laissa les ouvrages ouverts et sortit de sa serviette *La Sonate à Kreutzer*. La signature sur *La Sonate* ressemblait davantage à celle de *Cent ans de solitude*. Les lettres étaient légèrement plus grandes, les stylos différents. L'avocat se persuada, au bout du compte, qu'il s'agissait de la même signature. Sans doute l'écriture de Yonatan avait-elle changé, à l'époque où il avait signé le livre sur Schiele…

Lorsqu'il rappela son épouse, l'avocat espérait entendre résonner la sonnerie de son portable, de l'autre côté de la porte. Elle doit sûrement être en train de conduire, se rassura-t-il, ou alors, elle est à deux pas de la maison. Quand elle était sur le point d'arriver, elle avait l'habitude de ne pas répondre, préférant se garer d'abord, entrer chez eux et annoncer : « J'étais tout près quand tu as appelé. » Il scruta à travers la fenêtre du salon le parking, puis la rue, sans apercevoir de phares à l'horizon. Il décida de téléphoner de nouveau mais seulement après avoir grillé une cigarette. Au bout de deux bouffées, il ne put plus se retenir et composa son numéro. De nouveau, sa boîte vocale. Il réitéra aussitôt son appel. Pourquoi ne répond-elle pas, cette pute ? Il respirait avec difficulté et ne cessait de téléphoner. À chaque nouvel appel, il tombait sur son répondeur. L'avocat assena un coup de poing sur la table. Il aspirait de profondes bouffées sur sa cigarette et ressentait une vive douleur à la poitrine. Il imaginait son épouse s'ébattre au lit, comme les traînées au cinéma, regardant avec mépris l'écran de son téléphone, ignorant ses appels sans remords, ou peut-être était-elle lovée dans la voiture qu'il lui avait achetée, et lui, son amant, un Apollon aux larges épaules, aux traits burinés, enfonçait sa langue dans sa bouche grande ouverte, et elle lui mordillait délicatement la langue, puis léchait ses lèvres. Glissant des lèvres jusqu'à son cou, elle se redressait, gémissant en parvenant à sa poitrine. Il voyait l'amant introduire ses mains sous sa robe. Depuis quand portait-elle des robes ?

L'avocat savait qu'il devait agir. Partir à sa recherche, l'attraper, le battre lui, l'amant, elle, ensuite, jusqu'à ce que mort s'ensuive. Il en était capable, il en était persuadé. Aucun homme, serait-il le plus robuste au monde, ne pourrait l'arrêter. Mais l'avocat ne pouvait laisser les enfants seuls, sans surveillance.

Il se précipita à l'étage. Il se sentait oppressé, la tête près d'exploser. Les mains tremblantes, il serra les poings, y enfonçant ses ongles coupés ras. Elle était vraiment en retard, il n'y avait aucune chance qu'elle soit encore chez son amie. Où pouvait-elle bien être ? Et pourquoi ne décrochait-elle pas ? Mais il connaissait la réponse. L'avocat pénétra dans la chambre à coucher et ouvrit l'armoire de son épouse. Elle avait choisi la meilleure partie du dressing, la plus spacieuse, les étagères les plus accessibles, les tiroirs les plus profonds, tout en se plaignant de manquer de place. Il vida les étagères à pleines brassées. Pantalons, chemisiers, combinaisons, vêtements de sport, il jeta le tout sur le sol. Ensuite, il ouvrit la penderie des robes et des vestes, répandit les tiroirs de sous-vêtements sur le parquet, tout en s'efforçant de ne pas faire trop de bruit de peur de réveiller son fils qui dormait à quelques mètres, dans son berceau. Il descendit à la cuisine chercher des ciseaux. L'avocat tira brusquement un tiroir, fouilla dans les ustensiles et, à défaut de ciseaux, prit un couteau aiguisé.

« Qu'est-ce que tu fais ? »

Il se retourna, affolé.

« Où étais-tu ?

– Qu'est-ce qui se passe ? Qu'est-ce que tu fais ? »

Il aurait voulu hurler, la rouer de coups, mais il ne pouvait pas élever la voix car il n'aurait jamais toléré que les voisins sachent ce qui se passait chez lui. Aussi articula-t-il doucement, bandant chaque muscle de son corps et de son visage afin d'assourdir sa fureur : « Où étais-tu jusqu'à cette heure ? Où ?

– Comment ça, où j'étais ? J'étais chez Diana, qu'y a-t-il ? Il est arrivé quelque chose ? Tu me fais peur. Les gosses vont bien ?

– Espèce de menteuse !

– Quoi ? Pourquoi tu me parles comme ça ? »

Elle commençait à avoir peur, il ne s'était jamais conduit ainsi. « Qu'est-ce que j'ai fait ?

– Tu es une menteuse. Pourquoi tu n'as pas répondu au téléphone ?

– Quoi ? Quel téléphone ? »

Elle se baissa pour fouiller dans son sac qu'elle avait jeté au sol, en sortit l'appareil. « Tu m'as appelée ? Je n'ai rien entendu. Regarde, ma batterie est à plat.

– Arrête de mentir et dis-moi où tu étais.

– Mais qu'est-ce que tu me veux ? se mit-elle à pleurnicher. Je te dis que j'étais chez Diana. »

Elle couvrit son visage de ses mains et se précipita dans la chambre à coucher. L'avocat n'était pas dupe de sa comédie. Il la suivit dans la chambre. Le tas de vêtements amoncelés fit redoubler ses sanglots, et l'avocat remarqua une réelle frayeur sur ses traits, l'effroi d'un animal pris au piège.

« C'est quoi, ça ? Pourquoi ? Qu'est-ce qui s'est passé ? » Elle se blottit contre un mur, cherchant un refuge, redoutant son époux devenu soudain un parfait inconnu.

« Qu'est-ce que tu nous joues là, à faire semblant d'avoir peur ? Dis-moi simplement où tu étais. »

Elle ne répondit pas, continuant à déverser ses pleurs étouffés. Elle pivota la partie droite de son corps pour protéger la partie gauche, éleva ses bras à hauteur du visage pour se défendre de coups prévisibles, bien que l'avocat n'eût jamais porté la main sur elle. Il jeta un regard au berceau pour s'assurer que l'enfant dormait toujours. Il se sentait malheureux et misérable de ne pas lui avoir flanqué son poing dans la figure, de ne pas lui avoir cassé le nez. Une femme comme elle pouvait interpréter sa conduite pusillanime comme de l'impuissance.

« Avec qui étais-tu ? Je veux que tu me dises avec qui tu étais.

– Mais qu'est-ce que tu me veux ? répondit-elle, toujours en pleurs.

– Je sais que tu n'étais pas chez ton amie. »

L'avocat tenta une autre approche. De manière inattendue, il se sentait calme et affûté. « Alors, où étais-tu ? »

Elle suffoquait.

« Je te jure que j'étais chez elle. Demande-lui.

– Je lui ai demandé, rétorqua l'avocat avec sang-froid. Je l'ai appelée, et elle m'a dit que tu es partie il y a une heure. » L'avocat pencha la tête de côté, son regard exprimait la pure sincérité et toute son attitude clamait : « Alors, qu'est-ce que tu dis de ça, hein ? » Il espérait apercevoir une indicible stupéfaction dans les yeux de son épouse, qu'elle l'accuse de mensonge éhonté et lui demande d'appeler de nouveau son amie. Sauf que son épouse ne réagit pas comme il l'escomptait. Une sensation de tristesse et de faiblesse s'abattit sur l'avocat et balaya sa colère lorsqu'elle dit : « C'est vrai, je suis sortie avec Fatène boire un café au restaurant Askadinya parce qu'elle voulait me parler de quelque chose à propos de son travail. Et alors ? Et alors, hein ? »

L'avocat s'aperçut que la peur de son épouse avait laissé place à une contre-attaque et il sut qu'il avait perdu. Il regagna lentement son bureau, alluma une cigarette sans recouvrer ses esprits. Il aurait dû se retenir et, maintenant, il se haïssait d'avoir perdu son sang-froid. Elle avait gagné cette bataille et, sans doute, toute la guerre. Mais ce n'était pas ce qui l'obnubilait, à ce moment-là. En fait, plus rien n'importait s'il devait lui céder la moitié de ses biens ou la garde des enfants. Il fuma paisiblement et sentit sa respiration s'apaiser. Il ne lui répondit pas lorsqu'elle frappa à la porte de son bureau. Elle ouvrit la porte et se dressa devant lui, les yeux gonflés. Son visage n'exprimait plus la peur. Il lui jeta un regard, puis contempla les volutes de sa cigarette s'échapper par la fenêtre.

« S'il te plaît, tu peux m'expliquer pourquoi tu as fait tout ce scandale ? » Il ne releva pas la tête, afin qu'elle ne triomphe pas de sa défaite. « Je suis désolé », répondit calmement l'avocat, en tendant la main vers sa serviette. Il en sortit le billet et le lui tendit du bout des doigts, sans lui accorder un regard. Il ne s'attendait plus à ce qu'elle lui fournisse une explication plausible.

« C'est quoi ? dit-elle après avoir parcouru le billet. C'est quoi, au juste ?

– J'ai pensé que c'était ton écriture.

– Mon écriture ? Sûrement pas ! »

Elle lui rendit le billet, un peu comme les gosses qui croient supprimer une preuve en pensant que, s'ils ne la regardent pas, elle disparaîtra comme si elle n'avait jamais existé.

CHAPITRE IV

Saucisses frites

Au cours des semaines qui ont suivi ma démission du dispensaire, je m'attardais au lit jusque dans l'après-midi. À la fin de mes gardes de nuit auprès de Yonatan, je prenais le bus pour Mosrara, avalais un houmous aux fèves dans la minuscule échoppe d'Akramawi, puis montais dans un taxi collectif jusqu'à l'appartement de Beït-Hanina et me mettais aussitôt au lit. Majdi et Wassim étaient déjà partis travailler, la maison était vide et silencieuse. Parfois, je m'endormais, d'autres fois, je lisais un livre emprunté à la bibliothèque de Yonatan jusqu'à ce que mes yeux se ferment. Je me réveillais de temps à autre, buvais de l'eau et me recouchais.

Wassim rentrait à quinze heures. S'il n'avait pas avalé quelque chose en chemin, nous mangions ensemble des saucisses frites avec des œufs ou du thon et du yaourt et, après le repas, il dormait une heure pour prendre des forces en prévision de son service du soir au foyer. Je ne voyais presque jamais Majdi.

Au fil de mes gardes de nuit, j'ai cessé de dormir. Je restais éveillé jusqu'à l'arrivée d'Osnat, à huit heures désormais, depuis que je lui avais raconté que j'avais démissionné de mon travail et que, pour ma part, cela ne me dérangerait pas si elle commençait une heure plus tard. Elle s'en était beaucoup réjouie et m'avait dit que son époux me devait un cadeau car il n'avait plus à préparer les enfants le matin. « Nous avons été à deux doigts de divorcer, à cause de ça », avait-elle ri.

Pendant mes nuits sans sommeil, je m'occupais en écoutant de la musique et surtout en lisant. Sur les rayonnages de Yonatan, il y avait 156 livres, 98 disques, dont 70 en anglais, 28 en hébreu. Comme pour ses livres, il avait écrit son nom sur les pochettes. Il avait une belle écriture, déliée, telle celle d'un bon élève ou d'une jolie fille.

Une étagère en hauteur contenait un certain nombre d'albums d'art rectangulaires aux couvertures rigides. La plupart étaient des ouvrages de photographie qui paraissaient anciens, en général en noir et blanc. De temps à autre, je les feuilletais, mais ce qui m'intéressait en particulier, c'étaient les romans en hébreu. J'avalais en moyenne un livre au bout de trois gardes nocturnes. Certains me plaisaient plus que d'autres, mais même ceux que j'aimais moins, je m'obstinais à les lire jusqu'au bout.

Je n'avais plus rien à faire à Jérusalem. Ou, plus exactement, je ne savais plus ce qui pouvait m'y retenir. Je n'étais qu'un travailleur social au chômage car, en fin de compte, on ne pouvait pas qualifier de véritable emploi mes gardes auprès de Yonatan, et le salaire que je percevais était à peine supérieur au loyer de ma chambrette dans l'appartement de Beït-Hanina. Je savais que je ne pourrais rester plus longtemps dans cette ville-refuge. Chaque nuit, je décidais de retourner au village et chez ma mère, mais, dès que le soleil se levait, je reportais mon retour. Parfois, dans les combles, je m'appuyais sur le rebord de la fenêtre ouverte, et les souffles d'air m'inspiraient l'espoir que tout irait mieux ;

que, dès le lendemain, je trouverais un autre travail. Car, après tout, on avait besoin de travailleurs sociaux partout ; demain, je m'adresserais au bureau d'aide sociale de la municipalité, présenterais mes diplômes et dégotterais un emploi et, cette fois, je demanderais la ville ouest, car je maîtrisais l'hébreu comme une langue maternelle ; je brillerais pendant l'entretien d'embauche et raconterais que je n'avais pas trouvé ma place dans le service des toxicomanes à cause de la médiocre éthique professionnelle de mes collègues. Je tiendrais des propos péjoratifs à l'égard des Arabes, et mon interlocuteur juif approuverait, en branlant du chef – ne connaît-il pas la vérité mieux que moi sur ce qui se passe là-bas ? Voilà quelqu'un qui a choisi ce métier par amour, se dirait-il. Pas comme ces Arabes qui travaillent faute de mieux, à cause des conditions draconiennes d'embauche. Chacun sait que les Arabes vont à l'université juste pour apprendre un métier. Chacun sait qu'ils veulent être, avant tout, médecin et, sinon, avocat ou comptable ou, au moins, infirmier diplômé, et, à la fin seulement, travailleur social ou éducateur. Il fallait inscrire six priorités sur le formulaire d'admission à l'université, et les formulaires des Arabes se ressemblaient presque tous. Sur mon formulaire aussi, la médecine était en tête de mes priorités, et l'éducation en dernier.

Ensuite, après avoir impressionné le fonctionnaire municipal qui m'aurait reçu, je me rendrais directement aux dortoirs du mont Scopus, frapperais à la porte de Leïla et m'excuserais pour avoir disparu comme un voleur, ce soir-là. Je lui raconterais tout ce que j'aurais débité au gratte-papier. Elle serait sûrement d'accord avec moi et comprendrait le sentiment de dégoût qui m'avait submergé dans cet ignoble service des camés. Car elle était différente, d'une autre étoffe, et, je ne sais pourquoi, j'étais persuadé qu'elle avait inscrit « travail social » en tête de ses priorités. Je lui dirais que je l'aimais, que je m'inscrivais en maîtrise, que je poursuivrais jusqu'au doctorat et que, très vite, j'obtiendrais un poste de maître de conférences. J'avais des notes suffisamment bonnes. Je serais maître de conférences et pourrais assurer sa subsistance, elle serait fière de moi et n'aurait pas honte de me présenter à ses parents, et ils seraient fous de joie à la pensée que leur fille avait décroché un maître de conférences. Je lui dirais que j'étais riche, en fait, pas moi-même, mais que ma famille possédait des terres et des biens, et ce ne serait pas du tout un mensonge, mais la réalité. Ses parents pourraient s'enquérir de ma famille paternelle dans tout le Triangle, et tous leur confirmeraient que ma famille était le plus gros propriétaire terrien du coin. Certes, je n'avais plus de relations avec ma parentèle, mais j'en étais l'héritier légal, et n'importe quel tribunal me rendrait les terres qui me revenaient de mon père, et donc m'appartenaient. J'étais unique héritier et je pourrais être riche. Tout ce que j'avais à faire, c'était d'exiger mon dû. « Jusqu'à quand vas-tu rester ainsi, les bras croisés ? » Les propos de ma mère, lors de notre dernière conversation, résonnaient dans mon esprit. « C'est ton avenir, c'est ta terre. »

Demain. C'était la conclusion régulière de ces ruminations nocturnes. Pas maintenant, demain. Demain, je me rends à la municipalité pour chercher un travail. Et peut-être que, demain, je rentre chez moi pour mener bataille contre les membres de ma famille. Demain, je pars en campagne pour rendre sa fierté à ma mère. Cette nuit, je vais finir ce chapitre du livre que je tiens en main, puis je retournerai dans ma chambre pour y être seul.

Photo de passeport

Pendant ces nuits d'insomnie, j'ai tout appris de Yonatan. J'ai lu chaque bout de papier, billet ou document trouvé dans ses tiroirs.

Yonatan était né en 1979, comme moi. Sur la photo minuscule de sa carte d'identité, il faisait des efforts pour paraître sérieux, sans un sourire, le regard lugubre – ce que je prenais pour la posture d'un adolescent de seize ans. Sa mère s'appellait Rachel, son père, Yaacov. Il n'avait pas changé d'adresse depuis. Et, à la ligne « peuple », on peut lire : Juif.

C'était la première fois que j'avais la carte d'identité d'un Juif sous les yeux. Jusque-là, j'étais persuadé que seules les cartes d'identité des Arabes comportaient la rubrique « peuple », afin de les différencier de la collectivité, et j'ai découvert que le Juif aussi devait être ainsi caractérisé.

Dans un tiroir du bas, il y avait des dessins qui semblaient avoir été conservés depuis le jardin d'enfants de Yonatan. Des traits bleus, rouges et noirs, et quelques esquisses de cercles. Des classeurs avec des certificats de fin d'année, du cours préparatoire à la terminale. Des photos de classe, sur lesquelles je m'amusais à identifier Yonatan et à examiner soigneusement ses condisciples, garçons et filles. Tous des Blancs, avec, pour la plupart, des patronymes européens et, pour une partie, sûrement hébraïsés. Jusqu'en sixième, Yonatan avait étudié dans une école primaire de Beït-Hakérem proche de son domicile, ensuite, il était passé, dans le secondaire, à un collège prestigieux rattaché à l'université hébraïque de Givat Ram. Il décrochait presque toujours des notes excellentes dans toutes les matières. À en juger par les certificats, les Juifs suivaient des cours un peu différents des nôtres : au lieu de l'arabe, ils n'étudiaient que l'hébreu et, en CE2, s'ajoutait l'anglais, de même que, dans le secondaire, l'histoire juive et la Bible se substituaient au Coran. Ils bénéficiaient de cours d'art et d'informatique, tandis que nous, au village, avions des matières qui n'apparaissaient pas sur les certificats de Yonatan, comme la serrurerie, la menuiserie et l'islam.

Yonatan avait suivi des cours de photo à l'école des beaux-arts. Dans un tiroir, il y avait des boîtes en carton avec des centaines de clichés en noir et blanc et, à en juger par les notes et les commentaires de ses professeurs, il y excellait. Au lycée, il avait choisi d'apprendre le français.

Sur une étagère en haut de son armoire était rangée une sacoche noire, rectangulaire et rigide, dont j'étais sûr qu'elle contenait un instrument médical. J'ai grimpé sur une chaise et l'ai tirée délicatement. Au même moment, j'ai éprouvé la sensation aiguë que Yonatan avait bougé la tête et me regardait, comme pour me prendre en flagrant délit, et un tremblement nerveux s'est emparé de mon corps. Mais Yonatan reposait dans la même position, visage et yeux tournés de l'autre côté, toujours du côté où je ne me trouvais pas, surtout pendant que je fouillais dans ses affaires et violais son intimité. C'était l'appareil photo de Yonatan. Un appareil au boîtier imposant, le type qu'utilisent les reporters, pas du tout comme les petits appareils de poche que je connaissais. J'ai posé la sacoche sur la table et je me suis assis, tournant le dos à Yonatan. J'ai retiré doucement l'appareil, il était plus lourd que je ne le supposais. Dans la sacoche, plusieurs objectifs étaient rangés et, dans une poche, des boîtes en plastique transparent de pellicules. J'ai pris l'un des objectifs cylindriques et j'ai essayé de le monter sur l'appareil, avec précaution, doucement, jusqu'à ce que j'entende le clic de fermeture. J'ai tourné la bague de l'objectif, posé mon œil sur le viseur, mais je ne voyais rien d'autre que du noir. J'ai vérifié l'objectif pour découvrir que j'avais oublié d'ôter le couvercle, puis j'ai regardé de nouveau à travers le viseur : face à moi, le monde était flou.

Briquet bleu

Cette nuit-là, j'ai allumé ma première cigarette. En chemin pour ma garde de Beït-Hakérem, j'ai pénétré dans un petit kiosque de Mousrara et acheté un paquet de Marlboro light, les cigarettes de Majdi. Au bout de quelques secondes, je suis retourné au kiosque et j'ai demandé un briquet. Le vendeur a sorti un briquet en plastique bleu transparent, actionné la molette avec le pouce et appuyé sur le poussoir pour vérifier son fonctionnement.

Cet après-midi-là, Wassim m'avait annoncé qu'il avait décidé de retourner chez lui. Un emploi dans une école spécialisée, proche de Jatt, l'attendait. Il rentrait au bercail pour se fiancer, construire une maison à côté de chez ses parents, puis se marier. « Si je reste à Jérusalem, jamais je ne pourrai économiser comme un être normal », s'était-il justifié, et là-bas, il n'aurait plus aucune dépense. Majdi restait, pour le moment, à Jérusalem, mais pas dans cet appartement. Il préférait louer une chambre dans le quartier de Wadi Jouz ou de Cheikh Jarah, le plus près de son bureau et du tribunal. « Si tu le souhaites, a ajouté Wassim, Majdi peut trouver quelque chose pour vous deux. » J'ai hoché la tête. Je savais que, si rien ne changeait, je ne pourrais bientôt plus payer le loyer. Mais l'idée que, dans deux semaines, je n'aie plus de chambre ne me dérangeait pas ; au contraire, cela me soulageait presque. Je pourrais toujours dormir sur le convertible, à côté du lit de Yonatan.

Je suis arrivé avec une heure d'avance. Osnat m'a ouvert la porte, m'a remercié et m'a raconté qu'elle avait parlé avec Rouhèlé d'une nouvelle répartition de nos gardes. Elle ne pouvait plus laisser sa fille seule de sept heures à dix-neuf heures. « On va être obligés de trouver un aide supplémentaire », a-t-elle dit, tout en caressant les cheveux de Yonatan avant de s'en aller.

Assis sur le rebord de la fenêtre grande ouverte, j'ai pris une cigarette. J'ai enfoncé le filtre entre mes lèvres et allumé la cigarette avec le briquet bleu. La cigarette s'est aussitôt éteinte. Je l'ai allumée une nouvelle fois, et elle s'est encore éteinte. Je ne comprenais pas comment Majdi et les autres fumeurs, que je connaissais de longue date, réussissaient à la garder allumée jusqu'à la dernière cendre. Ma première cigarette s'est tout simplement consumée.

J'ai retourné Yonatan sur le flanc et poursuivi ma lecture du *Grand Cahier* d'Agota Kristof, entamée la veille : l'histoire de deux frères jumeaux que leur mère cache pendant la Seconde Guerre mondiale chez leur grand-mère, dans un petit village. J'étais complètement absorbé par ma lecture. C'était l'un des meilleurs ouvrages que j'avais lus jusqu'alors, et ma nuit passerait rapidement. Le problème, c'était que ce livre était trop mince, et, en dépit d'une lecture lente, je l'ai achevé en deux heures. J'ai retourné Yonatan sur l'autre flanc et regagné la fenêtre pour tenter ma chance, une nouvelle fois, avec une cigarette : j'étais persuadé que mes nuits seraient plus agréables si j'apprenais à fumer.

J'ai remis la cigarette dans ma bouche et approché la flamme qui a dévoré le papier et le tabac, j'ai aspiré une longue bouffée. La cigarette s'est consumée et je me suis étouffé. Les yeux gonflés de larmes, prêts à sortir de leurs orbites, j'ai couru à la salle de bains, refermé la porte et j'ai toussé un long moment avant de recouvrer mon souffle. Après m'être rincé le visage, j'ai quitté la salle d'eau. Rouhèlé m'attendait à la porte.

« Ça va comme tu veux ? » m'a-t-elle demandé. Elle fixait le plafond, puis elle a abaissé son regard vers moi.

J'étais pétrifié. Elle n'avait pas l'habitude de monter ici, la nuit.

« Oui, tout va bien, j'ai opiné, tout en enfonçant le briquet dans la poche de mon pantalon.

– Je te prie de ne pas fumer près de Yonatan. Pas dans la chambre.

– Je..., ai-je bafouillé, je ne fume pas vraiment, je veux dire, je...

– En tout cas, si tu veux fumer, descends au jardin, ou au salon, ou à la cuisine. »

Elle a refermé la porte et s'est éloignée.

J'étais cramoisi de confusion et de honte, autant que par la tentative de contenir une nouvelle quinte de toux. Face à la fenêtre, j'essayais de respirer de toutes mes forces, et j'ai joui de l'air pur pénétrant dans mes poumons. Quelle était son intention en m'invitant à fumer au salon ? Elle n'avait même pas jeté un regard à Yonatan, comme s'il était transparent ; son regard passait au-dessus de lui, en dessous de lui, à travers lui, comme si j'étais seul dans la pièce. Qu'est-ce que ça pouvait lui faire, au fond, que je fume à côté de lui ? Pourquoi ne se tenait-elle jamais auprès de lui, préférant payer des aides ?

Il était un peu plus de minuit, et tous mes efforts pour m'endormir avaient été vains. Sans bruit, j'ai ouvert le casier supérieur de l'armoire de Yonatan et j'ai retiré avec précaution la sacoche de l'appareil photo. Très vite, j'ai armé l'objectif sur le boîtier. J'ai ôté le couvercle, regardé à travers le viseur et j'ai essayé de faire la mise au point sur des objets de la chambre. Après avoir cadré Yonatan reposant sur son lit, dans mon dos, j'ai appuyé par inadvertance sur le déclencheur et j'ai entendu un « clic ». Le bruit m'a fait sursauter. Quel imbécile ! Pourquoi avais-je fait ça ? J'ai regardé du côté de la porte, m'attendant à ce que Rouhèlé fasse irruption, me passe un savon et me chasse de chez elle. J'ai démonté l'objectif à la hâte, l'ai rangé dans la sacoche que j'ai replacée dans l'armoire, puis je me suis rassis sur le canapé. Pas de réaction de Rouhèlé.

J'ai tenté de me replonger dans ma lecture, de compter les voitures dans la rue, j'ai écouté deux fois un disque des Ministry, et il n'était que trois heures du matin. Je devrais changer mes habitudes, il fallait que je me réhabitue à dormir la nuit et à être actif, le jour. C'est sûrement plus facile de rester éveillé pendant la journée que pendant la nuit. Les pensées qui nous assaillent pendant la journée sont forcément plus claires, moins effrayantes. Qu'ai-je fait là, après tout ? Pourquoi me serait-il interdit d'utiliser son appareil photo et permis de lire ses livres ? Ou de me servir de sa salle de bains ?

J'ai repris l'appareil photo, en me persuadant que je ne commettais rien d'illicite. Si Rouhèlé revenait ? Et alors ? Qu'elle me remercie plutôt de m'occuper de son fils à sa place. Qu'elle me remercie de rester pour quelques sous ici toute la nuit, d'être toujours ponctuel et souvent même en avance. J'ai regardé à nouveau à travers le viseur, cette fois-ci du côté de la rue, du paysage urbain plongé dans la nuit, et j'ai déclenché l'obturateur. Cette fois, pas de « clic ». J'ai examiné l'appareil. Une petite molette, à côté du bouton déclencheur, indiquait le chiffre 22, et j'ai supposé qu'il s'agissait du nombre de photos déjà prises. Or je n'avais photographié qu'une seule vue : quelqu'un d'autre l'avait utilisé avant moi. J'ai appuyé une nouvelle fois sur le bouton, sans viser avec l'objectif, mais l'appareil n'a pas réagi. Je me suis souvenu que, sur les appareils de poche, chez ma mère, je devais tourner une molette en plastique après chaque prise pour pouvoir prendre la photo suivante, mais je n'ai pas trouvé une molette semblable sur l'appareil de Yonatan. J'ai manipulé tous les boutons et, à la fin, j'ai enclenché une sorte de manette minuscule. L'appareil a fait entendre le bruit d'enroulement du film et le chiffre a soudain affiché 23. Une nouvelle pression sur le déclencheur, et le « clic » s'est fait entendre. J'ai dirigé de nouveau l'appareil, cette fois, sur les rayonnages de livres de Yonatan, fait le point et appuyé. J'ai poursuivi ainsi jusqu'à ce que le chiffre 36 apparaisse et que je ne puisse plus tirer la manette.

Passe mensuel d'autobus

Je n'avais pas beaucoup d'affaires à déménager. Le peu de livres d'études, de classeurs et de cahiers d'exercices, je les ai jetés dans une poubelle, devant notre immeuble de Beït-Hanina. Chaque jour, j'ai transporté des vêtements dans mon sac, par petits paquets, jusqu'aux combles de la maison de Beït-Hakérem. Pour mon usage personnel, j'ai dégagé l'étagère du haut dans l'armoire de Yonatan, au-dessus de l'étagère de l'appareil photo. Pour l'atteindre, je devais me jucher sur une chaise. En une semaine, j'avais rangé tous mes vêtements dans son armoire. J'ai eu honte de constater l'infime quantité de vêtements que je possédais, en comparaison de ceux de l'individu inerte étendu sous mes yeux.

À la fin du mois, Wassim est retourné dans son village natal, et Majdi a déménagé à Wadi Jouz en même temps que l'avocat chez qui il travaillait. Je n'avais plus d'appartement, mais je disposais du canapé convertible qui m'attendait chaque nuit, à côté du lit médical de Yonatan. Pendant les premiers jours, j'essayais de prendre un peu de sommeil durant mes gardes car je n'avais pas de lit où me reposer durant la journée. J'ai proposé à Osnat d'arriver à dix heures, mais elle a refusé au motif qu'elle ne voulait pas abuser, que ça n'était pas du tout professionnel.

J'ai acheté un passe mensuel d'autobus, afin de laisser la majeure partie de la journée s'écouler en empruntant un bus après l'autre, muni du baladeur CD de Yonatan et de quelques disques que je choisissais, chaque matin.

Parfois, je m'endormais dans le bus, et les machinistes me réveillaient au terminus. Je m'excusais chaque fois, je descendais et attendais le bus suivant. Dans la matinée, je me promenais dans la vieille ville, où je prenais un petit-déjeuner tardif, le plus souvent un houmous aux fèves. Ensuite, je montais dans un bus jusqu'au parc Saker, m'asseyais sous un arbre avec un livre, m'abritant à l'ombre pendant les heures chaudes de l'après-midi. Parfois, je m'assoupissais, mais rarement. Ensuite, je gagnais à pied le quartier de Nahlaot situé à proximité, déambulais au milieu des étals du marché, rejoignais la rue King George, puis descendais la rue Ben Yehouda jusqu'à Nahalat Shiva. Une heure avant le début de ma garde, j'achetais un falafel ou deux si j'étais affamé. Une demi-heure avant le début de mon travail, je prenais le bus, du centre-ville jusqu'à Beït-Hakérem.

Une semaine de vagabondage m'a convaincu que je ne pouvais continuer dans cette voie. Nous étions début septembre et, bientôt, le froid serait là. Qu'arriverait-il alors ? Et les jours de pluie ? J'ai pensé à retourner à l'université passer le temps en bibliothèque mais je ne souhaitais pas croiser des connaissances de l'époque de mes études ou l'un des ex-collègues du dispensaire pour toxicomanes qui y poursuivait ses études. Mais ma plus grande peur était de tomber nez à nez avec Leïla. L'idée de revenir chez ma mère me hantait chaque jour un peu plus, pour s'évanouir, puis réapparaître.

Très vite, j'ai réussi à dormir de nouveau la nuit. Au bout d'une semaine, je profitais de quatre heures de sommeil. Le reste du temps, les livres, la musique et, surtout, l'appareil photo m'offraient leur consolation. Comme je regrettais d'avoir utilisé le reste de pellicule en une nuit, la première ! Je voulais tant découvrir les images que j'avais photographiées. Chaque nuit, je jouais avec l'appareil, j'effectuais la mise au point, appuyais sur le déclencheur, tout en sachant que je n'obtiendrais aucun cliché. Je ne savais que faire de la pellicule rembobinée dans l'appareil, comment l'ôter et introduire un nouveau film. Jusqu'à ce matin – je ne sais où j'avais puisé le culot et le courage – où j'ai caché l'appareil dans mon sac et l'ai sorti pour la première fois de l'appartement.

« Oh ! s'est exclamé le vendeur de la boutique photo dans le quartier arménien, tout en sirotant son café, voilà un excellent appareil, japonais. On n'en fabrique plus des comme ça. » Il a saisi l'appareil, regardé à travers le viseur et manipulé la bague de mise au point puis toutes sortes de manettes. « Il n'y a rien de mieux que l'objectif 50 mm, c'est le meilleur. Sans zoom et autres bidules. Comme dans la réalité. » Je lui ai raconté que je l'avais acheté à un jeune Juif et que j'essayais de me familiariser avec l'appareil. « Il y a un film à l'intérieur ? m'a-t-il demandé tout en examinant le nombre de prises de vue.

– Oui, ai-je acquiescé.

– Tu sais comment l'enlever ?

– Non, ai-je fait avec un pâle sourire. Je veux dire, je ne voulais pas l'abîmer...

– Regarde. »

Il a appuyé sur un bouton latéral, soulevé un minuscule levier à la base de l'appareil et m'a montré comment enrouler le film. « Tu dois appuyer tout le temps ici, a-t-il dit en désignant le bouton, et tourner le levier jusqu'au bout. Écoute ça. » Il s'est tu, et tous deux nous avons guetté le déclic signalant le rembobinage complet du film. Ensuite, il a soulevé un autre levier, qui a libéré un couvercle dans le dos de l'appareil, et révélé la bobine de film. « Voilà, on la sort comme ça. C'est un film noir et banc. Tu veux développer les clichés ?

– Oui. »

L'Arménien a introduit la pellicule dans une enveloppe sur laquelle il a inscrit mon nom.

« Ce sera prêt demain », a-t-il dit à ma grande déception. J'étais sûr que je pourrais regarder les photos en quelques minutes.

« Tu veux un film neuf ?

– Hein ? Oui, oui. Merci, lui ai-je répondu, et la pensée de pouvoir continuer à photographier m'a rasséréné.

– Noir et blanc ?

– Oui, noir et blanc.

– Combien d'ASA ?

– Pardon ?

– L'ASA indique la sensibilité du film. Il en existe beaucoup : 100, 400, et plein d'autres encore... Tu photographies aussi dans l'obscurité ?

– Oui.

– Alors, prends du 400. »

Il a retiré un film d'un cylindre en plastique. « Tu sais l'introduire ? » et, sans attendre ma réponse, il a soulevé le couvercle, vérifié que je suivais ses gestes, tiré l'extrémité du film, puis il l'a insérée dans l'orifice d'une sorte de tambour, et enfin, a appuyé sur le déclencheur. « Il faut toujours enrouler les deux, trois premières photos, de toute façon, elles sont inutilisables, parce qu'elles ont été voilées à la lumière du jour au moment d'amorcer le film. »

La pellicule coûtait quinze shekels, et l'Arménien, qui avait surpris ma mine déconcertée, m'a fait remarquer : « Je t'ai donné la meilleure qualité. » J'ai accroché l'appareil à mon cou, puis j'ai gagné les ruelles de la vieille ville.

Dix-huit shekels

« Pour chaque photo, c'est un shekel », m'a annoncé l'Arménien, le lendemain, avec un sourire, et moi, je maudissais déjà ce hobby que je m'étais inventé. « Ça fait, au total, dix-huit shekels, s'il te plaît », a-t-il ajouté en me tendant une enveloppe jaune. Il m'a fallu un moment pour comprendre.

« Pourquoi dix-huit ?

– Parce que tout le reste est voilé. »

J'ai compris que ces dix-huit photos avaient été prises par quelqu'un d'autre avant que je ne trouve l'appareil. Le témoin de prises de vue indiquait 21, mais je savais désormais qu'il fallait renoncer aux trois premières. Devant ma mine déconfite, l'Arménien a souri et m'a fait signe de lui passer l'appareil.

« Est-ce que tu sais ce qu'est la mesure d'exposition ? »

J'ai fait non de la tête.

« Tu as photographié dans l'obscurité et tu n'as pas adapté la vitesse de l'obturateur », a-t-il précisé, attendant ma réaction pour voir si je comprenais quelque chose à ses explications.

Il m'a rendu l'appareil : « Regarde dans le viseur. Tu vois, en bas, une petite aiguille qui bouge à droite et à gauche ?

– Oui.

– C'est la mesure d'exposition de ton appareil. Pour réussir une photo, cette aiguille doit être au milieu. Où est-elle, maintenant ? Plus proche de moins ou de plus ?

– De moins », ai-je répondu, tout perplexe de n'avoir jamais remarqué cette aiguille et les signes « + » et « - » à la base du cadre.

« Cela signifie qu'il n'y a pas assez de lumière. Que l'obturateur est trop ouvert ou que la vitesse est trop élevée. Tu dois apprendre à maîtriser l'obturateur et la vitesse, puis à en jouer. Passe-le-moi, une seconde. »

L'Arménien m'a repris l'appareil et a commencé à jouer avec une molette que je n'avais jamais manipulée. « C'est la bague du diaphragme, l'obturateur, tu peux agrandir ou diminuer », et il a tourné cette bague. Ensuite, il m'a indiqué une autre bague déterminant la vitesse d'exposition. L'Arménien m'a montré, pendant un long moment, comment manœuvrer entre l'ouverture du diaphragme et la vitesse, puis a vérifié mon appareil à la lumière et dans l'obscurité, à la lumière du jour et dans son studio. Je lui ai payé à la fin ses dix-huit shekels pour des photos que je ne voulais pas du tout voir, et j'ai quitté son magasin. Je savais déjà que, la veille, j'avais gâché cinq photos de mon film neuf.

Ce matin-là, je n'avais pas faim et j'ai quitté le quartier arménien pour l'est, en direction de l'esplanade de la mosquée Al-Aqsa. L'Arménien m'avait dit que cette vaste esplanade, exposée à la lumière matinale, pourrait me servir d'endroit idéal pour m'exercer à régler la vitesse et l'ouverture du diaphragme. « Je te garantis, avait promis l'Arménien avant que je ne quitte son studio, que tu ne vas pas voiler plus de deux autres pellicules. »

En chemin vers l'esplanade de la mosquée, j'ai calculé que je pouvais me permettre cinq pellicules par mois, pas plus. Cinq pellicules, cela ferait 75 shekels, et le développement de trente-trois photos par film me coûterait, au total, 165 shekels par mois. Dépenser 240 shekels par mois était au-dessus de mes moyens, mon salaire ne dépassait pas 2 500 shekels, mais mon attirance pour la photo était plus forte que tout. Je me suis dit que c'était là une lubie de chômeur mal dans sa peau, qui allait sûrement me passer après une pellicule voilée de plus, mais je voulais tant photographier et, surtout, voir les photos que j'aurais prises. La nuit, j'examinais les boîtes de photos accumulées dans les tiroirs de Yonatan et je découvrais la photographie comme jamais je ne l'avais envisagée jusqu'alors. Yonatan avait multiplié les portraits d'individus. Avant de trouver l'appareil, j'avais jeté un rapide coup d'œil sur ses clichés et essayé de saisir s'ils avaient été pris dans le cercle de sa famille ou lors d'une excursion annuelle. Mais ce qui m'ennuyait auparavant était devenu passionnant. Yonatan ne photographiait pas des rencontres familiales ni des mariages ni des anniversaires. Il photographiait des gens, des expressions, des rides, des sourires. Il savait photographier en noir et blanc la tristesse, une ombre de pensée, la peur, le bonheur et l'inquiétude.

Parvenu devant la mosquée Al-Aqsa, je savais que je ne voulais pas photographier de beaux édifices ou des clichés touristiques. Les individus, voilà ce qui m'intéressait. Je voulais vérifier ma capacité à faire la mise au point, à cadrer ; voir si, moi aussi, j'obtiendrais des photos aussi nettes, aussi détaillées ; si, moi aussi, je parviendrais à restituer tout l'univers de l'inconnu que mon objectif saisirait dans un instantané.

Les gardiens à l'entrée de l'esplanade m'ont demandé mes papiers d'identité et, après s'être assurés que j'étais musulman, m'ont autorisé à pénétrer à l'intérieur. Il était très tôt, entre deux prières de milieu de semaine, et la mosquée, qui la plupart du temps grouillait d'enfants pour qui c'était le seul terrain de jeux de la vieille ville, était presque déserte.

Quelques mendiants m'ont demandé l'aumône, mais je les ai ignorés, sachant que si je donnais ne serait-ce qu'une piécette à l'un d'eux, des dizaines d'autres me poursuivraient jusqu'à ce que je quitte la vieille ville et me tendraient la main, le regard implorant, espérant que je céderais et leur lâcherais un shekel de plus.

« Pardon, m'a interpellé un barbu qui déboulait à grands pas dans ma direction, tenant en main un talkie-walkie. Attends un peu... » Je me suis figé sur place. « Tu es musulman ?

– Oui.

– Musulman, a-t-il soufflé dans son talkie-walkie, puis, l'éloignant de ses lèvres : Excuse-moi, mais ton allure m'a trompé. Et à cause de ton appareil photo, j'ai pensé que peut-être... D'où es-tu ?

– De Jaljoulya.

– Bienvenue ! » m'a souhaité le bonhomme en posant la main sur son cœur.

Je me suis assis sur les marches de l'esplanade d'Al-Aqsa dévalant vers la mosquée d'Omar. J'ai jeté un regard au paysage environnant mais je savais qu'il n'y avait là rien que j'aie envie de photographier. J'ai ouvert l'enveloppe jaune que m'avait remise l'Arménien et j'en ai sorti dix-huit photos.

Yonatan est apparu sous mes yeux. Yonatan à dix-huit ans, bien campé sur ses jambes. Sur la première, il tenait en main l'appareil accroché en ce moment à mon cou et posé sur mes genoux. L'appareil était placé à hauteur de la taille et il se photographiait dans le miroir de la salle de bains, dans les combles de sa maison. Regard perçant dans le miroir, visage fermé. La photo suivante montrait toujours Yonatan, debout, au pied de son lit. Dans une main, le câble déclencheur à distance. Ce câble n'est pas là par hasard, me suis-je dit, il savait exactement ce qu'il voulait faire entrer dans le cadre et à quel moment. Sur la troisième photo, il était debout sur une chaise, au milieu de la chambre. Et, sur une autre photo, il attachait une corde à un crochet du plafond. En passant d'une photo à l'autre, je haletais péniblement. Sur toutes les photos, il apparaissait. Là, il attachait le crochet à la corde, là, il déplaçait l'appareil et se photographiait d'en bas, ensuite, il éloignait l'appareil et se photographiait en train d'examiner la corde, toujours avec cette même expression figée, dénuée de toute émotion. Mécanique. Il se photographiait sous plusieurs angles, hissé sur la chaise, la corde nouée autour du cou. Je me sentais étouffer. Je me suis redressé, m'efforçant de retrouver mon souffle et de calmer les tremblements de mes membres. Yonatan était maintenant juché sur le montant du siège et, sur la dernière photo, la dix-huitième, je l'ai vu repousser la chaise de ses doigts de pieds. Derrière lui, apparaissait nettement le lit de même que les photos sur le mur, et, au milieu du cliché, s'étirait de haut en bas un corps flou, il allongeait le cou, le ventre, les mains et les pieds, et j'ai alors compris qu'il avait pris cette photo à basse vitesse et à exposition prolongée.

Boîte en carton

Je suis arrivé à mon rendez-vous avec une demi-heure d'avance. Dans la salle d'attente, deux jeunes filles, munies de deux énormes dossiers, m'avaient précédé et bavardaient entre elles. Elles se sont interrompues un bref instant à mon arrivée, m'ont dévisagé, ont hoché la tête, et moi aussi, je leur ai fait un signe de tête et baissé le regard, puis je suis allé vérifier la liste accrochée à la porte. J'avais le numéro 5.

« Pour quelle heure ils t'ont convoqué ? » m'a interrogé l'une des filles. Elle était maigre, avec une chevelure blonde et des mèches violettes.

« Pour dix heures et demie.

– Ils ont un retard dingue ! Celui qui avait rendez-vous à dix heures vient à peine d'entrer. Quel numéro as-tu ?

– 5.

– Bon, j'ai le 4.

– Moi, le 6, a murmuré sa camarade avec un peu de dépit. Je passe après toi. »

Elle était plus en chair que sa camarade et portait un débardeur avec la photo des Ministry. Elle a remarqué que je restais bouche bée devant son maillot et a baissé les yeux ; alors, de crainte qu'elle ne me soupçonne de mater sa poitrine, je me suis empressé de dire : « J'ai exactement le même. » Elle a hoché la tête et souri. Elle avait une poitrine vraiment opulente, et je pouvais apercevoir les renflements que faisaient ses tétons sous son débardeur.

Chaque entretien devait durer une demi-heure, et si la maigrichonne avait vu juste et que le candidat numéro 3 venait d'entrer, une heure au moins s'écoulerait avant mon tour. Mon premier mouvement a été de m'enfuir, de renoncer, car je n'avais aucune chance d'être admis à Betsalel. Je n'avais pas un portfolio aussi fourni que ceux de ces deux filles. Je me suis assis sur le sol, adossé au mur, face aux sièges où elles avaient pris place.

« Si l'art de la photo consiste à figer un instant, tu vois, je me suis dit, pourquoi ne pas aller jusqu'au bout ? » a lâché la maigrichonne, pendant que l'autre acquiesçait en silence. « Je me suis dit que c'est ce que j'allais faire. Je photographierais le temps. Je veux dire, la signification du temps au niveau de mon vécu, tu vois. » Elle a soulevé son portfolio, l'a posé ouvert sur ses genoux, et en a extrait des photos encadrées de bois noir. Je ne pouvais pas voir les photos qu'elle passait à sa camarade, l'une après l'autre, avec précaution, comme si elle tenait un livre sacré. De temps à autre, elle soupirait : « Cela symbolise à mes yeux le temps qui passe, tu vois, et là, j'ai essayé de comprendre et de saisir le présent et, dans la dernière partie, j'ai essayé de photographier le futur comme je le conçois, je veux dire, tu vois, une étendue infinie de temps… » La fille au débardeur Ministry semblait accorder le plus grand intérêt aux propos de la maigrichonne, et moi, je savais que je ne pourrais pas parler ainsi et, en outre, je n'avais rien encadré. C'était une erreur de venir ici. Je ne comprenais pas comment j'avais pu passer la présélection, mais je savais bien que je n'étais pas un artiste. La fille au débardeur a levé le regard un moment et m'a surpris en train de la fixer. Elle m'a souri, et je lui ai rendu son sourire. « Et ça, c'est mon autoportrait en tant que femme, tu vois, a poursuivi la maigrichonne. Sans tête et sans membres. » À ce moment-là, j'ai fait une grimace, et la fille au débardeur, qui avait regardé dans ma direction, dans l'attente de ma réaction, a éclaté de rire. « Je suis désolée, a-t-elle soupiré, tentant d'étouffer ses ricanements, je suis vraiment désolée, mais il est drôle ! » a-t-elle dit en me montrant du doigt.

Au bout d'une petite heure, la porte s'est ouverte, et un jeune homme basané, aux longs cheveux bouclés, en est sorti. Il était habillé à la dernière mode, vêtu de fringues aux logos de stylistes branchés. Il soupirait de soulagement en refermant la porte. La maigrichonne s'est levée, toute tendue.

« Et alors ? Quel genre de questions ils posent ? a-t-elle demandé au jeune homme bouclé.

– Rien de particulier. Ils m'ont questionné sur mes travaux, d'où je viens, pourquoi je veux étudier ici, ce genre de trucs, tu sais bien », a-t-il répondu avec un accent arabe de Nazareth. La porte s'est ouverte de nouveau, et une femme, un classeur en main, a appelé la maigrichonne.

« Bonne chance ! » lui a lancé la mignonne, et j'ai chuchoté à sa suite : « Bonne chance ! » Le gars de Nazareth a eu le temps de demander la date des résultats à la femme au classeur, et cette dernière lui a annoncé que les réponses seraient envoyées par la poste dans le courant du mois, puis elle a refermé la porte derrière elle.

Le gars de Nazareth débordait de confiance. Il nous a raconté qu'il s'était inscrit en architecture et que, s'il était admis, il irait bien sûr étudier cette matière, sinon, il suivrait une année de cours photo, puis tenterait de nouveau sa chance en architecture.

« Ils l'ont sûrement admis, a dit la fille au débardeur, après que nous sommes restés seuls dans la salle d'attente. Et même en architecture, ils ont dû l'accepter. Ces deux départements vont même se le disputer.

– Tu le connais ?

– Non, a-t-elle répondu en haussant les épaules. Mais, ici, tu es à Betsalel, le bastion du gauchisme. Il leur faut à tout prix un étudiant arabe dans leur département. Dis-moi, tu vis sur quelle planète ?

– Mais il a peut-être des concurrents en architecture ? ai-je ajouté avec un sourire.

– T'as raison, je n'y avais pas pensé. Deux Arabes, là, c'est un de trop. »

La maigrichonne est sortie de son entretien en jubilant.

« C'était comment ? a demandé le numéro 6, sans intérêt manifeste.

– Stressant, dur, mais je pense que j'ai été bonne, tu vois. »

La secrétaire munie du classeur est apparue : « Yonatan, Yonatan Forschmidt ! » J'ai sauté sur mes pieds : « C'est moi.

– Bonne chance, Yonatan », m'a souhaité le numéro 6.

Yonatan Forschmidt. C'était le nom que j'avais mis sur le formulaire d'inscription. C'était le nom sous lequel j'avais passé le premier test psychométrique et c'était le nom mentionné sur la liste affichée dans la salle des entretiens. Cela faisait six mois que je me baladais avec la carte d'identité de Yonatan dans mon portefeuille, que j'avais prise dans un tiroir de son bureau, et elle m'appartenait désormais.

Je me souviens du tremblement qui m'avait saisi la première fois que je m'étais présenté comme juif. Cela se passait dans un café réputé de la rue piétonnière Ben Yehouda, le cinquième établissement où j'avais cherché du travail. Le patron avait examiné la carte d'identité de Yonatan, sa vieille photo, et avait inscrit mes coordonnées sans aucune méfiance. Dans tous les autres lieux où je m'étais présenté comme Arabe, les propriétaires avaient prétendu qu'ils n'avaient pas besoin de nouveaux employés, malgré le panneau « Cherche serveurs » affiché en vitrine. Ou bien ils m'avaient proposé de faire la plonge dans les cuisines. Une fois, j'avais accepté, ils appelaient ça « aide-cuisinier » mais je devais surtout faire la plonge, nettoyer les toilettes, traîner des cageots de légumes, d'aliments et de boissons et sortir les poubelles. Je devais me pointer à sept heures et demie pour un service qui durait jusqu'à dix-huit heures contre le salaire minimum. Les serveurs gagnaient beaucoup plus avec les seuls pourboires, et travaillaient moins péniblement. Tous les serveurs de ce café étaient juifs et tous les employés aux cuisines, ceux qui n'étaient pas en contact avec les clients, arabes.

Après avoir été accepté comme serveur en tant que juif, j'avais eu honte de mon acte et été tenté de ne pas revenir le lendemain. Mais j'avais besoin d'argent ; je me suis convaincu que je ne faisais rien de mal. C'était, tout au plus, un subterfuge temporaire afin de décrocher un emploi non moins temporaire. Pendant toute la semaine d'essai, je m'étais tenu sur mes gardes afin de ne pas commettre d'erreur et de répondre, par distraction, en arabe aux propos des employés des cuisines qui s'adressaient parfois à moi dans cette langue, en me saluant le matin ou en me demandant si je voulais manger un bout. La semaine s'était passée sans anicroches, et, bien vite, le patron avait conclu qu'il pouvait me faire confiance. J'étais toujours ponctuel, je ne demandais pas de congés, je n'étais jamais fatigué, et je me montrais poli avec les clients, même avec les plus désagréables.

Aux cuisines s'affairaient Mouhammad, que tous appelaient Mouhi, Rafik, *alias* Rafi, et Slimane, qui préférait qu'on l'appelle Solly. Tous trois étaient originaires de Jérusalem-Est, tous trois fumaient, priaient et étaient obsédés par les filles.

Contrairement aux serveurs, qui travaillaient par service et qui pouvaient choisir leur emploi du temps, Mouhi, Rafi et Solly trimaient toute la journée, de sept heures à minuit. Sauf pendant la journée raccourcie du vendredi et le sabbat, durant lequel le café fermait.

Mes relations avec le patron, les employés et les serveurs étaient correctes, sans plus. Je n'ai pas encouragé leurs tentatives de rapprochement, surtout celles de Dana, une jeune serveuse qui avait opté, comme moi, pour le service du matin, parce qu'elle suivait l'après-midi les cours d'un institut préparant au baccalauréat. Une belle fille intelligente, qui avait abandonné le collège parce qu'elle ne supportait ni les élèves, ni les professeurs, ni les matières étudiées. Elle préférait travailler dans un magasin de musique et passer ses journées au milieu des disques. Elle ne s'accommodait pas plus des frimeurs et des pétasses qui étudiaient dans son institut, mais elle ne s'était pas encore décidée : elle désirait s'inscrire en psychologie à l'université ou, peut-être, en histoire de l'art, elle n'avait pas encore fait son choix. Elle m'avait invité à prendre le petit-déjeuner, le samedi, dans son appartement loué à Nahlaot, mais j'avais dû m'abstenir et refuser ses invitations. En ce temps-là, je ne pouvais m'imaginer mentir à quelqu'un d'autre concernant mon identité. Certes, à cause de mon travail au café, j'avais bien ouvert un compte bancaire au nom de Yonatan, après avoir imité, toute une nuit, la signature qu'il avait laissée sur ses livres, et j'avais appris à la reproduire, mais mon mensonge ne servait qu'à mon emploi, me répétais-je alors, et je m'interdisais qu'il interfère dans ma vie privée, bien que je ne sois pas sûr que j'en eusse une, de vie privée.

« Ton portfolio, s'il te plaît », m'a demandé la secrétaire. Je regrettais déjà d'être venu. J'ai ouvert mon sac et en ai tiré une boîte en carton – ce qui me tenait de portfolio. Autour de la table ronde siégeaient les trois membres de la commission d'admission : le directeur du département, un professeur de photographie et un étudiant de quatrième année. Ils examinaient des papiers et des documents étalés devant eux, en attendant que je présente mes travaux.

Les postulants qui avaient passé la deuxième étape et étaient parvenus en phase finale devaient s'acquitter de trois réalisations : « Une narration en dix clichés », « Un autoportrait » et « Trois photos au choix ». J'ai tendu la boîte en carton à la secrétaire.

« C'est quoi, ça ? m'a apostrophé le professeur de photographie, le premier à recevoir la boîte. Tu as fait développer ça dans un magasin ?

– Oui. »

Il a commencé à regarder les premières photos, la « narration en dix clichés ». Contrairement aux photos de la maigrichonne, les miennes étaient de taille standard. Je les avais fait tirer dans la boutique de l'Arménien et je n'avais pas du tout pensé à les encadrer.

« Quand as-tu commencé à photographier ?

– Il y a un an. En gros, un an.

– As-tu étudié quelque part ? a-t-il poursuivi sans lever les yeux, le regard fixé sur les photos.

– Non, j'ai appris tout seul. Je veux dire, quelqu'un m'a aidé un peu, et j'ai lu de la documentation à droite, à gauche. »

Le professeur a passé les dix clichés au directeur.

« Tu veux dire que tu n'as étudié ni l'art ni la photo au collège ou dans un autre établissement ? m'a interrogé de nouveau le professeur.

– Non. »

Je me sentais cramoisi de honte et me haïssais d'avoir eu l'audace de me présenter devant eux, à cause des encouragements d'Osnat et de Dana, qui avaient admiré mes photos et avaient affirmé que je serais admis à Betsalel sans aucune difficulté.

« Est-ce que tu as ton appareil avec toi ? » m'a demandé le directeur du département, en étalant devant lui les dix petites photos puis en laissant l'étudiant les examiner à son tour.

« Oui, j'ai mon appareil.

– Montre-le-moi. »

J'ai ouvert mon sac et sorti l'appareil que je transportais presque toujours avec moi, depuis un an.

« Eh bien, dis donc, un Pentax, s'est-il exclamé lorsque je lui ai tendu l'appareil. On en fabrique encore des comme ça ? »

Le directeur s'est saisi du Pentax et a passé le reste des photos au professeur.

Mes travaux ne représentaient que des portraits humains. J'avais photographié des individus avec leur accord. Yonatan avait saisi des portraits que j'avais étudiés pendant des nuits pour comprendre leurs particularités et ce qui m'avait incité à les considérer différemment, à les regarder de manière singulière par rapport à ceux que j'avais vus jusque-là. Je m'étais plongé aussi dans ses ouvrages, tous consacrés au portrait, et j'avais décortiqué chacun d'eux pendant de longues heures, à la lumière de la lampe. Depuis que j'avais appris le fonctionnement de l'appareil, je photographiais sans relâche des gens, surtout dans la vieille ville. Rouhèlé avait accepté la division de la journée de travail en trois tours de garde, et Osnat m'avait proposé celui de l'après-midi en plus de celui de la nuit. Rouhèlé ne s'y était pas opposée, et c'est ainsi que j'ai commencé à assurer deux gardes successives auprès de Yonatan, en plus de mon travail comme serveur, de sorte que je pouvais désormais dépenser davantage pour la photo. Au bout de quelques semaines au café, j'avais pris mon courage à deux mains et sollicité la permission du patron pour photographier dans son établissement. J'avais commencé par les employés, après avoir obtenu leur accord. De sorte que l'exercice « Une narration en dix clichés » était, en fait, une série de portraits de ces Arabes, portraits qui les immortalisaient à partir du moment où ils recevaient la fiche de commande jusqu'à celui où ils appuyaient sur une sonnette et passaient le plat à travers un guichet ménagé entre les cuisines et le café. Ensuite, j'avais photographié les clients réguliers, et pour ce qui concernait les « Trois photos au choix », je présentais un cliché de Sarah, une habituée du matin, entre deux hospitalisations, accompagnée de son aide ménagère philippine. J'avais choisi une photo où elle souriait, le regard brillant de bonheur, et tenant sa tasse de thé à deux mains. Les deux autres clichés avaient été pris dans la vieille ville : l'un, du photographe arménien, riant à pleine bouche et découvrant une dent en or, le second, d'un garde-frontière, souriant pendant qu'il vérifiait ma carte d'identité, je veux dire, celle de Yonatan.

« Bon, mais là, s'est écrié le directeur, tandis qu'il fouillait parmi les photos étalées devant lui, il me manque l'autoportrait... »

Boîte aux lettres

Dès le lendemain de l'entretien, je m'étais rué sur ma boîte aux lettres pour vérifier si j'avais reçu une réponse. Je l'avais louée au nom de Yonatan Forschmidt au moment où je m'étais inscrit au département de photographie. Dans l'une des rubriques du formulaire, je devais indiquer mon adresse complète, et je savais, depuis mes années d'études, qu'on pouvait louer une boîte à l'usage de tous ceux qui étaient privés d'adresse fixe en ville. Nombre d'étudiants arabes demeurant en vieille ville louaient des boîtes sur le campus du mont Scopus. Avant d'envoyer mes formulaires à Betsalel, j'avais donc loué une boîte au nom de Yonatan Forschmidt, contre quelques dizaines de shekels, à la poste restante de la rue King George, près du café où je travaillais. Chaque matin, en me rendant de l'appartement de Beït-Hakérem au café, j'ouvrais la boîte et, parfois, j'y trouvais des prospectus ou des plis destinés à quelqu'un d'autre, glissés là par erreur, mais un mois s'était écoulé après l'entretien sans réponse de Betsalel.

Avant cet entretien, je n'étais pas du tout sûr d'avoir envie d'étudier là, et j'étais relativement persuadé que, même si je l'avais voulu, je n'oserais pas m'engager dans un cycle de quatre années d'études sous une identité usurpée. Mais, après cet entretien, j'avais éprouvé le désir irrépressible d'être admis. Je voulais savoir que j'avais réussi à convaincre les examinateurs, que mes photos étaient d'une qualité suffisante pour me permettre de poursuivre dans cette voie et de tenter ma chance. Je voulais juste savoir que j'étais bon. Sans cesse, je m'imaginais lire la lettre à en-tête de l'Académie des beaux-arts commençant par les mots : « Nous avons l'honneur de porter à votre connaissance… » Pendant tous ces jours-là, je me désolais de n'avoir pas présenté le troisième exercice, l'« autoportrait », malgré le sourire indulgent du directeur quand je lui avais avancé mon excuse : « Il manque encore de consistance… »

Au bout de la quatrième semaine d'attente, j'étais déjà persuadé que cette candidature était une terrible erreur. Certes, à l'époque où je m'étais inscrit, j'aimais plus que tout photographier, sauf que j'étais un idiot complet à croire qu'un travail de quelques mois suffirait à mon admission dans une institution aussi prestigieuse, qui n'acceptait, chaque année, que de rares candidats parmi des centaines, qui, tous, avaient sûrement étudié dans des écoles d'art et non appris à photographier dans la rue ou fait développer leurs clichés dans une misérable boutique du quartier arménien.

Un mois et demi environ après l'entretien, j'avais compris que je n'avais aucune chance de recevoir une réponse positive. Les cours devaient commencer deux mois plus tard, et il ne faisait aucun doute que les admis avaient déjà été contactés. Deux mois suffisaient à peine aux étudiants pour se préparer, surtout pour ceux qui ne résidaient pas dans cette ville, et devraient chercher un logement ou une résidence universitaire, puis s'installer à Jérusalem avant le début des cours. Malgré tout, je continuais à inspecter la boîte, le matin et l'après-midi et, parfois, en milieu de semaine, quand le café était relativement vide, je sortais en hâte pour ouvrir ma boîte, jusqu'à cinq fois pendant mon service. Durant ces journées-là, je commençais à craindre que quelqu'un n'ait éventé le subterfuge, découvert l'usurpation d'identité car, faute d'être admis, je pensais que j'étais censé recevoir au moins une lettre de refus. Peut-être quelqu'un ayant étudié avec Yonatan à l'école, connaissant la famille Forschmidt, ou me connaissant, avait-il repéré mon accent et me soupçonnait-il ? Les conséquences pénales de mon forfait, l'usurpation d'identité de Yonatan, devenaient de plus en plus obsédantes, et je ne m'imaginais plus recevoir une lettre de Betsalel mais des policiers frapper à la porte de la maison de Beït-Hakérem, débarquer au café ou, pire que tout, se présenter chez ma mère. Je voulais juste recevoir une lettre de Betsalel, ne fût-ce qu'une lettre de refus qui mette un terme à cette affaire et me délivre de mes angoisses.

J'essayais de me convaincre que le châtiment que je subirais serait bénin. Certes, je serais interpellé, cela ne faisait aucun doute, et le casier judiciaire me suivrait toute ma vie. Mais, puisque mon usurpation d'identité ne servait à aucune escroquerie – après tout, les photos que j'avais présentées avaient été prises par moi –, je n'irais sûrement pas en prison, en tout cas, pas longtemps. Certes, on m'avait demandé de produire mon diplôme de baccalauréat, et j'avais donné celui de Yonatan, mais, moi aussi, j'en possédais un, non moins élogieux que le sien. De même, je ne pensais pas qu'on m'enverrait à l'ombre pour m'être substitué à lui afin d'obtenir un emploi au café. « Votre Honneur, dirais-je au juge, je n'ai fait, tout au plus, que fournir un autre nom. Interrogez le patron : j'étais le plus zélé de ses employés. Interrogez les clients. Je voulais, tout au plus, travailler en salle et non aux cuisines. » Les tentatives de l'avocat général d'attribuer une motivation nationaliste à cette usurpation, d'alléguer que j'avais l'intention de porter atteinte à des Israéliens, seraient bien sûr balayées par le jeune et brillant avocat Majdi. Car c'était évidemment à lui que je m'adresserais. Il serait facile de démontrer l'absence de tout engagement politique de ma part : je n'ai jamais participé à une manifestation, je n'ai jamais voté aux législatives. Et même de prouver que je me suis abstenu aux élections municipales ou estudiantines, comme à l'Union arabe ou à l'Union générale. Je m'imaginais conclure mon plaidoyer par ces mots : « Serveur, Votre Honneur, je voulais, tout au plus, être serveur... »

Chaque jour, je planifiais une fuite avec armes et bagages. Les phrases d'excuse que je destinais à Osnat commençaient à prendre forme dans mon esprit : « Une affaire de famille urgente », « Je suis obligé de retourner auprès de ma mère », « Il s'agit d'une affaire capitale au village », et toutes sortes de faux-fuyants dont j'espérais qu'Osnat et Rouhèlé les mettraient sur le compte d'un genre de tradition sociale arabe, sans chercher à creuser davantage. Elles supposeraient qu'un événement crucial, que je ne pouvais expliquer, m'obligeait à rentrer sur-le-champ auprès de ma mère. Elles me pardonneraient de les quitter si brusquement, et se débrouilleraient pour me remplacer l'après-midi et la nuit auprès de Yonatan... Et si elles ne me pardonnaient pas ? Et si elles prenaient ma défection de la pire manière ? Eh bien, qu'elles se rongent les sangs, songeais-je. Contrairement à mon travail au dispensaire, je ne pourrais prétendre que quelqu'un m'ait ri au nez ou ne m'ait pas jugé à ma juste valeur, mais le salaire que je percevais pour ce travail était une farce. Le salaire global ne rémunérait pas mes nombreuses heures de présence. En fait, je n'avais que huit heures de libres par jour, je ne tenais le coup que parce que je ne payais pas de loyer et je devais me contenter d'un canapé d'adolescent dans les combles de Yonatan.

Oui, qu'elles se rongent les sangs, ces deux-là, qu'elles aillent au diable, elles et leur Yonatan inerte, avec son regard au plafond. Cette nuit même, je rangerais mes frusques dans mes deux sacs et je me taillerais de là. J'appellerais Osnat d'une cabine de la gare routière, et lui annoncerais que je ne reviendrais plus à Jérusalem, puis raccrocherais aussitôt. Qu'elle me cherche. D'ailleurs, ni elle ni Rouhèlé ne prendraient cette peine. Pour quoi faire ? Somme toute, il ne s'agissait pas d'une rupture de contrat de travail, parce qu'il n'y avait pas de contrat entre nous, et elles ne pourraient rien exiger, et je ne réclamerais rien. Contrairement à Osnat, je travaillais sans avantages sociaux, sans congé maladie, sans vacances, sans assurance-maladie. Rien. Salarié sans défense. De même qu'elles pouvaient me jeter sans préavis, je pouvais les planter là sans me préoccuper des conséquences. Elles trouveraient vite un autre Arabe trop heureux de me remplacer. Pas de problème. Idem pour le patron du café. Lui, je ne l'appellerais même pas pour lui annoncer mon départ définitif. Ce minable qui tapote l'épaule de ses employés de cuisine pour, ensuite, les traiter de chiens galeux. Lui qui se pavane avec son sourire éternel et ses quelques mots en arabe avec lesquels il les salue ou les injurie, soi-disant pour blaguer et, ensuite, se flatte des méthodes qu'il a inventées pour soumettre, domestiquer les Arabes de ses cuisines et les contraindre à obéir à ses instructions. « Tu dois leur rappeler tout le temps qui est le patron ici, m'a-t-il confié un jour. Parce que, si tu baisses la garde une seconde, ils te bouffent tout cru. »

Lors d'une ces journées où je m'apprêtais à être interpellé par la police et préparais ma fuite loin de Jérusalem, j'entendis la voix d'une fille m'appeler dans la rue, au moment où je gagnais la station de bus de la rue King George, après mon service au café. Je ne me suis pas retourné. « Yonatan ! » m'a-t-elle hélé, et, cette fois, sa voix était plus proche. Affolé, j'ai fait volte-face et j'ai aperçu la candidate numéro 6 me sourire, après avoir ôté de minuscules écouteurs de ses oreilles.

« Tu ne te souviens pas de moi ?

– Oui, la candidate numéro 6.

– Noa », m'a-t-elle précisé en me serrant la main.

Quelque chose dans le doux contact de ses doigts effilés m'a poussé à retirer promptement ma main.

« Et alors ? Tu cherches un appartement ?

– Non. J'habite ici.

– Ah bon, tu es de Jérusalem ?

– Oui. Je travaille dans un café, plus bas. Et toi ?

– Je ne connais pas cette ville. Je ne comprends pas pourquoi un établissement comme Betsalel se trouve ici. La seule pensée de passer ici quatre ans me donne des boutons.

– Tu cherches un logement ?

– Oui. Je viens chaque jour pour chercher un logement dans cette foutue ville. Chaque jour, j'en vois cinq, six, et tu ne vas pas croire pour quels trous à rats ils demandent 500 dollars !

– Oui, les prix, ici, sont dingues.

– Mais, aujourd'hui, j'ai visité quelque chose de charmant à Nahlaot. En plus, c'est là que je voulais être. Quitte à vivre à Jérusalem, autant que ça en vaille la peine.

– C'est sûr, tous les étudiants de Betsalel habitent ce quartier.

– Ce bus va à la gare routière, n'est-ce pas ? fit-elle en montrant d'un geste de la tête un bus qui approchait.

– Oui.

– Je suis contente de t'avoir revu. Bon, on se revoit pour le début des cours ?

– Je n'ai pas été admis.

– Quoi ? s'est-elle écriée. Impossible ! » ai-je eu le temps d'entendre, avant que le bus ne referme la portière.

Bien fait, me suis-je dit en attendant mon bus pour Beït-Hakérem. C'est bien de recevoir ça en pleine figure, maintenant. Il fallait que je reçoive cette claque retentissante de la part de Betsalel, pour me réveiller du rêve que je m'étais autorisé, je ne sais comment, à échafauder. Je suis un travailleur social, avec une licence universitaire, de bonnes notes et la possibilité d'occuper un emploi honnête. Qu'ai-je à voir avec la photo ? Qu'ai-je à faire d'un boulot dans des combles puant les médicaments et la merde ?

Lettre de réponse

J'ai donné à manger à Yonatan, lui ai brossé les dents, changé sa couche et lui ai enfilé un pyjama. Je lui ai massé la plante des pieds et les mains avec une crème puis l'ai préparé au sommeil. J'ai repoussé mon départ de Jérusalem au lendemain. Demain matin, oui, demain matin, quand Osnat arrivera, je lui annoncerai que je m'en vais. Je ne vais même pas réclamer mon salaire d'août. Je vais déguerpir, tout simplement.

Quand les yeux de Yonatan se sont fermés, j'ai pris l'appareil photo sur l'étagère du haut. Depuis ce jour maudit de l'entretien à Betsalel, j'avais cessé de l'utiliser. Pendant presque six mois, j'avais consommé au moins la moitié d'une pellicule par jour et j'en faisais développer trois chaque semaine, mais, depuis, j'avais perdu le goût de la photo. La première semaine, je sortais encore, appareil à l'épaule, puis je l'ai remisé dans l'armoire. J'ai ôté l'objectif, j'ai regardé à travers le point lumineux le plus éloigné qui brillait par la fenêtre. Ensuite, je l'ai dirigé sur le visage de Yonatan et j'ai essayé de faire le point sur ses yeux mi-clos.

J'ai presque fait tomber l'appareil en entendant frapper à la porte. « Une minute », ai-je crié tout en remettant l'appareil dans sa housse noire et en le poussant dans l'armoire. Avant d'ouvrir la porte, je me suis efforcé de retrouver une contenance. J'ignorais que Rouhèlé était de retour. En général, je surveillais discrètement ce qui se passait au rez-de-chaussée, guettais le bruit des clés quand elle pénétrait par la porte d'entrée, écoutais ses pas, le trousseau jeté sur la table du salon. J'entendais le robinet de la cuisine, reconnaissais le chuintement de la porte du réfrigérateur, le tintement des bouteilles retirées, le crissement des assiettes entrechoquées, le déclic de l'allumage des lumières. Je savais quand elle était au salon et quand elle se rendait dans la chambre à coucher. Ce soir, peut-être parce qu'elle était rentrée plus tôt et que j'étais encore dans la salle de bains avec Yonatan, je ne l'avais pas entendue.

« Je crois que c'est pour toi », m'a-t-elle dit en me tendant une enveloppe blanche rectangulaire. Puis elle est sortie en refermant la porte derrière elle. Une lettre de Betsalel. J'ai identifié l'en-tête de l'établissement imprimé au recto de l'enveloppe, au-dessus d'une étiquette portant mon nom, je veux dire, celui de Yonatan, et l'adresse de Beït-Hakérem.

« Je vous prie de m'excuser », ai-je dit à Rouhèlé. Elle était assise à lire dans un fauteuil. Jamais auparavant je n'avais pris l'initiative d'entamer une conversation avec elle, mais il était clair qu'elle savait que j'avais utilisé le nom de son fils. La preuve : elle n'avait pas ouvert l'enveloppe.

« Je n'avais vraiment pas l'intention, l'ai-je implorée, regard baissé. Je ne sais pas du tout ce qui m'a pris…

– Assieds-toi », m'a-t-elle ordonné. Je suis resté debout, déconfit.

« Je m'excuse, ai-je bredouillé, je m'excuse sincèrement, madame. C'était juste un jeu. Je ne sais vraiment pas pourquoi je me suis inscrit sous son nom et pas sous le mien. »

C'était vrai, je ne savais pas pourquoi. Parce que Yonatan était photographe, parce que c'était son appareil, son passe-temps, parce que tout ce que j'avais appris dans ce domaine provenait de ses livres et de ses photos, que je compulsais pendant les heures creuses que mon travail auprès de lui m'imposait ? Peut-être par jeu, je ne saurais dire. Mais, en photographiant, je devenais un autre homme, presque inconnu de moi, un étranger. Quand je tenais l'appareil en main, je sentais que je perpétuais Yonatan ou ce que Yonatan avait été. Je ne lui ai pas parlé de la boîte aux lettres, de mon boulot au café et du compte bancaire ouvert au nom de son fils. Elle n'aurait sans doute pas compris.

« Madame…, ai-je bafouillé de nouveau.

– Ne m'appelle pas madame, m'a-t-elle coupé, et assieds-toi. Ne joue pas l'ouvrier arabe paumé, qui me donne du madame et me demande pardon ! »

Jamais auparavant quiconque ne m'avait appelé « Arabe paumé » et ne m'avait parlé sur un ton aussi dédaigneux.

« Quoi ? Je t'ai offensé ? Eh bien, c'est parfait ! Je suis très contente. Alors, fais-moi plaisir et ne parle plus sur ce ton larmoyant d'Oncle Tom devant sa lady blanche. Et, une fois pour toutes, assieds-toi, s'il te plaît.»

Je me suis assis en face d'elle, prêt à lui balancer à la figure un des livres posés sur la table. Fini. Je ne vais plus m'excuser, et qu'elle appelle la police, si ça lui chante. Je n'ai pas peur d'elle ni de quoi que ce soit au monde.

«Écoutez-moi, madame, ai-je dit, cette fois sur un ton rogue. Je sais que j'ai commis une faute, que je ne peux pas expliquer, pas même à moi-même, pour l'instant. Mais je n'ai pas l'intention d'étudier la photo sous le nom de votre fils et je n'avais pas de raison claire de m'inscrire sous son nom. Comme vous le savez, j'ai mon bac et une licence, et mes chances d'être admis à Betsalel, si je voulais vraiment y étudier, auraient été meilleures si je m'étais inscrit sous un nom arabe.

– Oui, a-t-elle ricané. Je connais bien Betsalel, ils acceptent le premier Arabe venu. C'est peut-être pour ça que tu as préféré te présenter sous un nom juif?

– Non, ce n'est pas à cause de ça.

– Alors, pourquoi? Je peux comprendre ton besoin d'être jugé à ta juste valeur, sur la seule base de tes travaux, et non à cause de ton origine. C'est une démarche assez sophistiquée, je l'avoue.

– Je ne crois pas que ce soit la véritable raison.

– Pourquoi pas? Tu t'es inscrit sous un nom juif, ashkénaze en plus, et donc sans le moindre risque de bénéficier d'indulgence ou d'une discrimination positive. À mon avis, tu n'as pas voulu qu'on te fasse une fleur…

– Je n'en connais pas la raison.»

En tout cas, j'avais désormais compris qu'elle ne voulait pas m'accuser ni m'accabler.

« Peut-être est-ce parce que je savais que Yonatan voulait suivre les cours de Betsalel », ai-je laissé échapper, et j'ai aussitôt constaté le brusque changement d'expression de ses traits. Peut-être parce qu'elle venait à peine de comprendre que j'avais fouillé dans ses tiroirs.

« Je sais, a-t-elle reconnu tristement.

– Je suis vraiment désolé, vraiment. Je n'avais aucune intention de vous faire du mal.

– Tu ne m'as fait aucun mal. Bon, au moins, dis-moi ce qu'il en est.

– À propos de quoi ?

– Eh bien, tu as été admis, oui ou non ? »

CHAPITRE V

Transe

L'avocat s'adossa au mur, s'efforçant de ne pas glisser sur le sol carrelé des étroites toilettes crasseuses. Les basses assourdissantes de la piste de danse martelaient ses oreilles. Il avait la sensation de se trouver sur le pont d'un bateau tanguant au cœur d'une tempête, il essaya d'aspirer une longue bouffée d'air et d'apaiser le tourbillon d'images qui menaçait de l'éjecter pardessus bord. La tempête retournait ses intestins, ses jambes se dérobaient sous lui. Il chercha à tâtons un rouleau de papier, mais ses doigts n'effleurèrent que du métal. Sur le couvercle de la chasse d'eau, il aperçut un rouleau de papier rêche et, afin de l'atteindre sans tomber, il tenta d'affermir sa position sur le sol détrempé et maculé de traces noires et posa la main droite sur le couvercle du réservoir. Ensuite, il plaqua sa main libre sur le mur derrière la chasse et réussit à éviter la chute. Quand il fut sûr de son équilibre, il retira la main du mur d'un geste vif, empoigna le rouleau avant de s'adosser de nouveau contre le mur. Il déchira un grand morceau de papier, le jeta au pied de la cuvette, le foula de son pied gauche en tentant de nettoyer le sol crasseux. Il se sentit soulagé en s'agenouillant face à la lunette des toilettes. Il enveloppa sa main droite de papier, puis sa main gauche, comme deux gants à l'aide desquels il se cramponna aux rebords de la lunette avant d'approcher la tête de l'eau dégoûtante de la cuvette. Il lui semblait voir le reflet de son visage se brouiller dans l'eau. La porte des toilettes s'ouvrit et l'effroyable techno envahit le local, puis s'éteignit lorsque la porte se referma d'elle-même. « Et alors ? Ça va durer longtemps ? » Il devait se retenir jusqu'à ce que le gars se lasse et renonce. L'avocat ne voulait pas que quelqu'un l'entende vomir.

En fait, dès son départ de la maison, l'avocat eut conscience de commettre une erreur. Il s'immobilisa sur le seuil, après avoir laissé derrière lui sa femme en pleurs. Elle le supplia de rester, lui répéta qu'elle ne comprenait rien à toute cette histoire, l'implora de lui expliquer, mais il sortit en emportant sa serviette, sans un mot. Il devait lui prouver sa détermination absolue. Elle devait se rendre compte que quelque chose s'était brisé. Mais il avait à peine franchi la porte qu'il souhaita rentrer chez lui et, si elle l'avait suivi, sans doute serait-il revenu. L'avocat désirait retrouver sa vie d'avant. Lui-même cherchait une explication plausible aux agissements de son épouse, une explication qui puisse le satisfaire, avec laquelle il puisse continuer à vivre sereinement. Il refusait d'y croire, et il échafauda même un alibi à la place de son épouse.

En mettant le contact, il espérait qu'elle, de son côté, ne s'enfuirait pas. L'avocat redoutait de découvrir à son retour qu'elle était partie. Qu'elle avait emmené les enfants chez ses parents, avec une petite valise de vêtements. Et si son amant la conduisait là-bas ? Maintenant que son aventure n'était plus un secret, qu'est-ce qui l'empêchait de téléphoner à son amant ? C'est sans doute ce qu'elle est en train de faire en ce moment même, elle lui parle au téléphone, fait semblant de se lamenter alors que son cœur exulte, elle jouit de tout ce drame, sentant la vie bouillonnante et tumultueuse s'emparer d'elle comme dans ses chers feuilletons égyptiens, syriens et libanais. Et lui, l'amant – aucun doute qu'il soit aussi stupide qu'elle – de lui débiter des mots d'amour, de la rassurer, de lui promettre qu'il la défendra, la protégera, sacrifiera sa vie pour elle… Qu'elle s'en aille avec qui elle veut, se dit l'avocat tout en se perdant en conjectures sur le caractère complexe de cet amant qui, d'un côté, s'intéresse à l'art et à la littérature et, de l'autre, s'entiche de feuilletons à l'eau de rose égyptiens.

L'avocat téléphona à son épouse avant même de mettre en route son véhicule, non pour lui parler mais pour vérifier que la ligne n'était pas occupée. Il laissa sonner deux fois et coupa la communication. Puis il pensa qu'elle parlait à son amant depuis le fixe et il en composa le numéro, attendit une sonnerie, qui le rassura. C'était elle qui, à présent, essayait de le joindre, elle avait dû voir son appel. Il en fut tout requinqué et, évidemment, il ne lui répondit pas.

Il roulait lentement, tentant de reconstituer le fil des derniers événements. Le retour de son épouse, l'expression de son visage quand elle lui avait expliqué que la batterie de son portable s'était déchargée. Avait-elle tout prévu ? Il la connaissait depuis plus de sept ans, et il n'avait jamais pensé qu'elle puisse prendre de telles précautions, se conduire avec autant de ruse. Il se souvenait de rencontres auxquelles elle se rendait seule, de réceptions qu'elle prétendait organisées par son travail, ou de visites auprès de ses amies. Cela avait lieu au moins une fois par semaine. Sauf qu'avant de trouver son mot doux, l'avocat n'avait jamais eu le moindre soupçon. Et si elle avait dit la vérité ? Peut-être que sa batterie était vraiment à plat... Peut-être était-elle allée avec Fatène boire un café et papoter, comme à leur habitude ?

L'avocat avait respiré un grand coup avant d'appeler chez Fatène. Il n'était pas tard, et il savait qu'il pouvait téléphoner chez le comptable, son ami depuis l'université.

« Bonsoir, avait dit l'avocat, en s'efforçant d'adopter un ton détaché.

– Bonsoir, lui avait répondu Fatène.

– Et alors, c'est comme ça ? avait-il persiflé, s'échinant à mettre un zeste de légèreté et de cajolerie dans ses propos. Vous nous abandonnez à la maison pour passer du bon temps au café ? »

Son cœur avait battu la chamade.

« Eh, pas plus d'une demi-heure, qu'est-ce que vous avez à vous plaindre ? »

Le corps de l'avocat avait tremblé de plaisir et de soulagement.

« Passe-moi Anton, s'il te plaît. »

L'avocat avait dû trouver un prétexte à cet appel.

« Je me suis dit que si les femmes peuvent se permettre d'aller boire un café, nous aussi, on a le droit. Ça te dirait de prendre une petite bière à l'hôtel Ambassador ? »

Il avait espéré qu'Anton refuserait.

« J'aurais bien voulu, avait soupiré Anton, à la grande joie de l'avocat. Mais je viens juste de rentrer avec les enfants. Je les ai emmenés au restaurant. Ma très chère épouse n'a rien préparé, tellement elle est occupée...

– Je savais bien qu'on ne peut pas compter sur toi. Bon, à une prochaine fois. *Yallah*, bonne nuit. »

Bon, elle avait vraiment vu Fatène. L'avocat allait faire demi-tour et rentrer chez lui, sauf qu'il n'avait toujours d'explication convaincante concernant le billet de sa femme. Il quitta les rues étroites de son quartier pour gagner la route principale qui, jadis, reliait Bethléem à Jérusalem. Il appela Tareq et comprit, à ce moment-là, que Tareq était, ce soir-là, le seul individu qu'il eût envie de voir et qui ne se déroberait pas. Il perçut dans la voix de son jeune collègue, qui regardait la télé chez lui, une intonation joyeuse : « Dis-moi, où vas-tu siroter une bière quand tu en as envie ? » Après qu'ils eurent fixé leur rendez-vous, l'avocat appuya sur l'accélérateur dans la rue déserte et essaya de se souvenir de la date précise à laquelle l'entrée principale de Bethléem avait été bouclée.

Futon

L'avocat ouvrit les yeux, triste de ne plus pouvoir pleurer. Il désirait tant revenir au domicile de ses parents, son véritable foyer contrairement à tous les appartements qu'il avait occupés à Jérusalem, et même cette magnifique maison qu'il avait fait construire. C'était comme si tout son périple au long des années à Jérusalem n'avait été qu'éphémère. Il désirait retrouver son lit d'enfant, la chambre glacée qu'il partageait avec ses trois frères, le mince matelas sous lequel sa mère glissait un tapis de laine de mouton l'hiver. Il se languissait de ce frisson qui le saisissait, le matin, sur le chemin de l'école, alors qu'il marchait d'un pas assuré, fier d'avoir préparé ses devoirs d'une écriture que lui enviaient ses camarades et qui emplissait ses parents d'orgueil. Il regrettait de n'être pas retourné au village, ses études terminées, de ne pas avoir écouté son père qui le suppliait de revenir chez lui.

L'avocat avait du mal à garder les yeux ouverts. Voguant entre rêve et réalité, dans la chambre à coucher de Tareq, il songeait que la première chose qu'il ferait, lorsqu'il aurait recouvré ses esprits, serait de renvoyer le jeune homme dans son foyer. Au besoin, je le licencierai et veillerai à ce qu'aucun avocat de Jérusalem ne l'embauche, se dit-il. Il se désolait d'avoir dissuadé Tareq de retourner chez lui, de l'avoir convaincu de s'installer dans cette ville, sachant qu'il avait fait cela pour se prouver à lui-même qu'il devait s'enraciner à Jérusalem, que tout le reste n'était rien d'autre qu'une fuite. L'avocat se souvint, à ce moment-là, que la soirée avait été très arrosée et que Tareq avait conduit sa propre voiture, voulant le ramener chez lui, ce à quoi il s'était opposé de toutes ses forces. En revanche, il avait oublié comment il s'était retrouvé dans les draps de Tareq et il supposa que le jeune avocat avait préféré laisser son lit à son patron et dormir sur le canapé de l'entrée.

Une douleur aiguë traversa le crâne de l'avocat. La soif l'étranglait. De cette soirée, il gardait la sensation confuse d'une expérience pénible et affligeante plus qu'un souvenir clair. Il s'était conduit comme un abruti. Il avait bu comme jamais il n'avait bu, et il s'était comporté comme jamais il ne se l'était autorisé, sous les yeux de l'avocat qu'il employait dans son cabinet. Mais ce qui le préoccupait par-dessus tout, c'était de savoir s'il n'avait pas laissé échapper, dans son ivresse, quelque chose à propos du billet de sa femme, de ses mensonges, des livres de Yonatan. Certes, il se rappelait certaines choses, des bribes d'images et des discussions entières du début de la nuit. Il n'avait rien révélé d'explicite à propos de sa femme ; aussi était-il enclin à s'attribuer le bénéfice du doute. Il se souvenait de s'être rendu avec Tareq dans un pub, la Barque, dans la Jérusalem-Ouest.

Il avait été étonné et pris d'un fou rire en pénétrant dans cette Barque, ce bar déglingué et pouilleux, une sorte de hangar puant la bière, la sueur et la cigarette. Tareq s'était excusé : « Je t'avais prévenu. Je t'avais dit que ce n'était pas pour toi », et avait suggéré d'aller ailleurs, dans un endroit « plus propre », mais l'avocat s'était obstiné à rester là. Ils s'étaient installés à une table de bois grossier dans un coin du pub, proche de la piste de danse, et avaient commencé par une bière Taybeh à la pression. Tareq avait expliqué que c'était l'un des rares endroits à vendre, par principe, de la bière palestinienne, assurant que c'était là l'un des bastions de la jeunesse gauchiste de Jérusalem et que la plupart des habitués étaient des étudiants des beaux-arts, de Betsalel, du conservatoire d'acteurs Nissan Nativ et de l'école de cinéma.

« Il y a même des étudiants arabes qui viennent ici, avait-il ajouté. Pas beaucoup, mais il y en a.

– Et des étudiantes arabes ? » s'était enquis l'avocat.

Tareq avait hoché la tête.

« Aussi. Pas beaucoup, mais certaines fréquentent ce pub. »

Tareq avait tourné la tête vers la porte qui venait de s'ouvrir sur un jeune couple.

« Tu attends quelqu'un ? demanda l'avocat avec un clin d'œil et un sourire.

– Je ne sais pas », répondit Tareq. L'avocat eut le sentiment que sa question l'avait gêné, surtout que tous deux n'avaient jamais évoqué de choses intimes ensemble. Mais les choses intimes représentaient tout ce qui intéressait l'avocat, et c'est pourquoi il avait téléphoné à Tareq. Il se sentait « comme un aveugle, comme un sourd, dans un mariage endiablé », selon le proverbe arabe. Il voulait comprendre, savoir ce qu'éprouvaient les jeunes

Arabes, surtout les jeunes femmes, ce qui avait changé depuis qu'il avait quitté la fac. Or, à cette époque-là déjà, pendant ses derniers jours sur le mont Scopus, un vent nouveau de maudite liberté sexuelle se levait. L'avocat n'avait pas goûté à ces délices, lui n'avait jamais couché avec une Arabe à l'exception de son épouse, bien qu'à l'université, loin du regard des parents et du qu'en-dira-t-on, d'autres lois eussent cours. Il y avait là une sorte de règle implicite, selon laquelle ce qui se passait loin de la maison demeurait loin de la maison.

Le pub commençait à se remplir, l'avocat offrit une autre bière à Tareq et suggéra de commander un whisky de qualité, bien que la Barque n'eût pas ce genre de whisky, ni du malt ni du single malt, et ils durent se contenter de Johnnie Walker Label Rouge.

Après avoir avalé son whisky, l'avocat avait sondé Tareq : épouserait-il une fille qui ne serait pas vierge ? « Pas de problème, avait répondu Tareq, en haussant les épaules.

– Moi aussi, je pensais ça, jadis.

– Et tu as changé d'avis ?

– Je ne sais pas. Je ne sais vraiment pas quoi penser.

– Et même, poursuivit Tareq, non seulement je n'aurais aucun problème à épouser une fille déflorée, mais, en fait, j'aurais un sérieux problème avec une vierge.

– Qu'est-ce que tu me chantes là ? sourit l'avocat, comme si la réponse de Tareq l'encourageait.

– Je veux épouser une Arabe qui a baisé avec le monde entier. Mais seulement si c'est son choix. J'en veux une qui a couché avec des garçons arabes, puis les a jetés. Une qui se fiche de tous. Ainsi je saurais qu'elle m'a choisi, moi, non par contrainte, non par convenance sociale. Je veux être sûr qu'elle me veuille, moi. »

À ce moment-là, il avait balayé les propos de son jeune collègue, prétendant qu'il s'exprimait ainsi parce qu'il n'avait rien de concret en vue, et que ses propres parents le pendraient par les couilles si leur fils souillait leur honneur. Il avait continué au whisky, tandis que Tareq se contentait de bière. À un moment donné, le pub fut bondé, et la foule entière parut jeune et séduisante à l'avocat. Son embarras s'évanouit, il se convainquit qu'il était aussi beau qu'eux et se risqua sur la piste de danse. L'avocat voulait séduire une fille. Les émissions de télé le garantissaient : la clé, c'était le regard. Cette nuit, il ferait ce qu'il n'avait jamais osé. Cette nuit, il la tromperait. Et la femme qui s'éprendrait de lui cette nuit, il l'emmènerait dans l'hôtel le plus cher de la ville : au King David. Il regardait les femmes danser autour de lui, et laissait ses pensées divaguer. Il allait rencontrer une femme particulièrement intelligente, et belle bien sûr, et pleine de gaieté, avec laquelle il pourrait même vivre pour toujours. Il divorcerait de sa femme, et, ainsi, nul ne prétendrait que leur ménage avait été brisé à cause d'une liaison de son épouse. Les gens diraient qu'il n'était qu'une ordure, un coureur de jupons, et la rumeur affirmerait qu'il s'apprêtait à épouser une fille de dix ans plus jeune que lui. Oui, voilà qui serait honorable. Et si c'était une jeune Arabe dévergondée du genre qu'avait décrit Tareq, ce serait merveilleux. Une fille qui aurait couché puis jeté ses amants, de jeunes Arabes, comme des chaussettes. Du moment qu'elle ne lui mentait pas. Surtout qu'elle soit sincère.

Aucune des filles qui se trémoussaient autour de lui ne répondait à ce critère, et il attendait que s'encadre dans la porte celle qui, dès le premier instant, viendrait danser avec lui, et, de son propre chef, irait au lit avec lui et désirerait coucher avec lui. Il aurait alors recours à sa bonne vieille recette et se révélerait un amant exceptionnel et, au moment où il se pencherait sur elle, ou peut-être qu'elle se pencherait sur lui, il penserait aux chèques qu'il avait déposés en banque depuis le début du mois, la pénétrerait puis se retirerait en calculant les intérêts qu'il devait payer, les remboursements de TVA et les contributions fiscales. Le lendemain, elle lui assurerait qu'il était l'unique et qu'elle désirait vivre avec lui pour le restant de ses jours, et tous ses amis en auraient les yeux exorbités, et surtout sa pute d'épouse.

Il continuait à papillonner autour des filles, pensant trouver l'élue pour, aussitôt, en dévisager une autre, mais, peu à peu, il comprit que ses regards demeuraient sans réponse. Son assurance s'était tout à coup transformée en nausée et en dégoût et ses dandinements séducteurs s'étaient réduits aux tremblement de ses genoux. Il s'était ensuite frayé un chemin jusqu'aux toilettes pour y vomir ses entrailles.

L'avocat tourna la tête à droite et à gauche. Son pantalon et sa chemise étaient jetés sur une petite chaise dans un coin de la chambre à coucher de Tareq, à côté d'un large futon. Il se hâta de se lever, en caleçon, et fut pris d'un vertige. Sa serviette en cuir était posée sur une chaise. Il l'ouvrit en évitant de regarder les livres et chercha son téléphone. Il indiquait huit heures du matin et vingt appels en absence, tous en provenance de sa femme. Le dernier appel datait d'un peu après deux heures du matin. Le sentiment qu'elle s'était inquiétée consola l'avocat, mais la consolation laissa aussitôt place à la crainte qu'elle ne se soit réfugiée avec les enfants chez ses parents. Peut-être ne l'avait-elle pas appelé par inquiétude ni pour s'excuser, mais pour lui annoncer qu'elle partait avec les enfants, qu'elle ne voulait plus jamais le revoir, qu'à ses yeux il n'était qu'un nul absolu et l'avait toujours été. Peut-être avait-elle voulu lui dire qu'elle avait été bien idiote de sacrifier ses plus belles années avec un pauvre type de son acabit, qui lui donnait la nausée. Peut-être voulait-elle lui confesser son amour, révéler le nom de son amant parfait, vanter son dévouement. Maintenant qu'elle avait gagné, elle pouvait lui jeter à la face tout ce qu'elle avait sur le cœur.

Quelle erreur terrible il avait commise, se dit l'avocat, lui, justement lui, un être réfléchi de sang-froid ! Il avait raté l'occasion de l'abandonner sans un sou, de la priver de ses enfants et de la réduire à néant. Au lieu d'attendre un jour de plus, de se taire jusqu'à l'ouverture, dimanche, des tribunaux de la charia et d'y déposer une demande de divorce. Car, bien sûr, devant les tribunaux israéliens, sa femme obtiendrait tout ce qu'elle exigerait, la garde des enfants et une pension alimentaire à vie. La seule chance qui lui restait était d'attendre, dès l'aurore, à la porte du tribunal de la charia et d'y déposer une demande de divorce, avant qu'elle n'ait le temps de déposer la sienne devant un tribunal israélien des affaires familiales. Mais elle avait dû prendre conseil auprès de ses parents et de ses proches. À cette heure, songea-t-il, elle doit sûrement consulter un misérable avocaillon de Galilée, avec son accent merdique, et ils sont en train de rédiger l'acte de procédure. Va savoir ce dont elle est capable de m'accuser ! Il pensa à des mauvais traitements, à l'abandon d'enfants, à de la violence verbale, et il supposa qu'elle y ajouterait de la violence physique. L'incident de l'armoire aux vêtements de la veille aurait la priorité dans sa liste des griefs, sans compter la jalousie, les soupçons injustifiés et les accusations infondées.

L'avocat fouilla dans la poche de son pantalon à la recherche d'une cigarette. La tête lui tournait toujours, et il avait soif.

Mais il ne gagna pas le salon, conscient que, derrière la porte, Tareq dormait encore, et il ne voulait pas le réveiller à une heure aussi matinale. Il ouvrit la fenêtre de la chambre à coucher qui donnait sur un balcon de l'immeuble d'en face. Un homme d'âge mûr, qui buvait son café et fumait sa cigarette, fixait du regard l'avocat. L'avocat se hâta de refermer le rideau, enfila son pantalon et sa chemise. À ce moment précis, la sonnerie d'un carillon retentit. Il tendit l'oreille, le carillon grinçant retentit à nouveau, puis la voix de Tareq, réveillé, grognant « Une minute », puis un « Qui est-ce ? » pâteux. L'avocat s'approcha de la porte de la chambre, y colla presque l'oreille pour entendre ce qui se passait à l'entrée. Il entendit la clé tourner dans la serrure, le grincement des gonds, puis la voix de son épouse.

« Bonjour, Tareq. Où se trouve mon fiancé ? » Sa voix lui parut légère.

L'avocat s'apprêtait à entrer dans le salon, mais il se reprit et retourna, sur la pointe des pieds, s'asseoir sur le lit. Il attrapa une cigarette et laissa la colère l'envahir. Aussitôt, il entendit de faibles coups à la porte, puis la poignée tourner et la porte s'ouvrir doucement. Son épouse se tenait devant lui, souriante, et il s'aperçut qu'elle faisait de son mieux pour conserver ce sourire accroché aux lèvres.

« Oh ! dit-elle en se tournant vers Tareq, le voilà, mon fiancé, il est déjà debout. »

L'avocat se taisait, et Tareq lui lança : « Bonjour !

– Bonjour, Tareq, répondit l'avocat. Pourrais-tu m'apporter un verre d'eau, s'il te plaît ? »

Son épouse restait à la porte, au bord des larmes, dévisageant son époux qui fulminait. Comme elle l'attirait, à cet instant-là ! Il n'avait qu'une envie : la saisir par le bras, la déshabiller brutalement, à la va-vite, lui baiser le cou, et l'allonger sur ce futon rigide. Ne renonce pas, se rappela-t-il, ne la laisse pas te berner. Ne laisse pas ses yeux suppliants t'attirer dans son piège. Souviens-toi, tu es en guerre. Ton ennemi, c'est cette femme dont tu ignores tout.

Son épouse prit la bouteille et les deux verres des mains de Tareq en souriant.

« Merci, lui dit-elle. Nous t'avons beaucoup dérangé…

– Non, pas du tout, Dieu m'en garde, répondit Tareq d'une voix éraillée par sa nuit sans sommeil. Je vais faire un saut au café du coin. Le patron préfère le café au lait, n'est-ce pas ?, s'enquit-il depuis le salon.

– Oui. Un café au lait bien fort.

– Et pour madame ? »

Si seulement il connaissait toutes les turpitudes de cette « madame », pensa l'avocat…

« Non, rien, merci. De toute façon, nous nous en allons tout de suite, n'est-ce pas ? » Elle interrogea du regard son époux, sans obtenir de réponse.

L'épouse de l'avocat déposa la bouteille et les verres à côté du futon et se tourna vers lui : « Es-tu disposé, s'il te plaît, à m'expliquer toute cette histoire ? » L'avocat lui jeta un regard noir, prit la bouteille et avala une longue gorgée. Qu'elle marine dans son jus. Puis il reposa la bouteille et la fixa avant de lui demander :

« Où sont les enfants ?

– Chez Nili.

– Que lui as-tu dit exactement ? Que ton mari s'est saoulé et que tu le recherches ?

– Non. Ne t'en fais pas. Je ne lui ai rien dit. C'est ça, ce qui te préoccupe tout le temps, ce que les gens vont dire ?

– Oui. C'est ce qui m'intéresse le plus. Ce que vont dire les gens. Et puis, baisse d'un ton, s'il te plaît, il y a des voisins.

– D'accord.

– Alors, qu'est-ce que tu as dit à Nili ? Pourquoi lui as-tu laissé les enfants ?

– Calme-toi, lui répondit-elle avec un brusque défi dans la voix, je n'ai rien dit. J'ai prétendu qu'on avait un cas d'urgence dans la famille, au village. Que tu étais parti là-bas, et que je te rejoignais.

– Quel cas d'urgence ?

– Assez ! Je ne le lui ai pas précisé.

– Et elle ne t'a pas questionnée ?

– Non, elle ne m'a rien demandé. Je lui ai rendu service un million de fois. Rassure-toi, personne ne sait quoi que ce soit. Personne ne sait que tu as découché et que tu t'es conduit comme un cinglé.

– Moi ?

– Oui, toi. Et j'attends toujours tes explications. Parce que je ne suis pas disposée à continuer de cette manière. Pas prête du tout, éclata-t-elle en sanglots, en refermant la porte entrouverte de la chambre.

– Marre de tes comédies, rétorqua l'avocat, avec un sourire devant le spectacle de sa femme en train de sécher ses larmes avec ses paumes.

– Tu es dingue, cria-t-elle. Tu as le cerveau dérangé.

– Tu peux baisser d'un ton ?

– Qu'est-ce que je t'ai fait ? Quoi ? Tu sais quoi ? dit-elle en agrippant la poignée de porte comme si elle voulait quitter la pièce. J'aimerais que tu t'étrangles.

– Tu es une menteuse et une femme infidèle. »

L'avocat s'était hâté de riposter avant qu'elle ne s'en aille. Mais, aussitôt, il eut la conviction qu'il avait échoué et qu'elle avait triomphé, encore une fois, haut la main. À peine lui avait-elle tourné le dos qu'il avait perdu tout son sang-froid.

« Qu'est-ce que tu as dit ?

– Tu es une menteuse.

– En quoi suis-je une menteuse, précisément ?

– Tu le sais pertinemment.

– Non, je ne le sais vraiment pas. Veux-tu bien me dire en quoi, exactement, j'ai pu mentir ?

– Écoute-moi bien, mon amour, dit-il, aussi dédaigneux que possible. Tous les deux, nous savons que tu as menti. Alors cesse ton petit jeu.

– Comment ça ? Quand est-ce que j'ai menti ? Tu ne crois pas qu'hier j'ai bu un café avec Fatène ? »

Sur ce, elle prit son portable. « S'il te plaît, appelle-la, demande-lui.

– Non, l'interrompit l'avocat dont le sang commençait à bouillonner. Ce n'est pas à cause de votre café. Tu sais très bien de quoi je parle. »

Il grinça des dents pour étouffer une terrible invective.

« Arrête, je ne suis pas né de la dernière pluie. Tu as menti et tu le sais très bien.

– Quoi ? Le billet ? sanglota-elle. Pour ce billet de merde ? »

Elle s'assit, enfouit son visage dans ses mains. Fort de son expérience, l'avocat sut que sa confession allait surgir. Ou un misérable prétexte qu'elle inventerait. Ces pleurs, ces mots n'étaient que le début de l'aveu.

« Où l'as-tu trouvé, ce billet ? demanda-t-elle, sans attendre de réponse. C'est qui, le chien qui te l'a apporté ? Tu crois que je me souviens que j'ai pu, un jour, écrire un billet pareil ? J'ai vraiment cru que ce n'était pas moi. Je l'avais oublié. Je n'ai rien compris à ton histoire. C'est mon écriture, d'accord, et alors ? Et c'est pour ça que tu me fais toutes ces salades ? Pour un billet que j'ai écrit il y a un million d'années ? Qui te l'a donné ?

– Quelle importance ? soupira l'avocat. Qu'est-ce que ça change qui me l'a donné ou comment c'est tombé entre mes mains ? Toi, tu m'as menti, et c'est cela qui change tout.

– Comment ai-je pu te mentir ? Tu crois que je m'en souvenais ? Toute la nuit, j'ai essayé de me rappeler les circonstances...

– Et tu t'en es souvenue ?

– Oui, je m'en suis souvenue, répliqua-t-elle avec un regard plein de dédain à l'adresse de son époux. Et tu sais quoi ? Si ça t'intéresse, si ça te préoccupe vraiment, eh bien, je suis une chienne pour avoir vécu avec quelqu'un comme toi. » Elle essuya ses larmes avec des gestes déterminés : « Fais ce qui te plaît », lâcha-t-elle en ouvrant la porte.

L'avocat se redressa brusquement et lui agrippa le bras : « Où vas-tu ?

– Je ne veux plus vivre comme ça.

– Et alors ?

– Si c'est ce que tu penses de moi, je ferai ce que tu voudras, d'accord ? Tu veux que je retourne chez mes parents ? Tu veux qu'on se sépare ? Comme tu voudras. Fais à ton aise.

– *Wallah*, fit l'avocat en resserrant sa prise sur son bras, tandis qu'elle essayait de se dégager et de quitter la pièce. Tu vas en profiter pour te précipiter chez lui ?

– Chez qui ? hurla-t-elle. Espèce de cinglé, chez qui ?

– Veux-tu bien baisser la voix ?

– Je ne veux pas.

– Avec lui aussi, tu joues à ce genre d'épreuves de force ? Ça l'excite ? »

Pendant un millième de seconde, l'avocat imagina sa femme gémissant de plaisir, comme elle ne l'avait jamais fait avec lui et, au-dessus d'elle, un homme vigoureux au sourire diabolique.

« Tu es givré. » Elle pleurait, le corps soudain amolli. Elle avait cessé de lutter contre sa prise. « Tu crois que je me souviens à quoi il ressemblait ?

– Tu t'en souviens, bien sûr que tu t'en souviens », répondit l'avocat, comme s'il s'adressait à une enfant.

Il prit d'un geste délicat les mains de son épouse qui cachaient son visage, lui sourit et, au moment où ses propres mains agrippaient les siennes et les abaissaient sur ses hanches, il eut le brusque désir de l'étreindre. Au lieu de quoi, l'avocat leva la main droite et, s'il n'avait pas entendu Tareq entrer dans l'appartement, il aurait sûrement giflé sa joue gauche avec une brutalité qui l'aurait précipitée sur le lit. Le seul langage qu'elle comprenait. Exactement comme dans les feuilletons égyptiens, se dit-il, et il respira lourdement, sa poitrine cognait, tandis que les basses de la virée de la veille lui vrillaient les oreilles.

Deux voitures

Samah ne fut pas surprise que l'avocat l'appelle un samedi. « Bonjour », lui répondit-elle. En fond sonore, on entendait des couinements de dessins animés. De temps à autre, il l'appelait le samedi pour lui demander un service qu'elle était la seule, bien sûr, à pouvoir lui rendre. Quant à elle, pour peu qu'un de ses enfants ne soit pas malade et qu'elle soit là, elle avait toujours du temps pour lui.

« Je cherche quelqu'un, lui dit l'avocat d'une voix hésitante, conscient qu'il mêlait sa secrétaire à une affaire capitale. Tout ce que je sais de lui, c'est que c'est un Arabe israélien, il doit avoir environ vingt-huit ans. J'en ai besoin pour un témoignage important. Un travailleur social. Je vais te donner le numéro du directeur du bureau d'aide sociale de la ville orientale. Selon les informations en ma possession, il a travaillé chez lui, il y a six ou sept ans, au service d'aide aux toxicomanes, et, un beau jour, il s'est volatilisé. Il ne s'agit pas d'informations très précises, mais c'est tout ce dont je dispose pour l'instant. Il me faudrait son nom et, éventuellement, le lieu où il travaille en ce moment. C'est tout. Rien de plus. » Il dicta à Samah le numéro de téléphone du directeur en question et ajouta : « Tu m'écoutes, Samah ? Si on t'interroge, dis que c'est pour un cabinet d'avocats, sans nous nommer, que ça a un rapport avec un héritage, etc. D'accord ? Merci, et je te prie de m'excuser pour le dérangement, mais il s'agit d'une affaire urgente. Mes amitiés à ton époux. »

L'avocat ouvrit le tiroir de son bureau pour y chercher des cachets contre la migraine, en vain. Sa tête le faisait encore souffrir, mais il savait qu'il ne pourrait plus se rendormir et il préféra rester dans son bureau. « J'ai du travail à terminer », avait-il dit à son épouse, bien qu'elle n'attendît aucune explication de sa part.

Il se leva pour se préparer un café fort dans la kitchenette, et but de l'eau à petites gorgées, car il avait lu sur un site Internet qu'elle serait absorbée plus facilement par son organisme. Il versa deux cuillerées pleines à ras bord de café dans un verre, puis de l'eau bouillante et touilla lentement. Bien que le site Internet mît en garde contre l'absorption de café après une gueule de bois, l'avocat savait qu'il devait se montrer alerte, fonctionner à plein régime et ne pas commettre de bêtises. Au cours des deux derniers jours, il en avait fait suffisamment.

« Je ne me souviens pas de son nom », lui avait dit son épouse à propos de l'homme à qui elle avait écrit le billet. Et, bien sûr, il ne l'avait pas crue. Elle avait reconstitué cette histoire devant lui, et l'avocat avait senti que, lorsqu'elle avait décrit cet individu dont elle avait oublié le nom, il y avait une trace de compassion, voire d'amour, dans sa voix.

Le café lui brûla le bout de la langue. Il s'assit à son bureau. L'image de cet homme, avec lequel il avait partagé sa femme, l'assaillit de nouveau. Car, même si sa version était exacte, selon laquelle il s'agissait d'un collègue de travail malmené par le sort, qui ne l'avait jamais touchée et qu'elle n'avait jamais touché, même si elle avait dit vrai, l'avocat avait compris que, pourtant, il y avait eu de l'amour entre eux. Quel idiot ! Jamais il ne lui serait venu à l'esprit que sa femme pût avoir aimé quelqu'un avant lui si tant est qu'elle l'eût aimé.

« Mais qu'est-ce que j'ai écrit, à la fin ? Que cette soirée avait été agréable et qu'il m'appelle. C'est tout ! » lui avait-elle seriné, après leur réconciliation apparente, réconciliation que l'avocat s'était dépêché de sceller, dès le retour de Tareq. L'avocat s'était ressaisi, excusé, avait affirmé qu'il la croyait. Et elle répétait qu'elle avait oublié ce billet. Elle lui avait raconté que cela avait eu lieu de nombreuses années auparavant, pendant sa formation au service d'aide aux toxicomanes. Elle avait écrit ce billet à un autre travailleur social, sans doute l'individu le plus bizarre qu'elle eût jamais rencontré. « Il était comme un petit garçon. Tous le martyrisaient, il était si désemparé », avait-elle dit, tandis que l'avocat réussissait à dissimuler la fureur que cette description provoquait en lui. Dans ce cas, il ne s'agissait pas d'un voyou, d'un coureur de jupons, mais d'un homme sensible qui, peut-être, avait lu tous les livres que l'avocat avait achetés à la librairie. Mais l'avocat ne cessait de s'interroger : pourquoi Yonatan ? Pourquoi un Arabe signerait-il ses livres « Yonatan », si, du moins, ces ouvrages lui appartenaient ?

« Comment aurais-je pu savoir tout ça ? » L'avocat s'était forcé à le lui dire avec un sourire. Il était conscient qu'une réconciliation était le seul moyen de ne pas perdre le procès qu'il projetait désormais contre sa femme. « Une lettre me tombe dessus, dont je m'aperçois qu'elle est de ta main, et je me perds en conjectures ! Mon Dieu, ma Leïla ? L'être humain le plus proche de moi au monde ? Pendant toute une journée, j'ai tourné en rond à réfléchir, j'ai essayé de trouver une réponse logique, espéré que tu m'en fournirais une, et quand tu m'as menti, tout mon univers s'est écroulé. Comme tu le vois, j'ai bu comme un trou, je voulais mourir. À cause de ce billet que tu as écrit. Pourquoi ne m'as-tu rien dit ? » Sans attendre de réponse, il avait répété : « Pourquoi ne m'as-tu rien dit ? » Comme s'il allait croire ses explications. Comme s'il la croyait, à cet instant même.

Son épouse avait éclaté de rire lorsqu'il lui avait parlé du livre dans lequel il avait trouvé le billet. « Tu l'aurais cru ? » avait-il dit en souriant et en brandissant *La Sonate à Kreutzer*. « Je mets les enfants au lit, j'attends ton retour de chez ton amie. Je prends le livre que je viens d'acheter dans ce magasin que tu connais, et hop, une lettre d'amour me tombe entre les mains. Au début, j'ai pensé que tu me l'avais écrite et glissée dans le livre. Alors, comment veux-tu que je réagisse ? Remercie-moi de m'être contenté de jeter tes vêtements par terre, j'aurais pu les brûler. »

Il semblait l'avoir convaincue. « C'est incroyable », s'était-elle exclamée, en jetant un œil à l'ouvrage, comme quelqu'un qui découvre une pièce à conviction pour la première fois. Elle ne l'avait pas reconnu. « Comment est-il arrivé là ? » l'avait-elle interrogé, sur un ton qui lui parut relativement sincère. « Tu sais, avait-elle ajouté, c'était l'individu le plus bizarre qu'on puisse imaginer. C'est simple, il s'est évaporé ce jour-là. Tous se moquaient de lui, le pauvre. » Mais ce mot, « le pauvre », de la manière dont elle l'avait prononcé, avait ravivé la souffrance de l'avocat. « Eh bien, tu as toujours aimé les gens bizarres », lui avait-il dit en étreignant ses épaules.

Tous deux avaient remercié Tareq, l'avocat s'était excusé pour le dérangement et lui avait promis de le dédommager, puis ils s'en étaient allés, chacun dans son véhicule. Elle était passée prendre les enfants, et lui s'était rendu directement chez eux, ainsi qu'il le lui avait dit, pour avoir le temps de prendre une douche avant qu'elle ne ramène les petits. « Je ne veux pas qu'ils voient leur père dans cet état. Ils t'ont demandé quelque chose à mon sujet ? l'avait-il questionnée, avant de monter dans sa voiture.

– Je leur ai dit que tu étais parti à ton bureau. »

« Tu m'entends ? lui dit Samah au téléphone, tentant de faire taire ses enfants qui braillaient. Taisez-vous une seconde.

– Je me tais, répondit l'avocat, s'efforçant de plaisanter, ce qui fit rire Samah.

– Un instant, je vais dans la chambre à coucher. Personne ne s'entend, avec ces mômes.

– Alors ? fit l'avocat, impatient, tandis que le silence s'installait.

– Amir Lahav, c'est le nom que j'ai obtenu.

– Tu en es sûre ? » s'enquit l'avocat qui nota le nom sur un bout de papier.

« Amir Lahav », murmura l'avocat à plusieurs reprises, puis il alluma une cigarette et jeta le briquet sur la table. « Qui te l'a dit ? Le directeur de l'aide sociale ?

– Oui. Je l'ai appelé, il ne m'a pas du tout posé de questions. Quand je lui ai dit que je cherchais quelqu'un qui avait travaillé chez lui, il y a quelques années, et qui avait disparu brusquement, il a aussitôt éclaté de rire. "Oh, là, là, d'où tu me sors ça, maintenant ?" il m'a dit sans arrêter de rigoler. Lui-même avait été son superviseur en troisième année d'université. Il faisait bonne impression, un brave garçon, un peu bizarre, mais il bossait bien, du genre rangé. Il a commencé à travailler dans le service après ses études. Il est resté quelques mois et, un beau jour, il a laissé une lettre de démission et s'est envolé.

– Il s'est envolé, mais c'était il y a des années.

– Exact. Il y a des années, confirma Samah sur le ton satisfait d'une employée zélée, pas peu fière d'avoir réussi à accomplir une mission capitale. C'est comme ça qu'il a dit. Il m'a souhaité de réussir à le dénicher et il a ajouté que, quand il a disparu, ils l'avaient cherché assez longtemps. Il m'a demandé de lui transmettre son meilleur souvenir, au cas où je le trouverais.

– Et alors ?

– Alors, je l'ai questionné, comme ça, pour voir s'il n'avait pas une adresse, un téléphone, quelque chose, et il m'a répondu qu'il allait fouiller dans ses dossiers d'étudiants, et il est revenu avec une adresse à Jaljoulya, un ancien numéro de téléphone et un numéro de carte d'identité.

– Ah bon ? Tu l'as noté ? » L'avocat avait presque bondi de son siège.

« Je l'ai écrit dans la cuisine, je te l'envoie tout de suite par SMS.

– Mille mercis, Samah, et je te prie de m'excuser de nouveau auprès de ton mari. Dis-lui que je lui ai gardé un excellent cigare. »

C'était donc ainsi qu'il s'appelait : Amir Lahav. L'homme dont l'avocat ignorait ce que son épouse avait bien pu faire avec lui, cette nuit où lui-même était tombé amoureux d'elle. Il se souvint que, ce jour-là, il avaient été surpris, lui et sa sœur, par le retour précipité de Leïla de sa fête estudiantine. Elle avait sûrement dû danser avec cet Amir Lahav, se dit l'avocat, et sa robe noire et l'expression de son visage lui revinrent en mémoire. Ses traits étaient tristes, et lui, l'imbécile, s'en était épris davantage. Cette nuit-là, il n'avait pas réussi à dormir, ruminant la manière de la conquérir. Elle non plus, bien sûr, n'avait sans doute pas fermé l'œil, non à cause de lui mais à cause de cet Amir Lahav et de la soirée passée avec lui, à la suite de quoi elle avait écrit ce billet – billet qui n'avait vraiment rien d'une lettre qu'échangent des collègues. C'était une lettre d'amour. Il a tout simplement disparu, lui avait-elle raconté ; à peine lui avait-elle écrit son billet qu'il s'était volatilisé… Elle ne l'avait jamais revu par la suite, avait oublié à son visage. « Si je le croisais dans la rue, je serais incapable de le reconnaître », avait-elle prétendu, et l'avocat, lui, savait qu'il est inutile de reconnaître un ancien amant pour continuer à l'aimer. L'avocat comprit que lui-même n'était qu'un pis-aller. Et si cet Amir Lahav n'avait pas disparu ? Et s'il revenait ? Il se remémorait avec douleur comment lui-même lui avait fait la cour, pendant des semaines ; l'humiliation le submergeait. Car, pendant tout ce temps, elle ne pensait pas à lui, fulmina-t-il, elle en attendait un autre.

L'avocat tapa « Amir Lahav » en hébreu sur un site de recherche, et il trouva des milliers de liens pour ce nom. Stylistes, avocats, menuisiers, professionnels en tous genres, d'autres noms liés à différents sites. Il chercha le nom suivi de « travailleur social », sans résultat. Ensuite, il tapa le nom en arabe, sans plus de succès.

L'avocat eut recours à la méthode en usage dans un État où l'on identifie un Arabe par son appartenance familiale. Il chercha le nom dans un annuaire et découvrit que la famille arabe Lahav avait de nombreuses ramifications et était originaire, justement, de Tira, et non de Jaljoulya comme l'avait indiqué Samah, où n'apparaissait aucun Lahav. Ces deux localités étaient situées dans le Triangle. Et Tira était très proche du village natal de l'avocat. Il serait donc du Triangle ? Ainsi son rival serait un villageois. Cet homme qui avait peut-être lu davantage de livres que lui et que sa femme lui avait préféré serait un péquenot de merde, comme lui ? L'avocat essaya de se calmer. Quelle importance si elle avait aimé quelqu'un d'autre avant lui, dans sa jeunesse ? Et si, au collège, déjà pubère, elle avait été séduite par un camarade, là aussi il serait jaloux ? Ses réactions n'étaient-elles pas celle d'un Bédouin acariâtre ? Qu'étaient devenues ses opinions progressistes sur le statut de la femme ? Et sa propre fille ? Ne s'était-il pas juré qu'il lui épargnerait les conventions sociales et l'éduquerait selon des principes de liberté ?

L'avocat savait pertinemment qu'il n'était pas disposé à se montrer anticonformiste. Si la société l'acceptait, si ses connaissances, les membres de sa famille ou ses amis avaient épousé des femmes ayant déjà eu une liaison, passe encore. Mais lui n'entendait pas être le seul dindon de la farce. En outre, pourquoi lui avait-elle dissimulé cette liaison ? Pourquoi lui avait-elle menti, si elle pensait n'avoir rien commis de mal ? Si elle-même avait honte de ses actes, au point de ne pas en parler à son époux, pourquoi devrait-il les accepter ?

L'avocat ne trouva pas de « Lahav Amir » dans l'annuaire. Il choisit au hasard un Lahav de Tira et l'appela de son bureau.

« C'est qui ? fit une voix fluette d'enfant. C'est qui ? »

L'avocat demanda : « Ton père », et la voix fluette gloussa. La mère prit le combiné :

« Allô ?

– *Salam aleïkoum* », dit l'avocat.

La voix de la mère changea, en découvrant un étranger au téléphone.

« *Aleïkoum as-salam.* À qui tu veux parler ?

– Je cherche Amir Lahav…

– Qui ? Non, c'est une erreur. Désolée.

– Je suis un avocat de Jérusalem, et je me suis dit que vous pourriez peut-être m'aider. Il est peut-être de votre famille…

– Une minute, dit la femme qui cria : Il y a au téléphone un avocat qui cherche quelqu'un du nom d'Amir Lahav, de notre famille. Tu connais cet Amir ? »

L'avocat put entendre le mari approcher et lui prendre le téléphone.

« Allô ? Qui est-ce ?

– *Salam aleïkoum.* » L'avocat répéta la salutation familière avec laquelle il voulait rassurer son interlocuteur et donner à son appel des allures de conversation ou de vérification anodines.

« *Aleïkoum as-salam.* Qui m'appelle ?

– Je suis avocat, répondit-il en donnant un nom sorti de son imagination. Je m'occupe d'une affaire d'héritage et je cherche un individu du nom d'Amir Lahav ; je me suis dit qu'il était peut-être de votre famille et que vous pourriez m'aider à le retrouver.

– Amir ? Je connais un Amir, mais c'est un jeune garçon, en classe préparatoire, je crois.

– Non. Ce n'est pas lui.

– Ah ! Peut-être cet Amir-là, le fils de… Un moment. » Il se tourna vers sa femme : « Dis-moi, comment il s'appelle le fils de l'autre, la fille d'Abou-Hassan, la veuve qui est partie, tu sais bien, comment elle s'appelle ?

– Myassar ? » L'avocat entendit la réponse de la femme. « Il se peut que ce soit ça. Si je ne me trompe pas, cet Amir que tu cherches n'habite plus à Tira. Ils sont partis quand il était petit, lui et sa mère, il y a eu des embrouilles dans leur famille, et ils ont quitté la ville. C'est peut-être lui.

– J'ai compris. Ils ne sont donc plus à Tira ?

– Si c'est de lui qu'il s'agit, je ne sais vraiment pas où ils peuvent bien habiter. Si ma mémoire est bonne, ils avaient déménagé à Jaljoulya, la mère et son fils, seuls. Mais je ne suis vraiment pas sûr.

– Jaljoulya ? Merci beaucoup, cher monsieur. Mille mercis. »

Aussitôt après avoir raccroché, l'avocat tapa « Jaljoulya » dans la rubrique « Choisir une ville » de l'annuaire Internet. Il ne trouva pas d'Amir, mais il dénicha le numéro de téléphone de Myassar La'av. Il sut que c'était le numéro qu'il cherchait, malgré l'erreur dans le patronyme. Les institutions israéliennes sont coutumières de ce genre de distorsions, quand il s'agit de noms arabes *.

* Cette erreur de prononciation, assez commune en Israël, provient de la confusion entre des consonnes assez semblables, le *alef* (muet), le *hé* (aspiré) et le *'ayin* (plus guttural) en transcrivant l'arabe en hébreu.

L'avocat composa le numéro. Son cœur battait la chamade, mais il s'efforçait de garder la tête froide. Et s'il décrochait ? Et s'il était retourné vivre chez sa mère ? Il raccrocherait aussitôt. S'il entendait une voix d'homme à l'autre bout du fil, il reposerait sûrement le combiné. Peut-être dirait-il un mot ou deux auparavant, ou alors il lancerait juste : « Amir ? » Et devant sa surprise et une réponse du genre : « Oui, c'est moi. Qui est à l'appareil ? », l'avocat couperait la conversation.

« Allô ? » fit l'avocat affolé en entendant son appel aboutir. Mais un message annonçait : « Il n'y a plus d'abonné au numéro que vous avez demandé. »

Du 95 sans plomb

Qu'avait-il l'intention de faire ? Qu'allait-il dire s'il trouvait le domicile d'Amir Lahav ? Le samedi, la circulation était assez fluide, et il pouvait couvrir la distance entre Jérusalem et Jaljoulya en une demi-heure environ. L'avocat éprouvait le besoin de se rendre là-bas, même sans sortir de son véhicule. Il ne pouvait plus rester enfermé dans son bureau, et il se dit qu'un trajet rapide par l'autoroute le soulagerait.

De rares voitures attendaient au feu rouge du vaste carrefour de la sortie de Jérusalem. Un samedi de balade, se dit l'avocat, en jetant un coup d'œil furtif à la famille dans une voiture immobilisée à sa hauteur. Il goûtait le fait que les conducteurs examinaient sa berline, il adorait découvrir par-dessus ses lunettes de soleil le regard curieux des femmes assises à côté du conducteur qui, sans aucun doute, tentaient de deviner la profession du nabab au volant de cette somptueuse voiture. Mais comme il enviait cette famille dans la voiture à sa droite.

La femme bavardait sans cesse avec son mari, peut-être se disputait-elle, et il se souvint des silences prolongés de son épouse pendant les trajets. Elle pouvait se taire des heures durant, ce qui l'avait toujours agacé. « Dis quelque chose », la pressait-il de temps à autre, alors qu'ils étaient en route pour une visite chez ses parents à lui ou ses parents à elle, ou quand ils se rendaient avec les enfants dans un hôtel luxueux pour le week-end. « Que veux-tu que je dise ? » répondait-elle invariablement.

L'avocat appuya sur l'accélérateur de façon ostentatoire et s'engagea dans la descente de Jérusalem, laissant à la traîne les promeneurs du samedi. Il se souvenait de son premier trajet avec son épouse, après la naissance de leur fille. Elle était assise à l'arrière afin de veiller sur l'enfant qui avait moins de un mois, et l'avocat roulait lentement, comme il ne l'avait jamais fait. Il suait, ses mains moites glissaient sur le volant, et il craignait de perdre le contrôle de son véhicule. Il roulait sur la voie de droite, tandis que son pied ne cessait d'écraser le frein. Il vouait une haine inexpiable à sa guimbarde, sentait qu'il ne pouvait plus lui faire confiance, qu'à tout moment un pneu pouvait exploser, qu'à chaque virage les freins allaient lâcher et le précipiter avec sa fille au fond du *wadi*. L'avocat secoua la tête pour chasser ses idées noires, joua avec la commande de la radio intégrée au volant et chercha un programme qui le distrairait de ses pensées. Mais en vain.

Qu'allait-il chercher là-bas ? L'avocat n'était sûr de rien. Peut-être la preuve de l'innocence de son épouse avec laquelle il ne couchait plus depuis des lustres ? Peut-être la certitude qu'elle l'aimait, bien que lui-même ne fût plus persuadé de l'aimer encore ?

Ou peut-être cherchait-il à retrouver son honneur perdu.

Que voulait-il, en fait ? Avoir la certitude qu'elle l'avait trompé ou reprendre le cours de sa vie avant qu'il ne trouve ce billet d'amour ? Sans doute valait-il mieux que sa vie fût ébranlée. C'était peut-être un signe du ciel, pensa-t-il, bien qu'il n'ait jamais cru aux signes célestes. Peut-être le temps était-il venu de s'en aller, de cesser de dormir tout seul dans le lit de sa fille et de tout recommencer ; choisir une nouvelle conjointe avec soin, épouser une femme qui éveille en lui un amour ardent, tel qu'il se l'imaginait dans les moments les plus tristes de son existence. L'avocat se souvint d'un article tombé entre ses mains, dans lequel un psychologue réputé expliquait que l'amour, c'était aimer quelqu'un plus que soi. Ressentir que cet être nous complète. L'amour, c'est la capacité de se sacrifier pour l'objet de son amour, avait-il écrit. En lisant cet article, l'avocat s'était interrogé sur ses propres sentiments à l'égard de son épouse, et la pensée que ce n'était pas le cas l'avait heurté. Non, elle ne le complétait pas. Dans une certaine mesure, il sentait même que la vie conjugale le limitait, y compris sur le plan économique, parce qu'il devait pourvoir à la subsistance d'une épouse et d'une famille, et aussi sur le plan professionnel car, s'il n'avait pas eu besoin de s'occuper d'eux, il serait retourné à l'université et aurait entamé une licence puis un doctorat afin de devenir maître de conférences, comme il le désirait jadis. En tout cas, il n'était plus disposé à sacrifier quoi que ce soit en sa faveur. Après tout, je lui donne tout, et elle n'a jamais manqué de rien. Il en revint à la question fondamentale, celle de l'amour de son épouse à son égard, et non celle de son amour pour sa femme. Sacrifie-t-elle quelque chose pour moi ? Force était de constater que ce n'était pas le cas.

Peut-être trouverait-il, quelque part, ce qu'on appelle une

« âme sœur ». Peut-être que, désormais, plus mûr, plus rangé, il serait plus conscient de ses propres désirs et pourrait se montrer plus réfléchi et plus équilibré, sachant distinguer une attirance passagère d'un amour profond et durable. Peut-être trouverait-il désormais la femme avec laquelle il pourrait, chaque nuit, partager le même lit, sentir la chaleur de son corps et lui offrir une quiétude qu'il n'avait jamais connue. L'avocat avait devant les yeux une femme sans visage, mais il savait que c'était celui d'un ange, et qu'elle s'endormait contre lui, apaisée, les traits sereins et épanouis. Il s'imaginait plonger dans un sommeil bienfaisant. Ils se complétaient l'un l'autre dans leur sommeil, dans une sorte d'enlacement volontaire, agréable : tous deux bougeaient leurs corps pendant le sommeil avec une harmonie parfaite, de telle sorte que la position de son propre corps s'accorde toujours au sien. Soudain, il sentit une vague de chaleur submerger sa poitrine. Peut-être voient-ils juste, tous ces poètes de l'amour dont il avait toujours méprisé le lyrisme ? Peut-être avait-il renoncé trop tôt à cette exaltation suprême dont il avait nié l'existence jusqu'à cette heure ?

Quant à elle, elle n'avait renoncé à rien. Elle se montrait même prête à mentir, à vivre dans le péché, à entacher sa réputation, et celle de sa famille, et à mettre en danger l'avenir de ses enfants, pour un amour qu'elle n'avait pas goûté auprès de son époux. Un bref instant, l'avocat admira le courage de son épouse, émotion fugitive qui se transforma sur-le-champ en répulsion irrépressible, une tête de linotte, une bonne femme arabe malheureuse, qui puisait son trop-plein d'exaltation dans des chansons d'amour et dans des feuilletons romantiques débordant d'un stupre kitsch. Seuls des gens des classes inférieures étaient capables de se laisser piéger par l'amour. Comme des bêtes sauvages, se dit l'avocat, qui avait toujours su qu'il était impossible de jeter un pont entre le lieu d'où il était issu et le milieu, inférieur, dans lequel elle avait grandi. L'amour est une religion, pensa l'avocat : les minables sont les plus susceptibles d'embrasser cette foi.

Tout en ruminant ces pensées, l'avocat prit soudain peur de les avoir conçues. Si c'est ce que je pense d'elle, il est évident qu'elle le ressent et préfère se consoler dans les bras d'un autre homme. Pendant quelques secondes, il assuma presque tous les torts. Faux, s'empressa-t-il de se corriger. Par Dieu, tout cela est faux ! Il se pouvait qu'il fût trop occupé, qu'il ne l'aimât plus comme jadis, mais nul ne pouvait affirmer qu'il la négligeait ou accablait la femme avec laquelle il vivait. Après tout, les nécessités de la vie les accaparaient, elle comme lui. Comment aurait-elle trouvé le temps d'y penser, de désirer ou d'aspirer à des émotions au point de les vivre ? Quand aurait-elle le temps de le tromper, de toute façon ?

Un panneau indicateur, dont quelques lettres en arabe et en hébreu étaient écaillées, accueillait les visiteurs de Jaljoulya. L'avocat s'arrêta à la station-service de l'entrée du village. Il n'était jamais venu dans cette bourgade, mais il savait, depuis son enfance non loin de là dans le Triangle, que c'était un lieu très délabré, même en comparaison des autres localités arabes de la région qu'avec le temps l'avocat avait appris à définir comme des « cités défavorisées » ; et il n'avait jamais croisé d'étudiant de Jaljoulya à l'université.

Un pompiste d'environ cinquante ans, sorti d'un petit bureau, s'essuyait les mains avec un chiffon. « Du 95 sans plomb ?

– Oui, le plein, s'il te plaît.

– Ça va chercher dans les combien, une bagnole comme ça ? l'interrogea le pompiste en introduisant la lance dans le réservoir.

– Je ne sais pas. Cher, sourit l'avocat.

– Une sacrée bagnole que t'as là. T'es pas d'ici, hein ?

– Non, répondit l'avocat. En fait, je suis venu chercher un camarade d'études, quelqu'un que je n'ai pas vu depuis des années.

– Qui ça ? l'interrogea le pompiste en familier des habitants. Il est d'ici, de Jaljoulya ?

– Oui. Il s'appelle Amir Lahav.

– Lahav ? grimaça le pompiste. T'es sûr qu'il est d'ici ? Parce qu'on n'a pas de famille de ce nom chez nous. Connais pas.

– Ce n'est pas grave, il se peut que je confonde. Je passais par là et je me suis souvenu de lui, mais il se peut que je me sois trompé. Il n'est peut-être pas d'ici.

– Baher ! cria le pompiste en direction du bureau.

– Quoi ? fit un jeune homme surgi du bureau, qui s'essuyait la bouche avec un morceau de papier, tout en continuant à mastiquer.

– Dis-moi, Baher, y a des Lahav chez nous ? C'est comment, son prénom ?

– Amir.

– Amir Lahav, tu connais ?

– Ah, ah, fit le jeunot, Lahav, hein ? Y a bien cette institutrice, ben, celle de Tira, ben, tu sais bien de qui je parle. Celle-là...

– Ah, oui, oui. Dis donc, c'est son fils ?

– Ça se pourrait bien, répondit le jeunot. Elle avait un fils à l'école. Plus âgé que moi. Il a été à l'université. C'est peut-être lui ? »

L'avocat sut que c'était lui.

« Qu'est-ce que tu peux bien chercher chez une femme pareille ? » ajouta le jeunot. Le pompiste se tourna vers lui, l'air gêné, de crainte que les propos de son aide ne leur attirent des ennuis. « Ce garçon est stupide, pardonne-lui. Ne crois pas un mot de ce qu'il a dit. Ce village, je te le jure, que Dieu pardonne à ses habitants qui ne laissent personne vivre sa vie tranquillement… Je peux te jurer que ton camarade a grandi dans un foyer honnête. Et si quelqu'un du village vient te dire le contraire, alors c'est un menteur, fils de menteur. Personne ne peut te dire qu'il a vu sa mère faire quelque chose de mal.

– Oui, répondit l'avocat. C'était un garçon en or, cet Amir.

– Je te l'avais bien dit ! fit le pompiste en refermant le couvercle du réservoir. Écoute, elle est locataire d'Oum-Bassem, que sa mémoire soit bénie. Tu montes jusqu'en haut, et là, à côté du dispensaire Maccabi, il y a un panneau avec une étoile de David, tu vas voir, puis tu tournes à droite. Tu fais cent mètres, et là, demande la maison d'Oum-Bassem. »

Décidément, toutes les localités arabes se ressemblaient… L'avocat s'en fit la réflexion en remontant les rues du village. Les municipalités soignaient l'entrée de l'agglomération, et au diable le reste ! L'important était que le maire puisse se faire tirer le portrait devant l'entrée solennelle de sa cité et l'imprimer ensuite sur les tracts de sa campagne électorale. Plus l'on s'enfonçait dans le village, plus les routes se rétrécissaient, voire se transformaient en chemins de terre qui, l'été, soulevaient des nuages de poussière et s'écroulaient en fondrières boueuses l'hiver. L'avocat roulait à faible allure, tandis que quelques passants se retournaient sur l'étranger et sa limousine. Il stoppa devant l'épicerie du coin devant laquelle étaient assis deux hommes âgés. Il ôta ses lunettes de soleil et ouvrit sa fenêtre. «*Salam aleïkoum!*» leur lança-t-il en exagérant son accent campagnard. L'avocat n'avait pas besoin qu'on l'oriente, il avait décidé de s'adresser aux deux oisifs afin d'évacuer les craintes et la curiosité du voisinage.

«*Aleïkoum as-salam!* répondirent les deux vieux à l'unisson.

– Je cherche la maison de *hadja* * Oum-Bassem.

– Oum-Bassem? Que Dieu la prenne en pitié», répondit l'un d'eux.

L'avocat s'efforça de dissimuler sa confusion d'avoir ignoré qu'il cherchait une femme décédée.

«Tourne à droite, poursuivit l'autre, en lui indiquant de la main le virage suivant. Dans le sentier, tu trouveras sa maison, pas la première, pas la deuxième, la troisième. C'est là, sa maison, que Dieu la prenne en pitié.

– *Taïch!* Longue vie à toi!» laissa échapper l'avocat, tel l'orphelin recevant des condoléances.

L'avocat fouilla dans sa serviette pour s'assurer que le livre s'y trouvait. Il se présenterait comme un homme de loi et expliquerait qu'il recherchait l'individu à qui était destiné le billet. Il imagina la réaction de l'homme et paniqua. L'affaire pouvait se révéler dangereuse. Car comment expliquer qu'il cherchait l'homme auquel ce billet était destiné? Ce billet ne portait même pas le nom d'Amir. Peut-être valait-il mieux se présenter en tant que journaliste, du moins au début, afin d'étudier le caractère de l'amant et de mesurer ses réactions. Il pouvait passer pour

* Un *hadj*, une *hadja* sont qualifiés ainsi après avoir effectué le pèlerinage (*hadj*) de La Mecque. C'est aussi un titre de respect à l'égard des vieilles personnes.

un journaliste menant une enquête sur le bureau d'aide sociale de Jérusalem-Est. Oui, se décida l'avocat, c'était ce qu'il ferait : il menait une enquête concernant un soupçon de corruption de longue date dans ce bureau. Et si cela ne paraissait pas crédible à cet Amir, il s'en irait aussitôt comme il était venu, et l'affaire serait close.

« Comment m'as-tu trouvé ? » lui demanderait sûrement Amir, et l'avocat affirmerait qu'une assistante sociale du nom de Leïla lui avait donné son nom. Il ne dirait pas, bien sûr, que c'était son épouse, mais il pourrait étudier sa réaction lorsqu'il prononcerait le nom de Leïla. C'était exactement ce qu'il allait faire, se dit l'avocat en garant sa voiture loin de la porte d'une maison que lui avait désignée un jeune enfant, car quel journaliste pouvait s'offrir une limousine coûtant plus d'un demi-million de shekels ?

L'avocat frappa à la porte, puis s'en éloigna aussitôt. Une voisine qui accrochait son linge sur une terrasse proche lui jeta un regard curieux.

La porte s'ouvrit, une quinquagénaire dévisagea l'étranger qui s'encadrait sur son seuil.

« Oui ? dit-elle en jetant un regard méfiant autour d'elle, l'air paniqué, pour vérifier lequel de ses voisins était témoin de l'événement.

– Bonjour, dit l'avocat.

– *Ahlan wasahlan*, bienvenue. Qui êtes-vous ?

– Dites-moi, je vous prie, madame, fit l'avocat sur un ton courtois : Amir Lahav habite ici ?

– Oui, répondit la femme d'une voix craintive. Qui êtes-vous ? Il lui est arrivé quelque chose ?

– Non, pas du tout, tenta-t-il de la rassurer. Je voulais juste bavarder un peu avec lui, rien d'important. Mais je comprends qu'il n'est pas chez vous.

– Non, répondit-elle, avec méfiance. Il n'est pas ici.

– Je suis un ami, lança l'avocat.

– Son ami ?

– Je m'appelle Mazen, nous avons étudié ensemble à l'université. Je passais par là et je me suis souvenu de lui, alors, je me suis dit : Et si j'allais voir comment il va ?

– Ah ! *Ahlan wasahlan !* »

Elle sortit sur le seuil et referma la porte derrière elle. « Non, mon fils, Amir, ne se trouve pas à la maison, il est à Jérusalem. » Ses paroles transpercèrent le cœur de l'avocat. Ainsi donc, il ne s'était pas volatilisé, comme le prétendait son épouse, et il n'était pas retourné chez lui, comme la plupart des étudiants en travail social qui avaient du mal à subsister dans la ville avec un salaire de fonctionnaire. Il était resté à Jérusalem. Pour elle.

« Vous avez peut-être son téléphone ? Simplement, notre relation…

– J'aurais bien aimé, répondit-elle sur un ton éploré. Je n'ai ni numéro de téléphone ni rien. Cela fait si longtemps que vous ne l'avez pas revu ?

– Oui, des années. Depuis nos études, vous savez. Comment va-t-il ? Il est toujours travailleur social ?

– Oui, il est resté là-bas. Je l'ai supplié de revenir, mais il ne veut pas.

– Et comme ça, il n'a pas de téléphone ? Comment est-ce possible ?

– Non, il n'a pas de téléphone. Il a un travail, alors, de temps en temps, quand il se souvient de sa mère, il m'appelle. Une fois par semaine, parfois deux, il daigne me téléphoner et me demander comment je vais.

– Bon, ça, c'est tout Amir. Il me manquait.

– Que vous dire ? Il me manque encore plus. Mais s'il appelle, je lui dirai que vous l'avez cherché. C'est quoi, votre nom, déjà ?

– Mazen. Dites-lui Mazen, de l'université. Du dortoir.

– Je lui dirai quand il appellera. Cela fait déjà un mois qu'il n'est pas venu », s'attrista-t-elle. Puis elle lui indiqua une table en plastique comme pour l'inviter à s'y installer, et l'avocat supposa qu'elle ne le laissait pas entrer par peur des commérages.

« Et alors, il a une épouse, des enfants ? fit l'avocat en s'asseyant face à la mère.

– Vous pensez ! Rien, soupira-t-elle. Rien de rien. Mais c'est vous les coupables, vous, ses amis. Vous ne pouvez pas lui glisser un mot, lui trouver une brave fille ? Moi, il ne m'écoute pas. Il va bientôt avoir trente ans.

– Eh oui ! » L'avocat se força à rire, tandis que la pensée du garçon qui dansait avec sa femme pendant cette fête et était resté à Jérusalem, en célibataire, le faisait bouillonner de rage.

« Vous aussi, vous êtes un travailleur social ? l'interrogea la mère.

– Non, je suis avocat », répondit-il, sans y prendre garde.

Aussitôt, il eut conscience d'avoir commis une erreur. Il suffirait d'une conversation téléphonique avec sa mère, et Amir saurait qu'un avocat inconnu de lui le recherchait après s'être fait passer pour un vieux camarade, et puis, d'un autre appel téléphonique à l'épouse de l'avocat, et elle comprendrait immédiatement que son mari tirait les ficelles de l'enquête.

« Avocat ? Il a un ami avocat et il ne s'en sert pas ?

– Pourquoi ? s'enquit l'avocat. Il est arrivé quelque chose, qu'à Dieu ne plaise ?

– Son héritage. Plus de vingt dounams lui reviennent de la famille de son père, et il n'est pas prêt à les réclamer. Vous pourriez facilement lui faire récupérer son bien. Moi, j'ai cessé de lui demander de réclamer son dû. Au lieu de passer d'un endroit à l'autre pour un salaire, il pourrait même s'acheter une maison, s'il vendait ce qui lui revient. C'est à lui, ça appartient à son père. Pourquoi ne l'exigerait-il pas ?

– Eh bien, je serais heureux de l'aider. Dites-lui seulement de m'appeler. Quand pensez-vous que ce soit possible ?

– Alors, là, au moins dans un mois. Juste hier, il m'a parlé pendant une demi-minute. Il m'a dit qu'il était occupé et il a raccroché. Que puis-je vous offrir à boire ?

– Non, rien, ne vous dérangez pas, merci beaucoup. »

L'avocat hésita avant de demander s'il pouvait se rendre aux toilettes.

« Bien sûr, pas de problème. » Elle resta à l'extérieur et indiqua le chemin à l'avocat. « Cette maison est la vôtre, *tfadal*, faites comme chez vous. »

L'avocat traversa le salon à grandes enjambées, regrettant déjà d'avoir demandé la permission d'aller aux toilettes. Il pouvait tout à fait se retenir jusqu'à la station-service où il aurait sûrement trouvé des W.-C. Tête baissée, afin de préserver l'intimité de la mère, il se rendit aux toilettes. Modestes mais propres. Il se hâta d'uriner et, ensuite, n'oublia pas d'abaisser la lunette sur la cuvette. En sortant, il détourna le visage et, en un millième de seconde, il découvrit ce qu'il voulait voir : une photo d'Amir adolescent sur un mur du salon. Un coup de poignard lui déchira la poitrine. Amir était un bel adolescent.

« Je suis désolé, dit l'avocat en sortant.

– De quoi, mon fils ? » dit la femme, et l'avocat put percevoir que quelque chose s'était éteint dans son regard, lorsqu'elle avait prononcé « mon fils ». « Au contraire, c'est moi qui suis désolée de ne pas vous avoir accueilli comme il faut.

– Merci beaucoup, ma tante, dit l'avocat en lui serrant la main. S'il vous plaît, dites à Amir que je l'ai cherché », ajouta-t-il en haussant la voix, à l'intention de la voisine curieuse. Il tendit à la mère une feuille avec un faux numéro de téléphone et se hâta de quitter la maison.

« C'est un camarade d'Amir, de Jérusalem », entendit-il la mère crier à sa voisine.

Au moment de repartir, des pensées confuses le submergèrent. Pourquoi lui avait-elle menti une nouvelle fois ? Pourquoi ? Alors qu'il désirait tant croire son épouse, tant l'aider, prendre sa défense, prouver son innocence contre ses propres soupçons. Mais comment aurait-il pu ajouter foi à un seul de ses propos après cette conversation avec la mère d'Amir ? Comment aurait-il pu croire qu'elle ne l'avait pas revu depuis, si cet Amir était resté à Jérusalem et continuait à y être employé comme travailleur social ? Les hommes de loi arabes israéliens se connaissaient tous entre eux, et il en allait de même pour les travailleurs sociaux.

En quittant le village pour rejoindre la nationale, l'avocat alluma une cigarette et appuya sur le poussoir d'ouverture de la vitre. Son téléphone sonna, il avait reçu un message. Il déposa la cigarette dans le cendrier doré de sa voiture. Il espérait que le message soit de son épouse, mais c'était Samah qui lui envoyait le numéro d'identité d'Amir. L'avocat aspira une longue bouffée, pencha le visage et lâcha une volute de fumée par la vitre. Il n'aimait pas fumer dans sa voiture. Un samedi, il n'avait pas la possibilité de vérifier les données au ministère de l'Intérieur. Il alluma la radio avec l'espoir de tomber sur une musique entraînante.

CHAPITRE VI

Le « Transporter »

« Yonatan ? » Un vigile posté à la station Carrefour-Sirkin, à l'entrée de Petah Tikva, m'a hélé, mi-affirmatif, mi-interrogatif, à ma descente du bus. Après m'avoir demandé mes papiers d'identité, il m'a lâché, en me rendant ma carte : « Tu devrais changer ta photo, mec ! »

J'ai gagné une station de taxis collectifs sauvage, à l'usage des habitants de Jaljoulya et de Kfar Kassem. À mon arrivée, un taxi venait de démarrer, laissant deux « Transporter » Volkswagen dans la file. Les deux chauffeurs, que je connaissais de vue, étaient assis sur le bord du trottoir à fumer.

Jadis, tous les taxis de cette station étaient des Mercedes pouvant contenir sept passagers. Aujourd'hui, on n'en fabrique plus et, comme le transport de quatre passagers n'est pas assez rentable, ces Mercedes ont été remplacées par des « Transporter ». Ici, les chauffeurs ne se mettent pas en route avant d'avoir leur compte de sept voyageurs. Mais, pendant ces heures d'après-midi d'un jeudi, les véhicules sont censés se remplir rapidement. Petah Tikva est la métropole régionale des villages du sud du Triangle, et de nombreux ouvriers en repartent pour rentrer chez eux à la fin de leur journée de travail.

J'ai fait un signe de tête aux chauffeurs et murmuré, de mauvaise grâce : « *Salam aleïkoum !*

– *Aleïkoum as-salam !* a répondu l'un d'eux. Tu peux mettre ton sac dans la voiture », m'a-t-il dit en désignant le « Transporter » à la porte ouverte.

« C'est le fils de qui ? » ai-je entendu demander l'un des chauffeurs, au moment où je posais mon sac sur la banquette arrière. « Je ne sais pas », a répondu le second, tandis que je sentais leurs regards épier mes gestes. « Pas croyable, ce que le village a grossi, hein ? »

Je me sentais obligé de retourner à Jaljoulya. Ma mère avait gémi lors de mon dernier appel : « Oum-Bassem vit ses derniers moments. Quelle honte, si tu n'étais pas près d'elle pour lui dire adieu ! » L'état de ma grand-mère, *siti*, notre propriétaire, s'était dégradé au cours de l'année. Elle ne souffrait d'aucune maladie particulière mais avait perdu l'ouïe, puis la vue, et ses rapports avec son entourage diminuaient. « Je te reconnais à ton odeur, Amir. » C'est ainsi qu'elle m'avait accueilli, la dernière fois que je lui avais rendu visite, et ses filles avaient été stupéfiées qu'elle pût me reconnaître ainsi, alors qu'elle n'identifiait plus ni ses filles ni leurs enfants. Elle m'avait embrassé, comme à son habitude. « Je t'ai vu hier, pendant la nuit. Tu es venu avec eux, n'est-ce pas ? Des soldats et des troupes de cavaliers, et, au-dessus, des avions. Ils sont passés devant mes yeux, juste comme ça, avait-elle indiqué avec un geste de la main. Et moi, je leur ai fait un signe de la main pour les encourager et je leur ai dit : “Allah est avec vous ! Qu'Allah vous vienne en aide !”, puis je leur ai donné de l'eau à boire. » Depuis, je me suis rendu deux fois au village et, malgré ma culpabilité et les supplications de ma mère, je n'ai pas été dire adieu à Oum-Bassem.

En l'espace de dix minutes, la fourgonnette s'était remplie. J'ai pris place à côté du chauffeur, parce que les autres passagers étaient des femmes et des enfants, et je me suis souvenu aussitôt que ma place m'assignait le rôle éternel du caissier. La course de Petah Tikva à Jaljoulya coûte quinze shekels, et j'ai commencé à recueillir l'argent, vérifié à qui je devais rendre de la monnaie, puis j'ai remis au chauffeur quatre-vingt-dix shekels.

« Qui n'a pas encore payé ? a-t-il aboyé en regardant dans le rétroviseur vers les banquettes arrière.

– C'est un petit enfant, a répondu une femme âgée coiffée d'un foulard multicolore, en désignant un garçon de quatre ans, sans doute son petit-fils.

– Madame, a rétorqué le chauffeur sur un ton impatient, petit, grand, pour moi, ça change rien. Il occupe une place ou il l'occupe pas ?

– D'accord, a dit la femme en tirant le petit sur son siège. Voilà, je le mets sur mes genoux.

– Non, mais regarde-moi ces gens, murmura le chauffeur en se tournant vers moi. Madame, c'est interdit par la loi. L'enfant doit boucler sa ceinture. C'est pas possible comme ça. Madame, s'il te plaît, tu nous retardes tous, et nous, on est pressés.

– Mais ce n'est qu'un enfant... »

Le chauffeur a coupé le contact, croisé les bras sur sa poitrine. « Qu'est-ce que tu dis, là ? Je démarre pas. Tu sais que pour un enfant sans ceinture je paie mille shekels à l'État d'Israël ? Où je vais trouver mille shekels ? C'est toi qui vas payer ? Il y a des policiers à l'entrée du village. »

Doucement, sans que quiconque, hormis le chauffeur, le remarque, j'ai déposé deux pièces sur le couvercle du cendrier, l'une de dix shekels, l'autre de cinq. Le chauffeur m'a regardé, puis a mis le contact, en bougonnant : « *La 'hawal wala kouwa illa billah*, il n'est de force ni de puissance qu'en Dieu. Non, mais ces gens ! Ils débarquent de leurs trous de Cisjordanie et nous balancent leurs misères, comme si on avait pas nos propres malheurs. Madame, fais-moi plaisir, remets l'enfant sur son siège et boucle-le bien. »

Comme je haïssais le trajet familier de Petah Tikva à Jaljoulya. Cette odeur qui assaillait mes narines et se répandait dans tout mon corps. Une odeur de souvenirs funestes que j'ai toujours tenté de chasser. Une odeur toujours plus forte à mesure qu'on approchait de Jaljoulya.

« T'habites le village ? » ai-je soudain entendu demander le chauffeur, et, comprenant que la question m'était adressée, il m'a fallu un moment pour inventer une nouvelle version de ma vie.

« Non, me suis-je surpris à lui répondre, lui donnant une version différente, mais non moins véridique, de ma biographie. Je suis de Tira.

– Ah, Tira ! Des gens super ! me sourit le chauffeur. *Ya'ani*, en somme, t'es des nôtres. Ah, je me suis dit, d'un côté, t'as l'air étranger, mais, aussi, t'as une bonne bouille. Je me suis dit, pas possible qu'il vienne de ce dépotoir qu'ils nous ont versé des territoires.

– Non, je ne suis pas des territoires.

– Chez vous aussi, à Tira, ils ont apporté des collabos, non ?

– Oui. C'est ce que j'ai entendu dire.

– Pas croyable, ce machin-là, sur la vie de Dieu. Ils ont

pourri nos villages. À cause d'eux, chacun a peur de laisser son gosse dehors après huit heures du soir. Avec toutes leurs armes, les drogues, les putes, c'est quoi, ça? Et la police? Comme si elle ne savait pas! Bien sûr, ils s'en foutent, de leur côté, qu'ils transforment nos villages en enfer! Au contraire, c'est mieux pour eux.

– Oui, ai-je répondu au chauffeur qui regardait à l'arrière pour vérifier que ses propos n'étaient pas tombés dans des oreilles malvenues.

– T'as une carte d'identité? m'a-t-il tout à coup demandé.

– Hein? Oui, pourquoi?» l'ai-je questionné, un peu affolé, tandis que le chauffeur m'indiquait de la tête, devant lui, un policier de la circulation agitant un bâton lumineux avec lequel il signalait aux véhicules de se ranger sur le bas-côté.

«Ils cherchent des clandestins.»

Le policier a interrogé le chauffeur par la fenêtre: «Comment ça va?

– *Wallah, Baroukh Hachem*, grâce à Dieu, comme tu vois, on bosse.»

Le policier a examiné les passagers et, s'apercevant qu'à part moi le reste des passagers étaient des femmes et des enfants, il m'a demandé mes papiers. J'ai enfoncé la main dans mon sac et tendu, sans hésiter, la bonne carte.

«Amir?» J'ai opiné. Il a griffonné quelques mots sur son carnet et m'a rendu ma carte.

«Bonne route! a-t-il lancé au chauffeur en lui faisant signe de démarrer avec son bâton lumineux.

– *Kous oub'tek*, le con de ta sœur, a maugréé le chauffeur en déboîtant sur la route. Espèce de foutu Druze!»

Prière mortuaire

« Oh ! » a fait Rouhèlé, en ôtant ses lunettes. Elle a posé son livre sur ses genoux et s'est redressée sur son fauteuil. « Tu es revenu plus tôt. » Avant de partir pour Jaljoulya, je lui avais dit que je m'en irais le jeudi, aussitôt après les cours, et que je ne reviendrais qu'à la fin du sabbat. Elle m'avait trouvé un remplaçant auprès de Yonatan, le même remplaçant que nous prenions parfois, les soirs où nous sortions pour quelques heures, en général le jeudi soir, pour voir un film ou une pièce de théâtre, puis dîner dans un restaurant de luxe.

« Oui, ai-je bredouillé, je suis revenu plus tôt. »

Elle a compris aussitôt que ce n'était pas le moment de me débiter son discours cynique habituel et elle m'a interrogé d'une voix inquiète : « Qu'est-ce qui se passe ? Tu as la mine ravagée.

– Comment va Yonatan ?

– Bien, bien. Assieds-toi. »

J'ai pris une grande bouffée d'air, posé mon sac au sol et me suis assis sur le canapé, face à elle, tête baissée.

« Que s'est-il passé ? » a-t-elle répété. Je me suis contenté de hocher la tête en soupirant.

« Tu veux boire quelque chose ? » a-t-elle demandé en désignant une bouteille de vin rouge posée sur la table. J'ai acquiescé, elle s'est rendue dans la cuisine pour apporter un verre qu'elle a rempli.

« Tu ne veux pas me raconter ce qui s'est passé ?

– Oum-Bassem est morte », ai-je répondu, en avalant une longue gorgée de vin.

Oum-Bassem venait de décéder. Je l'ai su au moment de descendre du taxi collectif à la station de mon quartier. Je n'avais aucun doute. Le spectacle si familier des hommes patientant dans la rue, cherchant un bout de pierre pour s'y asseoir, des hommes arrachés brusquement à leurs occupations pour participer à un enterrement. Même de loin, je pouvais reconnaître quelques-uns des présents – les époux des tantes, les filles d'Oum-Bassem et leurs enfants qui, bien qu'ils aient beaucoup grandi, étaient reconnaissables.

J'ai avancé, la tête basse, j'avais décidé de me comporter comme si j'étais venu parce que j'avais appris la nouvelle, et non par hasard.

« *Allah yira'hma*, que Dieu la prenne en pitié ! » ai-je dit en serrant la main à quelques hommes de ma connaissance. « *Taïch*, longue vie à toi ! » m'ont-ils répondu, selon la coutume. Il n'y avait là que quelques dizaines d'hommes parce que, la plupart du temps, pour la mort de vieillards dont la fin est prévisible, seuls les plus proches participent aux funérailles.

Les pleurs des femmes montaient de la cour, mais j'ai préféré rester dehors avec les hommes car la répartition dans ce genre d'occasions est toujours claire : femmes et hommes ne se mélangent pas.

« N'aie pas honte, m'a dit l'époux de la fille aînée d'Oum-Bassem. Entre dans la maison, dépose ton sac, rince-toi le visage. N'aie pas honte, il n'y a personne d'étranger dans la maison, et on a encore le temps.

– Quand est-elle morte ? lui ai-je demandé, en le suivant dans la maison et, tout comme lui, j'ai baissé la tête sans jeter un regard aux femmes.

– Au matin, m'a-t-il répondu en regardant sa montre. Mais

nous avons attendu Bassem, que Dieu lui pardonne. Cela fait déjà une semaine qu'on lui demande de venir dire adieu à sa mère, mais il n'est pas venu. Quelle affaire peut bien l'empêcher de venir dire adieu à sa mère ? Il vient juste d'arriver de l'aéroport. »

« Amir ! » ai-je soudain entendu dans mon dos, reconnaissant la voix de ma mère. Elle est sortie de la cour d'Oum-Bassem et s'est précipitée vers moi, la tête enveloppée dans le foulard multicolore qu'elle revêtait pour se rendre sous la tente des endeuillés. Elle avait les yeux gonflés et rougis, et elle m'a presque étreint, mais mon regard, qui lorgnait du côté du groupe d'hommes dans la rue, l'en a dissuadée, et elle s'est contentée de me caresser le bras.

« Tu as du linge sale ? m'a-elle demandé en prenant mon petit sac, espérant bien sûr que je lui répondrais positivement pour qu'elle puisse, une fois encore, faire quelque chose pour moi. Tu as peut-être faim ?

– Non, lui ai-je répondu, en pénétrant chez nous, derrière elle.

– Comment vas-tu ? m'a-t-elle interrogé en refermant la porte du salon, pour que nous soyons enfin seuls.

– Tout va bien.

– La pauvre Oum-Bassem, mais ça vaut mieux comme ça. Elle se repose enfin, et ses filles aussi. Pendant les derniers mois, elle n'a plus rien avalé. Tu ne veux pas manger quelque chose ?

– Non, merci. J'ai mangé un falafel à Petah Tikva.

– Quelle chance que tu sois venu !

– Oui.

– Chaque jour, ils attendaient Bassem. Il vient juste d'arriver.

– Oui, je l'ai appris.

– Alors, tout va bien pour toi ? Le travail ?

– Oui, tout va bien.

– Tu as une machine à laver chez toi ?

– Oui. »

Je savais qu'elle examinait la vieille chemise qu'elle m'avait achetée, que je n'avais pas mise depuis quatre ans et que j'avais enfilée, ce matin-là, pour revêtir quelque chose de familier, d'acceptable, et non l'une de ces chemises que je portais ces dernières années, qui aurait pu paraître bizarre aux yeux de ma mère ou des voisins.

« Ne te fais pas de souci, maman », lui ai-je dit. Je me suis dirigé vers la salle de bains, m'efforçant de contrôler le brusque frisson qui parcourut tous mes membres. « J'ai de l'argent », l'ai-je rassurée.

Depuis les toilettes, je pouvais entendre les pleurs des femmes en train de se séparer du cercueil d'Oum-Bassem. « Salue notre père », ai-je entendu la voix gémissante de sa fille aînée, et j'ai supposé que la cérémonie de la toilette funéraire était achevée et que le cercueil sortait de la maison pour être remis aux hommes. Ma mère a frappé à la porte, au bout de quelques secondes, pour me presser : « Amir, l'enterrement commence ! »

Quelques dizaines d'hommes avançaient en silence derrière le cercueil porté par des adolescents jusqu'à la mosquée proche. La procession était rapide, comme si tous voulaient en finir avec cette histoire et rentrer chez eux. Bassem paraissait un peu fatigué mais souriait affectueusement, en serrant la main de ceux qui lui présentaient leurs condoléances.

« *Allah yira'hma*, lui ai-je dit, en lui serrant la main.

– *Taïch* », m'a-t-il répondu, et l'expression de son visage prouvait qu'il ne m'avait pas reconnu.

Un jeune homme à côté de moi a chuchoté dans son portable,

dont la sonnerie a retenti, faisant entendre les premières mesures d'*Inta omri* d'Oum Kalsoum : « Je suis à un enterrement, là. Je t'appelle tout à l'heure. Oum-Bassem, oui, Bassem. Elle est morte aujourd'hui. *Taïch,* bye. »

Dans l'entrée de la mosquée attenante au cimetière, quelques dizaines d'hommes attendaient. Les fidèles ont pénétré dans la mosquée derrière le cercueil pour la prière du mort avant l'inhumation, et moi, je suis resté à l'extérieur, m'efforçant de baisser le regard pour ne pas croiser des visages connus. En vain.

« *Ahlan,* Amir, ai-je entendu la voix de Nabil, un ancien camarade de classe, qui m'a serré la main. Comment vas-tu ?

– Bien, merci.

– T'es passé où ? On te voit plus.

– À Jérusalem.

– Ah bon ? T'as pas fini tes études ?

– J'ai fini.

– *Wallah,* t'as toujours été une grosse tête. Et tes études, ça te rapporte du blé ?

– *Alhamdoulillah,* Dieu merci !

– Alors, pourquoi tu prends pas ta mère avec toi ? Dommage, la pauvre, elle est restée seule au village, c'est pas *'haram* ? C'est pas péché ? »

Il a souri et regardé alentour pour vérifier si quelqu'un l'avait entendu et si on rigolait avec lui. « T'as pas oublié ce que dit le Coran : "Prenez vos parents en pitié" ?

– Et toi ? l'ai-je questionné sèchement afin de lui suggérer que je n'avais guère de patience.

– *Wallah,* comme disent les cousins : *Hachéba'h Laël,* louange à Dieu. »

Il a embrassé la paume de sa main et l'a tendue vers le ciel.

Jusqu'en classe de troisième, Nabil ne savait ni lire ni écrire. Et il n'était pas le seul dans ce cas. Parmi les quarante élèves du secondaire, plus de dix ne connaissaient pas l'alphabet. La plupart avaient complètement abandonné les études, et seuls quelques-uns étaient passés dans l'enseignement professionnel. Les plus doués avaient étudié l'électricité automobile, les moins doués, la menuiserie et la tôlerie. Je ne me souvenais pas de ce que Nabil avait étudié, si tant est qu'il eût poursuivi ses études.

Il était appuyé contre un mur de la mosquée à marmonner avec ses copains et, de temps à autre, ils coulaient des regards en coin vers moi. Ils n'avaient pas changé, les mêmes morveux, sinon qu'ils avaient grandi. Je pouvais les voir assis sur les bancs cassés, pendant la récréation, à ricaner: «T'as eu 100, juste parce que ta mère suce le directeur... », «Si ta mère n'avait pas été prof, on t'aurait niqué». Plus d'une fois, je trouvais des billets de ce genre, truffés de fautes, dans mon sac. Ma mère enseignait dans le seul collège du village mais jamais dans ma classe. Cependant, cela ne changeait rien. Ma mère était très différente des autres enseignantes du village. Les élèves les injuriaient toutes en secret mais n'osaient pas s'en prendre à leur honneur. L'honneur de ma mère, tous les élèves le savaient, nul n'était là pour le préserver, du moins au village.

C'est ainsi que j'ai appris que ma mère exhibait ses seins devant les élèves des autres classes. Que ma mère portait des soutiens-gorge rouges et des minijupes. Que ma mère avait été chassée de notre village parce que c'était une traînée. Que, la nuit, après m'avoir mis au lit, elle accueillait des étrangers dans le sien. Qu'elle fumait et buvait de l'alcool. Qu'elle couchait avec le directeur dans la bibliothèque de l'école. Qu'on l'avait vue danser dans des boîtes de nuit de Petah Tikva. Qu'elle couchait aussi avec le prof de maths, avec celui d'histoire, avec l'inspecteur. Qu'au cours de l'excursion annuelle de l'école, on l'avait vue uriner derrière des arbres, sans culotte.

« Ne crois pas un mot de ce qu'on raconte », avait coutume de dire Oum-Bassem, bien que je ne lui aie pas révélé, ni à ma mère, ces ragots d'enfants. « Ta mère est la femme la plus honorable de ce village puant. Cela, tu dois en être persuadé. »

Dans le secondaire, j'ai décidé de commencer à prier. Je jeûnais pendant le ramadan et je suivais les cours de religion que le professeur de Coran de l'école donnait à la mosquée. Au collège, je ne ratais pas une seule prière du vendredi. Il fallait que je sois religieux. Ma mère ne pouvait être qu'une bonne mère, si elle avait élevé un enfant musulman pieux. Je l'ai suppliée de porter un foulard, « pour moi », de prier, au moins le vendredi, de cesse de fumer, de demander un autre poste, de m'inscrire dans une autre école, dans un autre village. Il m'était indifférent de prendre le bus ou d'aller à pied à Kfar Kassem, j'étais prêt à tout, pourvu que des mômes comme Nabil et ses potes, adossés au mur, ne se moquent pas de moi.

Je n'admettais pas qu'aujourd'hui encore ils parviennent à m'intimider. Ces nuls, ces abrutis. Si seulement vous saviez ce que je sais, pensais-je. Si seulement vous compreniez à quoi vous ressemblez aux yeux des gens qui habitent en dehors des trous dans lesquels vous végétez. Si seulement vous saisissiez à quel point la vie dont vous êtes si fiers est minable. Si vous aviez ne serait-ce qu'une once de conscience de votre situation, vous auriez honte de pointer le nez dehors. Le sommet de votre réussite, c'est de devenir contremaître de chantier ou d'attirer les faveurs de vos clients juifs. Je n'ai que pitié pour vous, pour vous et vos grosses bagnoles et pour vos vastes demeures. Jamais vous ne pourrez échapper au piège dans lequel vous êtes nés ; aucun d'entre vous ne s'éloignera des limites de votre village, tracées par d'autres que vous. Et, surtout, vous, les mecs, vous croyez incarner le summum de la virilité, vous n'avez peur de rien, vous pouvez aboyer sur les habitants du quartier, mais vous n'êtes que la fine fleur de la lie humaine. Continuez à parader avec vos flingues, continuez à danser la *debka* dans vos noces, poitrine gonflée, épousez des filles vierges qui sauront préserver leur vertu et rassurer l'illusion de votre virilité. Je connais des choses que vous ne connaîtrez jamais, je connais des univers qui vous sont inaccessibles. Je pénètre dans des milieux où vous et vos enfants serez à jamais indésirables. Oui, moi, le fils de votre pute, je vous méprise, je vous ris au nez. Moi seul connais votre valeur réelle.

« Qu'est-ce que t'as à sourire ? » ai-je soudain entendu Nabil demander, tout près de moi. Il me faisait face, tête penchée.

« Hein ? Rien, rien de rien », lui ai-je répondu, tandis qu'Oum-Bassem sortait de la mosquée, ce qui m'épargna une confrontation. « *Allah akbar, Allah akbar* », ai-je balbutié, puis je me suis glissé, tête baissée, dans le cortège. Je savais déjà qu'après la cérémonie je prendrais mon sac et m'échapperais d'ici.

Chambre d'amis

Au cours des quatre dernières années, l'état de Yonatan avait empiré. Pour la première fois depuis que je m'occupais de lui, il avait été hospitalisé, le jour même où Rouhèlé avait payé mon inscription en première année à Betsalel. « Tu me rembourseras à tempérament », avait-elle déclaré, balayant mon refus d'accepter son argent et proposant de déduire cinq cents shekels de mon salaire mensuel. Tous deux, nous étions conscients que cette somme ne couvrait même pas la moitié des frais de scolarité.

Ce même soir, je n'ai pas réussi à alimenter Yonatan ou, alors, Yonatan a refusé de se nourrir, comme me l'a expliqué plus tard Rouhèlé, à l'hôpital. Il a rejeté la bouillie et le substitut liquide et, au moment de la passation de nos tours de garde, Osnat m'a informé qu'il avait vomi son petit-déjeuner et son déjeuner. « Si ça continue comme ça jusqu'à demain, a-t-elle dit, et bien qu'il n'ait pas de fièvre, on va être obligés de l'hospitaliser. » Mais, après qu'il n'eut rien mangé dans la soirée, j'ai dit à Rouhèlé que, pour ma part, je n'attendrais pas plus longtemps.

Quelque chose avait complètement changé en Yonatan, ce soir-là. Quelque chose dans ses réactions aux tentatives de l'habiller, de le langer, d'étaler la crème sur son corps. Bien que cela puisse paraître étrange s'agissant d'un corps sans vie, je sentais que sa peau s'épaississait, qu'elle était plus ferme que d'habitude, et je pouvais jurer que ses os durcissaient et que ses muscles se raidissaient.

« Il essaie d'en finir », a dit Rouhèlé plus tard, dans la salle d'attente de Chaaré-Tsédek. Pour la première fois, je l'ai vue pleurer.

Les médecins ont procédé à des analyses de sang, d'urine, effectué une radiographie des poumons et un scanner, mais ils n'ont rien trouvé d'alarmant chez Yonatan. « Alors, il est en bonne santé ? » a maugréé pour elle-même Rouhèlé, mais cela n'a pas fait sourire le médecin arabe de garde qui lui avait remis les résultats. « Les Arabes n'ont pas beaucoup le sens de l'humour, hein ? » m'a-t-elle lancé, plus tard.

Ils ont gardé Yonatan sous surveillance pendant plusieurs jours, et Rouhèlé et moi, nous sommes revenus à la maison, au petit matin.

Pendant le trajet, Rouhèlé a essayé de chanter avec la radio, mais le cœur n'y était pas. Elle secouait la tête et, de temps à autre, portait la main à son crâne, sa bouche et son nez.

« Tu restes dormir à la maison, m'a-t-elle interrogé soudain, ou tu vas chez celle-là ? »

Sa question m'a interloqué parce que jamais je ne lui avais parlé, pas plus qu'à quiconque, de celle-là. « Qui c'est, celle-là ? Je n'ai personne », lui ai-je répliqué, et Rouhèlé a souri puis a essayé de chanter les paroles d'une chanson de la radio, mais elle s'est accrochée à une autre chanson que ne diffusait pas la radio : « *Étreins-moi fort, embrasse-moi, que ça fasse mal et que le soleil ne se couche jamais...* »

À notre arrivée, Rouhèlé a dit qu'elle avait besoin de boire quelque chose, s'est versé un verre de whisky sec et l'a avalé d'une seule gorgée. Ensuite, elle m'a demandé si j'en voulais. « Oui, ai-je répondu, mais quelque chose d'autre si vous avez. » Jusqu'à cette nuit-là, le seul alcool que j'aie absorbé était de la bière, surtout avec Majdi qui rentrait parfois à la maison avec une ou deux bouteilles, et du vin rouge, après avoir reçu en cadeau une bouteille à l'hôtel pour célébrer le Nouvel An juif, ainsi qu'après l'enterrement d'Oum-Bassem.

« Je n'ai pas de bière », a-t-elle dit, puis elle a pris du vin blanc dans le frigo. « Le vin blanc, ça se boit frais », a-t-elle expliqué, avant de me montrer comment déboucher la bouteille. Ensuite, elle a vidé deux verres pendant que je me débattais avec le mien.

« Sais-tu seulement comment tout cela est arrivé ? » m'a-t-elle interrogé tout à coup, en se versant une nouvelle rasade de whisky. Je me suis tu, et il me semblait qu'elle avait compris que je n'en avais aucune idée. Nous n'en avions jamais parlé. « L'accident », c'est le mot que nous utilisions, Osnat et moi, et c'est tout ce qu'Osnat savait. Yonatan avait eu un accident.

« Un beau jour, en rentrant à la maison, je l'ai trouvé à se balancer au plafond », a-t-elle dit, en hochant la tête et en avalant son verre cul sec. « Je lui ai agrippé les pieds. Ensuite, je suis montée sur le lit. D'une main, j'ai attrapé ses deux jambes et j'ai tenté de toutes mes faibles forces d'éviter que la corde n'étrangle son cou et j'ai fait en sorte que tout son poids repose sur moi et, de l'autre main, j'ai essayé de le libérer du nœud qu'il avait passé. Tu le savais ? Tu aurais cru que Yonatan était capable de me faire ça ? »

Elle a pris une cigarette dans son paquet et m'en a proposé une. Je me suis versé un autre verre de vin et j'ai regardé la cigarette trembler entre ses doigts.

« Qu'est-ce que tu dis de ça ? »

Encore une tentative de chasser sa confusion à l'aide de son humour noir.

« Toi, tu aurais fait ça à ta mère ?

– Non, ai-je répondu avec une esquisse de sourire pour la consoler. Mais j'aurais pu faire quelque chose de ce genre à moi-même. »

Cette nuit-là a été la première où je n'ai pas dormi dans les combles. Rouhèlé m'a dit qu'elle haïssait cette chambre ; que, jusqu'à ce jour, elle avait du mal à y entrer ; que chaque fois qu'elle y pénétrait, elle regardait le plafond, là où, jadis, il y avait une lampe, et qu'elle s'attendait à voir le corps de son fils se balancer. Il avait été hospitalisé pendant presque six mois. Ils l'avaient envoyé auprès d'un spécialiste aux États-Unis, ensuite en Belgique et, enfin, dans une clinique suisse. « Ils », c'étaient elle et le père de Yonatan, Yaacov, un maître de conférences en littérature comparée à l'université de Berkeley. Ils n'étaient pas mariés mais habitaient ensemble, pendant les études de Rouhèlé, puis quand ils travaillaient à Berkeley. Quand Yonatan avait eu trois ans, le couple s'était séparé, et elle était revenue en Israël. « Un homme parfait, a-t-elle lâché, ennuyeux, un fils de pute, c'est une longue histoire, mais rien de tragique. Oui, il était parfait. Enfin, peut-être. » Avant l'« accident » de Yonatan, son père leur rendait visite à Jérusalem, à la Pâque et à Noël, et restait dormir chez eux. « C'était sa chambre », a dit Rouhèlé en ouvrant la porte d'une pièce qu'Osnat et moi appelions la chambre d'amis, bien que nous ne l'ayons jamais vue ouverte ni occupée par un seul invité. « Tu vas t'installer ici, a-t-elle décrété, et, désignant une armoire dans un coin de la pièce : En haut, il y a de la literie. De toute façon, je voulais que ce soit ta chambre. Je veux dire, quand tu n'es pas de garde auprès de Yonatan, mais pendant tes jours de congé de la fac. Au lieu de vadrouiller dans la rue comme je ne sais quel clodo arabe, tu peux tout simplement rester ici. Et, s'il te plaît, fais-moi plaisir, a-t-elle lancé avant de quitter la pièce, ne va pas te mettre des idées en tête. Si tu décides de te pendre, fais-le dans la maison de ta mère, à Jaljoulya, d'accord ? »

Sonde

Après sa première hospitalisation, Yonatan est revenu chez lui avec une sonde destinée à lui perfuser aliments et liquides, un tuyau de plastique dont une extrémité pénétrait dans sa narine droite et l'autre était enfoncée dans son estomac. Osnat m'a brièvement montré comme procéder et, depuis ce jour-là, nous avons commencé à lui verser directement la nourriture dans le tuyau. J'ai appris aussi comment extraire la sonde, la désinfecter et vérifier, avant de l'alimenter, si elle était bouchée. J'introduisais une seringue vide dans le tuyau et, à l'aide d'un stéthoscope posé sur le ventre de Yonatan, j'écoutais les gargouillis provoqués par l'air insufflé dans son estomac.

Depuis ce premier séjour à l'hôpital, quatre années se sont écoulées au cours desquelles Yonatan y est retourné presque tous les six mois. Colique, pneumonie, virus dans l'appareil respiratoire, cystite, j'ai tout vu. Les infections sont devenues de plus en plus chroniques. Pour je ne sais quelle raison, la peau de Yonatan commençait à saigner quand je le rasais, même au rasoir électrique. J'avais l'impression que Yonatan ne voulait plus que je le touche. Pendant cette période, Osnat m'a révélé qu'elle songeait à quitter son travail et à trouver un autre endroit où elle pourrait se montrer plus utile, « quelque chose d'un peu moins frustrant, peut-être », m'a-t-elle avoué. Je lui ai demandé de rester encore un peu et lui ai promis d'effectuer moi-même les tâches les plus compliquées comme de le mettre sous la douche, lui couper les cheveux, l'habiller et le langer, le matin, avant son tour de garde, plutôt que le soir, après son départ. « J'ai du mal à accepter ta proposition », m'a-t-elle répondu, mais je me suis obstiné à lui affirmer que Yonatan était devenu un ami, un allié, et que je ferais tout pour ne pas l'obliger à être séparé de son aide dévouée et pour ne pas aggraver son déclin. Je me souviens de lui avoir dit : « Essayons de lui donner le sentiment que nous ne l'abandonnons pas. » Osnat n'a pas du tout soupçonné que ce qui me préoccupait, c'était l'irruption d'un autre aide-soignant susceptible de poser des questions sur mes rapports avec Yonatan et Rouhèlé qui, depuis longtemps, avaient dépassé le cadre des soins.

La chambre d'amis était devenue ma chambre et je ne dormais plus dans les combles de Yonatan. Dès la fin de ma journée de cours à Betsalel, je me hâtais de prendre le bus du mont Scopus pour remplacer Osnat qui s'était inscrite, par ennui, en licence de sociologie à l'Université pour tous. « Je me sens si inutile », m'avait-elle avoué, bien que, malgré notre accord tacite selon lequel j'effectuerais toutes les tâches rebutantes, elle continuait, la plupart du temps, à les exécuter elle-même. Plus l'état de Yonatan empirait et plus son corps se dégradait, plus il devenait difficile de le retourner sur le flanc afin d'éviter les escarres. Le coucher sur le ventre n'était pas recommandé, surtout sans surveillance, mais, avec sa sonde, la chose était devenue impossible. Nous ne pouvions plus l'installer sur son fauteuil roulant et nous avons commencé à lui faire sa toilette avec des éponges et des serviettes humides, couché sur une alèse de nylon placée sous lui. Osnat qui, pendant les premiers jours en compagnie de Yonatan, insistait sur l'importance de lui parler et de lui faire entendre sa musique préférée, voire de lui lire ses livres, avait renoncé et commencé à évoquer devant lui, sans y prendre garde, son état préoccupant. Elle avait cessé de le saluer à son arrivée et à son départ et se contentait de bavarder avec moi, comme si, pour elle, il n'existait plus. Cette attitude m'embarrassait et, après son départ, je m'excusais auprès de Yonatan pour son sans-gêne, parfois en lui parlant mais, le plus souvent, par un regard.

Hormis les rares soirées où Rouhèlé recevait des amis, nous dînions ensemble à heure fixe. Au début, elle frappait encore à la porte des combles et déclarait qu'elle n'avait pas envie de manger seule, puis elle me dit qu'elle en avait assez de m'appeler pour le repas, comme si j'étais un gamin, et moi, je la rejoignais donc à l'heure dite, sans un mot.

« Comment ça marche, tes cours ? » m'a-t-elle questionné au cours d'un de ces repas, un mois environ après que j'eus commencé mes études à Betsalel. J'ai fait un signe de la tête comme pour signifier « Tout va bien », bien que, ces jours-là, j'avais le sentiment que je ne pourrais pas poursuivre mes études. J'avais découvert qu'assister aux cours ne suffisait pas, que c'était, en fait, la partie la plus facile du programme. Tous les étudiants demeuraient de longues heures à l'école après la fin des cours, dans la chambre noire ou dans la salle informatique. Et lorsque j'ai appris que nous devions présenter nos travaux à la fin de chaque semestre, je fus convaincu que je serais incapable de réussir ma première année. Non seulement j'avais du mal à trouver le temps de photographier, mais je n'avais pas du tout le loisir de développer mes films et de retravailler tous mes clichés.

« C'est dur là-bas, hein ? » a-t-elle poursuivi, avant de s'essuyer la bouche rapidement, avec une petite serviette de tissu blanc. Puis elle m'a prié de la suivre.

« Tu vois ça ? » a-t-elle lancé en poussant la porte d'un cagibi dans la cave de la maison et en essayant d'allumer une lampe. « L'ampoule doit être grillée, mais ce n'est pas un problème. Yonatan avait l'habitude d'acheter des ampoules ordinaires et de les peindre lui-même en rouge. » La lumière filtrant du couloir éclairait un peu la pièce obscure. Rouhèlé a tiré un drap et découvert un agrandisseur : « Je pense que ça fonctionne encore, vérifie par toi-même, et, si besoin, j'appellerai un réparateur. »

Le matin, elle me conduisait à l'école. Nous quittions presque toujours la maison ensemble. Nous attendions l'arrivée d'Osnat pour nous en aller. Si nous avions le temps, nous nous installions dans la cuisine pour le petit-déjeuner qu'elle avait préparé et, les jours où nous étions pressés, nous nous arrêtions sur le trajet du mont Scopus dans un café, et Rouhèlé me glissait un billet de cinquante shekels dans la main pour rapporter deux gobelets de café et des croissants. Avec le temps, j'ai compris que Rouhèlé n'avait pas de raison particulière de sortir si tôt de chez elle, à l'heure où moi je devais m'en aller, et elle n'avait pas toujours, non plus, de raison de s'attarder et de m'attendre pour me raccompagner chez elle. « Qu'est-ce que j'ai de mieux à faire à la maison ? » Puis elle a ajouté : « Dis donc, tu penses que je suis une mère indigne ? »

Non, ce n'était pas une mère indigne, mais je ne le lui ai jamais dit. Elle ne recherchait pas de consolation, du moins en paroles, et je ne savais jamais si les mots que je lui adressais l'encourageaient ou provoquaient sa colère et ses sarcasmes, au point de m'accuser de jouer le lèche-bottes devant sa patronne juive. Peu à peu, je me suis rangé à sa conviction : Yonatan avait pensé sa tentative de suicide comme une sorte de vengeance contre elle. Il refusait de lâcher prise, comme s'il essayait, chaque jour, de se suicider de nouveau et en survivant, tant bien que mal, comme la première fois, pour la faire souffrir. Pour qu'elle n'oublie pas. Depuis que j'avais commencé à utiliser son identité de manière officielle, j'avais senti qu'il faisait aussi cela contre moi et que cet être, couché sur un lit médical, dont l'état déclinait chaque jour qui passait, accomplissait tout de manière réfléchie. Avec préméditation. Parfois, alors que nous prenions notre dîner dans la cuisine ou qu'elle pénétrait dans la chambre noire et examinait mes photos, pendant ces moments d'apparente détente, il me semblait que Yonatan allait pousser la porte de toutes ses forces et faire irruption ; que ce mort-vivant avait été, pendant toutes ces années-là, en pleine conscience et n'avait fait que jouer au mort pour prouver je ne sais quelle théorie nébuleuse ; qu'il se tenait à l'entrée de la cuisine ou de la chambre noire et, d'un doigt accusateur et d'un regard brûlant de haine, lançait : « Je sais tout depuis le début. »

Mais Yonatan ne s'est pas levé ni n'a crié, alors que son état ne faisait qu'empirer. Il refusait de vivre avec véhémence comme il refusait de mourir avec la même véhémence. Au cours de sa dernière hospitalisation, il y a six mois, c'est moi qui ai appelé l'ambulance, après avoir vérifié le pouls très bas de Yonatan et parce que je pensais qu'il avait du mal à respirer. Dans l'ambulance de soins urgents, on l'a mis sous masque à oxygène avant de le conduire à l'hôpital. Je l'ai accompagné dans l'ambulance, tandis que Rouhèlé nous suivait dans sa voiture. Cette nuit-là, le chef de service, revenu spécialement, nous a annoncé qu'il y avait de fortes chances que Yonatan ne puisse plus respirer de manière autonome. « Dans ces cas-là, certaines familles envisagent de... », a-t-il commencé à nous suggérer, avec ménagement, mais je l'ai aussitôt interrompu en protestant contre une proposition qui me paraissait épouvantable. J'étais affolé par ma propre voix, par la violence qui avait jailli de moi à ce moment-là et, surtout, par la possibilité que Yonatan disparaisse ainsi et me laisse seul.

Après que je me fus excusé, les larmes aux yeux à cause de mon éclat, Rouhèlé m'a dit : « Je te comprends mais, moi, je n'en peux plus. »

Ensuite, elle m'a étreint très fort et a murmuré dans le creux de mon oreille : « C'est toi qui vas être obligé de prendre une décision. »

Numéro 624

Les cheveux ras et les poils des pattes de même longueur ; vêtu d'une chemise légère à manches longues avec l'imprimé de la pochette du disque *Surfer Rosa* des Pixies et d'un pantalon de velours vert ; la sangle de la housse en bandoulière sur la poitrine et l'appareil photo battant ma hanche droite ; la vieille carte d'identité de Yonatan à seize ans dans la poche droite de mon pantalon et deux photos réglementaires et récentes de moi-même dans la gauche ; lunettes de soleil rondes sur le nez, la taille redressée, tentant de dégager le plus d'assurance possible, c'est ainsi que je me suis présenté devant l'immeuble du ministère de l'Intérieur, dans le centre de la Jérusalem-Ouest.

Je suivais alors les cours de quatrième année, en étudiant tout ce qu'il y a de plus intégré. Un quidam parmi trente autres, au département photo de Betsalel. Rien d'extraordinaire. Aucune aspérité. J'étais Yonatan Forschmidt : israélien, blanc, d'origine ashkénaze, féru de culture occidentale. Ni un Israélien d'origine orientale ni un étudiant arabe.

Or chaque promotion se croyait tenue d'avoir un Arabe dans ses rangs. La première année, nous avions eu l'étudiant de Nazareth qui désirait, en fait, étudier l'architecture et nous avait quittés en deuxième année. Pendant nos discussions à la cafétéria, nous rigolions d'avoir perdu notre unique Arabe, et un kibboutznik de Galilée avait ajouté qu'une promotion sans Arabe était maudite et ne réussirait jamais dans le milieu artistique branché d'Israël. Celui qui sauva l'honneur de notre promotion fut un employé au nettoyage. Originaire du village de Silwan, ce garçon de notre âge avait travaillé pendant cinq ans au nettoyage à Betsalel, jusqu'au jour où le directeur du département l'avait découvert, à en croire les journaux. Cet employé était bourré de talent et d'énergie créatrice ; après la fin de son service et le récurage des toilettes, il se consacrait au développement et à l'agrandissement des films qu'il avait photographiés avec l'appareil qu'il empruntait, de temps à autre, au magasinier du département qui entretenait de bons rapports avec lui. La découverte s'était produite par hasard : pour une raison quelconque, le directeur avait dû revenir au département dans la soirée et avait surpris l'Arabe en flagrant délit, dans sa blouse de nettoyage, au beau milieu du laboratoire. Au début, l'Arabe avait tremblé de peur, s'était excusé et avait juré que c'était exceptionnel, mais le directeur avait jeté un coup d'œil curieux sur les clichés que l'Arabe avait pris dans son village et qu'il avait accrochés pour sécher. Sur-le-champ, le directeur avait proposé à l'Arabe déconcerté, persuadé d'être licencié immédiatement, de participer aux cours du département. L'Arabe avait refusé, du moins à en croire la légende, au motif qu'il devait nourrir une famille de huit âmes et qu'il ne pouvait renoncer à son salaire, aussi négligeable fût-il. On lui avait alors concocté une bourse d'études complète et on l'avait inscrit directement en deuxième année, tandis que l'école avait continué à lui payer son salaire en échange d'un nettoyage à temps partiel après ses heures de cours. « Dommage que je ne sois pas né arabe », avait soupiré le kibboutznik, sous les rires de toute la cafétéria.

À Betsalel, j'étais un gauchiste comme la majorité de mes condisciples, et c'est grâce à eux que j'ai appris que les Arabes sont de chauds lapins, avec une bite à la place du cerveau, obsédés par la chatte et, surtout, par la manière de protéger celle de leurs sœurs. Les Arabes se mettent en colère pour un rien, et il est impossible de savoir quand on déclenche leur fureur. Ils sont imprévisibles et peuvent se montrer agressifs. L'honneur est capital à leurs yeux ; en fait, c'est tout ce qui les préoccupe. Honneur en tous genres. Leur propre honneur, l'honneur national, religieux, familial. Honore leur honneur, et tu vivras en relative sécurité. Ils sont arriérés, même ceux qui se prennent pour des hommes de progrès. Les Arabes pensent autrement, ils ont une culture différente. Les Arabes sont plus instinctifs, c'est comme ça, plus bestiaux. Le seul langage qu'ils comprennent, c'est la force, et, quand ils repèrent la faiblesse, ils attaquent. Comme des hyènes. Cela ne signifie pas que nous devons les occuper, ça non, mais si seulement ils avaient quelqu'un avec qui parler, s'ils pouvaient changer, si seulement on pouvait leur faire confiance. Alors, on pourrait signer avec eux tous les accords de paix qui garantissent une séparation absolue entre deux peuples aussi étrangers l'un à l'autre que deux parallèles qui ne se croisent jamais. S'ils relâchaient la pression, nous laissaient vivre, entretenaient avec nous de bons rapports de voisinage, surmontaient leur instinct de revanche, calmaient leur obsession de l'honneur, oubliaient ce fantasme d'empire islamique. S'ils reconnaissaient que nous étions ici avant eux, que nous avons un droit naturel sur cette terre, s'ils nous remerciaient et comprenaient à quel point nous sommes généreux…

Bien sûr, cela ne signifie pas qu'il n'y a pas de dingues parmi nous. Par exemple, ces colons déments, prêts à sacrifier la vie de leurs enfants au nom de leur idéologie messianique. Et quant à ces orthodoxes et ces Orientaux qui braillent toute la journée contre la discrimination ethnique… S'ils avaient un gramme de jugeote, ils reconnaîtraient que nous les avons tirés des gouffres obscurs dans lesquels ils stagnaient pour les amener ici…

Ce genre de propos, on les entendait en général à la cafétéria ou dans le coin fumeurs non officiel, et ils n'étaient destinés qu'aux oreilles israéliennes, blanches, civilisées. L'Arabe de service était toujours accueilli à bras ouverts, voire avec une joie qui ne donnait pas l'impression, le plus souvent, d'être feinte. Et on ne peut pas dire qu'il souffrait ; on peut même dire qu'il était épanoui. Les Arabes se sentaient assez bien acceptés, presque toujours bienvenus dans les fêtes. De nombreuses filles en étaient toquées, surtout de notre employé au nettoyage, dont la rumeur prétendait qu'il pouvait se taper n'importe quelle Juive qu'il convoitait. À la cafétéria, au coin fumeurs, quand nous étions seuls, nous les fondateurs, nous nous moquions de ces étudiantes qui se servaient des Arabes pour se venger de leurs parents ou évoquions les qualités esthétiques du phallus arabe. Moi, la plupart du temps, je me taisais pendant ces bavardages, mais je riais, je comprenais. De toute façon, je passais pour le taiseux de la classe, et nul ne savait que c'était par crainte que mon accent ne me trahisse, bien que je sois sûr que je parlais exactement comme eux, ou presque exactement. Je savais que je devais rester tout le temps sur mes gardes et m'exprimer avec un accent israélien ashkénaze. « L'ascète », c'est ainsi que m'avait surnommé le kibboutznik, parce que je ne parlais jamais de sexe. Le département bruissait de rumeurs sur le fait que j'étais homo et, à un certain stade, ils m'avaient transformé en « asexuel ». Ces rumeurs sont parvenues à mes oreilles au moment où j'épiais les conversations des étudiants arabes qui n'avaient aucune raison de soupçonner que je comprenais leur langue. « *Louti* », ça signifie homo, et « *'adim a'hsas jinsi* », un être sans besoins sexuels. Mais cela ne me dérangeait pas. Je ne recherchais pas plus que ça à me frotter à mes condisciples de Betsalel, bien que, à cause de mon origine, je n'eusse eu aucune peine à frayer avec mon milieu naturel. Pendant les pauses entre les cours, je me fondais dans une bande d'étudiants qui avalaient leur café, mangeaient ou fumaient dehors. Hormis mes visites, le samedi matin, à Noa, rencontrée pour la première fois le jour de nos candidatures, ma vie sociale ne dépassait pas le cadre du campus. Je ne participais pas aux fêtes de classe, pour la bonne raison qu'elles avaient lieu les nuits où je devais m'occuper de Yonatan, et je ne pouvais donc pas répondre aux invitations que je recevais de mes camarades d'aller dans un pub, de dîner chez eux ou d'exécuter un travail de groupe dans le cadre d'un projet collectif.

J'aimais photographier, c'était la seule raison de ma présence à l'université. Les travaux que j'ai présentés à l'exposition en fin de deuxième année étaient consacrés aux enfants travaillant comme portefaix au marché Mahané Yehouda, ce qui m'a valu l'étiquette de « photographe social » de la part de notre professeur principal. Ce qualificatif était un compliment à mes yeux, et telle était bien l'intention du prof, mais d'autres ont prétendu que je n'essayais pas de rompre avec un style conventionnel et que je n'osais pas me risquer à des photos plus « artistiques ». Nos travaux étaient présentés devant les profs, auxquels s'étaient joints un artiste, un commissaire d'exposition et un critique d'art. Les notes et appréciations que j'ai reçues ont toujours été parmi les meilleures. Avec un zeste de relations publiques, comme disait Noa, j'aurais sûrement compté parmi les excellents. Mais j'évitais d'entretenir des rapports personnels avec les profs. Jamais je ne me rendais dans leur bureau ni ne leur faisais part de mes tâtonnements. Je m'obstinais dans ma propre voie, ma pratique du noir et blanc et, même si une partie des enseignants y voyaient pure rigidité, je savais qu'il n'y avait aucun passéisme dans mes travaux, et que chacun d'eux était meilleur que le précédent.

J'utilisais du 400 ASA, toujours à la même vitesse et avec le même réglage du diaphragme. Hormis les exercices où j'étais obligé de le faire, je ne me servais jamais d'un appareil numérique ni ne retouchais un cliché sur Photoshop. Au cours de mes premières années, j'avais recours uniquement au Pentax 35 mm de Yonatan, qui passait pour démodé par rapport aux Canon et autres Nikon automatiques que possédaient la plupart des étudiants. Je photographiais avec une focale de 50 mm, sans flash, sans trépied.

Parmi mes œuvres, il y avait mes recherches autour de la famille. J'avais photographié des parents et des enfants parmi des passants au centre commercial de Beït-Hakérem, plusieurs vendredis de suite. J'avais aussi photographié des écoliers sur le chemin de l'école et des ouvriers roumains que j'avais convaincus de se laisser saisir par mon appareil pendant qu'ils buvaient de la bière frelatée dans la vieille ville, un samedi. Un travail, pour lequel j'avais reçu les meilleures critiques en deuxième année, était intitulé « Premier amour » : j'avais photographié des adolescentes au téléphone, souriant timidement et faisant rouler la pointe de leurs cheveux entre deux doigts. Rouhèlé, qui suivait mes travaux avant leur présentation, avait particulièrement aimé ce cliché. Elle avait eu les larmes aux yeux en contemplant ces jeunes filles. « Elles sont toutes amoureuses », avait-elle dit. Le lendemain, elle m'avait acheté un Hasselblad 6/6 neuf, en murmurant : « Yonatan a toujours rêvé d'un appareil comme celui-là. »

Le vigile âgé posté devant le service d'état civil du ministère de l'Intérieur, rue de la Reine Shlomsion, m'a demandé d'ouvrir mon sac, a jeté un œil puis m'a fait signe d'entrer. Il était un peu plus de huit heures, et la plupart des sièges étaient inoccupés. J'ai détaché un ticket portant le numéro 624. J'ai regardé l'écran au-dessus des préposées, le numéro 617 apparaissait, et je me suis assis au bout de la dernière rangée.

« C'est comme un don d'organe. » Je me suis souvenu de ce qu'avait dit Rouhèlé, quand elle avait découvert que j'usurpais l'identité de Yonatan. En fait, il était clair qu'elle était au courant. Elle avait haussé les épaules : « Pourquoi en ferais-je un problème ? Peut-être que les autorités y trouveront à redire, mais moi ? En quoi cela peut-il me nuire ou à mon fils ? »

Cela m'a pris du temps pour comprendre Rouhèlé ou lui faire confiance. Au début, je l'ai prise pour une écervelée, à prétendre ainsi qu'un tel délit n'entamait pas sa sérénité. Ou pour une mère endeuillée noyée dans la dépression. J'ai ensuite commencé à la soupçonner de chercher une relation sexuelle avec un soignant arabe pauvre et faible, en échange de son silence. L'Arabe qui baiserait tout ce qui se présente contre de l'argent, l'Arabe qu'une femme de cinquante-cinq ans croirait en outre libérer de ses pulsions, de son désir brûlant et inextinguible. Cette crainte s'est très vite dissipée, bien que je doive reconnaître que l'éventualité d'accepter un tel marchandage me soit venue à l'esprit. Mais si j'avais accepté, cela n'aurait pas été pour l'argent ou pour qu'elle ne porte pas plainte à la police, mais parce que, pendant ces jours-là, à certains moments, je la désirais vraiment.

Je me souviens ainsi de la première fois où elle m'avait demandé de l'accompagner à la cinémathèque, puis dîner chez Cielo, son restaurant italien préféré à Jérusalem. Ce soir-là, Rouhèlé m'avait paru particulièrement belle. Peut-être parce que je la voyais sourire pour la première fois et même rire en couvrant sa bouche de la main. Je pense qu'elle avait ri parce que je l'avais interrogée pour savoir si tout ce qu'elle faisait pour moi, c'était à cause de ses positions de gauche. « Ben, mon gars, avait-elle répliqué en contenant à grand-peine son rire… Vous, les Arabes, vous êtes vraiment bouchés. »

Au cours de ce dîner, Rouhèlé m'avait appris qu'il fallait poser sa serviette sur les genoux, ne pas mettre les coudes sur la table. Elle m'avait indiqué le moment de s'essuyer la bouche et les mains, m'avait expliqué comment tenir un verre de vin rouge et un verre de vin blanc, et quels couverts utiliser pour chaque plat. « L'assiette n'est pas une barque avec des rames », m'avait-elle fait remarquer au moment où j'avais posé le couteau et la fourchette sur l'assiette, et elle m'avait montré comment les placer en position de « quatre heures » quand on était rassasié. « Il va falloir que tu apprennes deux ou trois choses, si tu veux faire partie de la famille. »

La famille de Rouhèlé avait immigré en Israël depuis l'Allemagne. Ils n'avaient pas connu le génocide nazi, m'avait-elle raconté, du moins pas ses parents qui avaient eu le nez de venir dans ce pays pourri au début des années trente. Mais elle n'aimait pas parler de ses parents, puisque « ce ne sont pas vraiment ton grand-père et ta grand-mère ». Au cours de nos conversations, j'avais découvert qu'elle méprisait les traditions, le chauvinisme, qu'elle haïssait le nationalisme, la religion, les racines, la quête des racines et des maximes du genre : « Qui n'a pas de passé n'a pas d'avenir. » Elle pensait que les Arabes sont de mauvais imitateurs des sionistes, eux-mêmes de pâles copies des nationalistes européens du début du XXe siècle. Elle n'avait aucun goût, non plus, pour l'identité, et sûrement pas pour son incarnation nationale sur cette terre. Elle affirmait que l'être humain ne se montrerait réellement intelligent que s'il parvenait à se dépouiller de toute identité. Certes, il était difficile de se débarrasser de sa couleur de peau, reconnaissait-elle, et encore plus malaisé de se libérer de sa gangue génétique et de sa propre condition économique. Quand je lui avais annoncé que je n'avais pas eu l'intention, au début, d'usurper le nom de son fils pour étudier à Betsalel, elle avait éclaté de rire : « Pourquoi donc ? C'est comme un don d'organe. Ici, l'identité est greffée sur chacun comme une excroissance, et, en toi, ce membre est dans un piteux état. Avoue-le : être arabe, c'est pas le sommet de l'ambition humaine ! » Elle avait ri, et je savais, au ton de sa voix, qu'elle n'avait pas l'intention de me blesser. « Tu disposes là d'un don d'organe susceptible de te sauver la vie, de bien des façons. » Il me semble que Rouhèlé avait dit cela afin de me convaincre. Elle savait pertinemment à quel point j'y aspirais. Je pense qu'elle avait juste envie de me faire comprendre qu'elle ne mettrait aucun obstacle sur la voie périlleuse que j'avais choisie.

Une sonnerie a retenti dans la salle, l'écran a affiché le numéro 624. Je me suis levé et dirigé lentement vers l'employée, alors que la sonnerie retentissait de nouveau et que l'écran affichait le 625. Une femme arrivée après moi s'est précipitée pour me devancer, bien qu'elle ait vu qu'elle me grillait la priorité. J'ai eu envie de laisser passer mon tour, et peut-être même de renoncer à toute cette démarche.

« Tu as le 624 ? » m'a interrogé l'employée, tandis que la femme s'asseyait devant elle, en maugréant : « Mais le 625 est sorti…

– Madame, il était avant vous.

– Pas de problème, s'est interposée une employée, au guichet voisin. Chez moi, c'est libre. »

Je me suis installé devant elle.

« En quoi puis-je t'aider ?

– Je voudrais renouveler ma carte d'identité usagée, ai-je dit en posant l'ancienne carte de Yonatan sur la table.

– Tu sais que tu pouvais aussi bien remplir un formulaire et l'envoyer par la poste ?

– Je ne le savais pas », ai-je menti.

Bien sûr que je le savais : avant de me rendre dans ce service, je connaissais tout du processus du changement des cartes périmées. Je savais que je pouvais envoyer ma demande par la poste, mais je préférais un contact personnel. Je ressemble à Yonatan, je suis habillé comme Yonatan, et il n'y a aucun risque qu'un fonctionnaire du ministère de l'Intérieur soupçonne quelqu'un comme moi, venu de Beït-Hakérem, assis face à lui dans des vêtements coûteux. Ainsi, c'était plus sûr que d'envoyer une demande par la poste. Je craignais que la disparité entre les photos, celle ancienne d'un Yonatan adolescent à la chevelure en bataille et la mienne, prise la veille, ne bloque la délivrance automatique de la carte et que je sois obligé de venir moi-même dans ce service. Et, cette fois, dans la peau d'un suspect.

« Yonatan ?

– Oui.

– J'aurais juré que tu n'étais pas israélien, a-t-elle dit, me pétrifiant.

– Comment cela ?

– Pourquoi essaies-tu de rendre service à ces gens-là ? a-t-elle chuchoté, en prenant ma photo et en commençant à remplir ses formulaires. Les gens, ici, n'ont aucune honte. Tu n'avais qu'à dire : C'est mon tour. Tu ne sais donc pas comment il faut se conduire avec ces gens ? Il n'y a que la force qui prime. »

En sortant, j'ai glissé dans la boîte aux lettres de l'état civil une enveloppe avec un formulaire demandant le renouvellement de la carte d'Amir. J'ai joint deux photos de Yonatan que j'avais photographiées moi-même et retouchées à l'ordinateur. Tout resterait en l'état, hormis les photos interverties.

J'ai laissé vide la rubrique « peuple » sur la demande de carte d'identité d'Amir, comme le font nombre d'Arabes, depuis qu'une nouvelle disposition de la loi le permet. Cette mesure signifie que tous les citoyens de l'État, arabes et juifs, possèdent une carte d'identité semblable, sauf qu'un numéro codé permet à qui de droit de savoir s'il s'agit d'un citoyen arabe. Car on ne peut pas se fier aux seuls patronymes : Arabes et Juifs sont susceptibles d'avoir les mêmes noms – Amir, par exemple – et, depuis peu, de nombreux Arabes préfèrent donner à leurs enfants des prénoms pouvant passer pour juifs, voire « universels », comme ils aiment à le dire.

Je ne craignais pas de renouveler ma propre carte d'identité par la poste. Ma vieille photo, remplacée par une nouvelle photo de Yonatan, n'éveillerait aucun soupçon. Après tout, chaque fonctionnaire sait que, dans ce pays, personne n'a envie d'être arabe.

Oxymètre

J'ai appelé Noa à une heure assez tardive, ce jeudi-là.

« Tu ne travailles pas ce soir ? m'a-t-elle interrogé, surprise. Bien sûr que je suis libre ! » Elle n'a pas essayé de dissimuler sa joie quand je lui ai proposé qu'on se retrouve. « Enfin, je vais avoir une occasion de te voir à la nuit tombée. Tu sais que j'ai commencé à penser que, après minuit, tu te transformais en Cendrillon ? »

J'ai hélé un taxi boulevard Herzl pour me rendre chez elle, rue Agrippas, au coin de la rue Nissim Behar, dans le quartier de Nahlaot. J'ai grimpé l'escalier jusqu'au troisième étage. Noa s'était installée là, dans cet appartement qu'elle aimait baptiser « le studio », pendant l'été entre la troisième et la quatrième année à Betsalel, après avoir partagé un autre appartement du voisinage avec deux colocataires, jusqu'au jour où l'une d'elles a reçu l'illumination de la Vérité et invité, chaque nuit, un rabbin prêcheur à la calotte blanche et au sourire pervers. Noa avait dit qu'elle ne supportait pas toutes ces bondieuseries New Age à la sauce curry...

Elle n'avait pas, non plus, effectué le traditionnel voyage en Inde, après son service militaire, comme nombre de ses congénères : « Même si j'avais fait l'armée, je n'aurais pas fait ce voyage. » Elle ne comprenait pas, de toute façon, qu'on puisse tabasser des enfants arabes dans les territoires, puis se précipiter dans un ashram du bout du monde pour se purifier. Elle n'avait pas voyagé, non plus, en Amérique latine, le substitut à l'Inde pour les troufions libérés. Après le lycée, elle avait visité l'Europe, avait séjourné un mois à New York, puis était revenue étudier à Jérusalem.

Elle exécrait sa ville natale, Hod Hasharon. Un endroit snob, selon elle. Et Raanana, où elle avait aussi habité, parce qu'elle était encore plus puante. Son père était médecin, mais n'exerçait pas. Il possédait une société d'import d'appareils médicaux. Elle avait un jeune frère, un fayot de chez fayot, qui serait sûrement médecin comme sa grande sœur qui travaillait, elle aussi, avec son père. Sa mère, au contraire, était une personne merveilleuse, une artiste dans l'âme, qui avait été infirmière pendant de nombreuses années mais qui, désormais, était employée dans la société paternelle. « Et toi ? demandait-elle de temps à autre, je ne sais rien de ta famille.

– Je n'ai pas de famille, je lui répondais avec un sourire. Mais j'ai, quelque part, une mère. »

Noa était ma petite amie. En tout cas, c'est ainsi que j'avais l'habitude de décrire nos relations devant Rouhèlé, qui ne cessait de me taquiner : « Et alors, si tu nous l'amenais un jour, qu'on la voie enfin ? » Mais qu'aurais-je dit précisément à Noa si elle était venue à Beït-Hakérem ? « Voici Rouhèlé, mon employeur. C'est un pur hasard si nous portons le même nom de famille... » Et comment lui aurais-je présenté l'individu alité dans les combles : « Mon frère, nous sommes jumeaux, on ne se ressemble pas, il a eu un accident... » ?

Nous ne nous voyions qu'en journée, le plus souvent dans la matinée du samedi, quand elle ne se rendait pas chez ses parents. Nous nous promenions, photographions, prenions notre café ensemble pendant les pauses, nous nous étreignions quand elle était déprimée, nous nous tenions la main parfois, comme par inadvertance, échangions des disques, téléchargions de la musique et, le jeudi, où les cours s'achevaient relativement tôt, nous nous rendions dans des magasins de disques et à des expositions. J'aimais bien me trouver chez elle, de même qu'elle aimait bien m'inviter. Parfois, elle était prise de rage, sans explication, une vraie furie, et me jetait dehors. Elle commençait à pleurer, puis se calmait, me demandait pardon et suggérait qu'on fasse quelque chose, se balader dans le quartier, par exemple, ou dans la vieille ville.

« Tu as l'air un peu changée », ai-je laissé échapper, par mégarde, ce soir-là, au moment où elle m'a ouvert la porte. Jamais je ne l'avais vue habillée ainsi. Pendant les cours et le samedi, elle enfilait un jean ou un pantalon de velours et de simples T-shirts, souvent avec des reproductions de groupes de rock. Là, elle se tenait devant moi dans une jupe grise qui me rappelait les jupes que les avocates en pleine ascension portent dans les feuilletons américains. Au lieu d'un T-shirt imprimé, elle avait revêtu une blouse boutonnée, rouge, sans manches. Un rouge approximatif ornait ses lèvres et du mascara noir, ses cils. Jusqu'à ce jour-là, je ne l'avais jamais vue maquillée.

« Qu'est-ce qu'il y a ? s'est-elle écriée, mal à l'aise, mains tremblantes. Je ressemble à un œuf de Pâques, c'est ça ?

– Quelque chose dans le genre, ai-je ri. Je suis désolé, je suis venu en habit de travail.

– Tu veux que je me change, alors ?

– Non, non. Pourquoi ça ? C'est... »

Je ne savais comment terminer ma phrase.

« C'est quoi ?

– Rien.

– Allez, dis-le, fils de pute.

– Dire quoi ?

– Que je suis belle.

– Tu es belle.

– Mille mercis, vraiment.

– Pas de quoi.

– Une minute, je vais prendre un châle, au cas où.

– Pourquoi ? On sort ?

– Dis-moi, t'es normal ? Tu veux que je reste à la maison avec ma robe de Chaperon rouge ? Bon, tu ne veux pas sortir ?

– Non, c'est super. Avec joie.

– Parfait, a-t-elle répondu, en refermant la porte.

– Où veux-tu aller ? lui ai-je demandé, alors que nous marchions dans la rue Nissim Behar.

– C'est toi qui décides.

– Mmm ! Tu as faim ?

– Un peu, pas beaucoup, quelque chose de léger, peut-être.

– Bien. »

Je lui ai pris la main exprès afin de regarder sa montre. Elle a souri, le désir m'a submergé.

« Je pense que Cavalier est encore ouvert.

– Cavalier ? a-t-elle gloussé.

– Eh ben, quoi ? C'est un excellent restaurant. »

Ce restaurant français était l'un des préférés de Rouhèlé à Jérusalem.

« Dis-moi, tu me fais marcher, hein ? Pourquoi Cavalier, là, maintenant ?

– J'y ai pensé comme ça, parce que c'est tout près. Mais si ça ne te dérange pas de prendre un taxi, l'American Colony, c'est pas mal non plus. »

Je savais qu'il s'agissait des deux restaurants les plus coûteux de la ville, dont la plupart des étudiants ne connaissaient que les cuisines. Une fois, au cours de l'un de nos repas à Arcadia, j'ai reconnu le serveur qui s'occupait de nous, un condisciple. Sans se démonter et sans mentir, Rouhèlé lui avait serré la main en déclarant : « Enchantée, je suis la mère de Yonatan. »

Certes, je n'étais pas un habitué de la vie nocturne de Jérusalem, mais je voulais impressionner Noa. Je voulais qu'elle sache que je cachais un secret quelconque, que je n'étais pas un étudiant moyen qui travaille la nuit et renonce à toute vie sociale pour payer ses études.

« Tu me proposes un festival de possibilités, hein ? Quand j'ai dit "manger un bout", je pensais plus à un frites-bière et de la musique, pas à Cavalier.

– Tu sais quoi ? J'ai l'impression que tu connais la ville bien mieux que moi. Alors, décide toi-même.

– D'accord. Je vais t'emmener quelque part. »

Elle m'a pris la main, m'a regardé pour voir comment je réagissais et, devant mon sourire, elle a resserré sa prise et m'a traîné au bas de la rue et, soudain, s'est écriée : « D'où tu as l'argent pour Cavalier ? »

J'avais de l'argent. L'argent que Rouhèlé avait glissé dans mon portefeuille avant de me mettre à la porte de chez elle.

« Tu peux même aller à l'hôtel mais tu ne restes pas ici une minute de plus », m'avait lancé Rouhèlé, alors que je la suppliais de m'autoriser à demeurer avec elle.

Première entorse au programme que Rouhèlé elle-même avait tracé. Je ne savais pas si elle avait prévu de m'éloigner de la maison le moment venu, ou si elle l'avait décidé au moment où l'oxymètre de Yonatan avait commencé à siffler, comme chaque nuit au cours des dernières semaines.

Contrairement à notre habitude, après avoir préparé Yonatan pour la nuit, ce soir-là nous n'avons pas dîné ensemble.

« Je n'ai pas faim, ai-je dit à Rouhèlé, assise, sans un mot, dans son fauteuil.

– Je vais vendre la maison, a-t-elle lâché soudain, le regard au plafond. Je ne veux plus habiter ici. »

Nous sommes restés peut-être une heure entière l'un en face de l'autre, jusqu'au moment où l'appareil s'est remis à siffler. J'étais censé me précipiter dans les combles et brancher le ventilateur au tuyau de plastique incisé dans la gorge de Yonatan. Rouhèlé me fixait du regard. J'ai baissé la tête, pétrifié dans mon fauteuil. Selon son plan, un quart d'heure d'attente suffisait à achever la besogne. Les sifflements résonnaient dans toute la maison et dans mon crâne, dont je sentais qu'il allait exploser. J'imaginais Yonatan suffoquer, souffrir, son corps se tordre, et une expression de panique envahir ses traits.

« Où vas-tu ? » a-t-elle crié en me voyant bondir de mon fauteuil. Elle s'est précipitée derrière moi dans les combles. L'oxymètre sifflait et clignotait. J'ai regardé Yonatan, mais il n'avait pas changé. Il reposait, calme, avec la même expression, pas la moindre crispation, aucune douleur dans les yeux. Rouhèlé a baissé le volume des sifflements.

Selon les consignes, au bout d'un quart d'heure de sifflements, elle devait téléphoner aux secours d'urgence et appeler une ambulance de soins intensifs. « Mon fils ne respire plus. » C'était la phrase paniquée qu'elle avait prévue de dire au téléphone. Moi, je devais alors brancher le ventilateur afin que les ambulanciers le trouvent relié à l'appareil, bien que Rouhèlé ait prétendu que, même s'ils le trouvaient débranché, les médecins ne poseraient pas de questions superflues : « Les médecins ont tendance à encourager l'euthanasie, même dans des cas moins graves. Mais va savoir… Si un quelconque médecin bigot se pointe, il est capable de nous faire des difficultés. »

Elle était censée accueillir le personnel des soins intensifs au seuil de la maison. Et moi, me tenir au chevet de Yonatan. Rouhèlé avait prétendu qu'il était probable que des médecins débarqués dans une demeure cossue de Beït-Hakérem, voyant Yonatan couché sur un lit médical, entouré d'appareils à oxygène, délivreraient aussitôt un certificat de décès, sans chercher plus loin. Ils établiraient son décès sans avoir à le réanimer, puisqu'il était branché sur un ventilateur. Quant à elle, elle ne cesserait pas de pleurer. « J'espère juste y parvenir », avait-elle dit. Lorsque les médecins demanderaient s'ils devaient rédiger un certificat de décès, elle se contenterait de gémir et me confierait le soin de m'occuper des formulaires. Quand nous avions évoqué le sujet entre nous pour la première fois, il y a un an, avant cette soirée, elle m'avait lancé : « J'espère qu'à ce moment-là tu auras décidé quelle carte d'identité remettre aux médecins. »

Rouhèlé avait affirmé que notre plan était pratiquement dénué de dangers. « Nous avons dépassé la partie la plus dangereuse, avait-elle prétendu une fois, le changement d'identité. » Tous deux, nous préférions le mot « changement », parfois aussi « actualisation », et jamais « usurpation », lorsque nous évoquions ma nouvelle carte d'identité et celle de Yonatan.

« Tout est décidé Là-Haut, avait-elle ricané, un jour. Tu crois que c'est pour rien que tu t'appelles Amir Lahav, qui est un nom juif tout ce qu'il y a de plus *cacher* ? »

Mon nom de famille, écrit en hébreu, sonne en effet très juif, mais, en arabe, il se prononce de manière différente : *Lahab*, ce qui signifie « flammes ». Je me souviens que les Juifs avaient distordu mon nom et celui de ma famille, quand, dans mon enfance, je me rendais avec ma mère aux urgences ou à la Caisse d'assurance-maladie de Petah Tikva. La manière dont ils prononçaient notre patronyme m'amusait, et j'en faisais toujours la remarque à ma mère. Ensuite, adolescent, cela a cessé de me préoccuper et, même, je me montrais assez satisfait qu'on hébraïse mon nom, ce qui m'épargnait souvent des désagréments et des regards curieux. En grandissant, la distorsion de mon nom en hébreu, et la possibilité qu'il passe à la fois pour un nom hébreu et arabe, s'était transformée en avantage. C'est ainsi qu'à l'université, sur le mont Scopus, j'avais pu bénéficier d'une meilleure chambre dans les dortoirs proches du campus, alors que les étudiants arabes qui n'avaient pas de piston se voyaient attribuer des chambres au diable Vauvert, dans les dortoirs Alef, les plus pourris de Guivat Ram. Le premier jour, j'avais découvert que mon colocataire, un étudiant en économie, était juif. Ses traits s'étaient crispés lorsque je m'étais présenté à lui en prononçant mon nom à l'arabe. Exprès.

« T'es d'où ? m'avait-t-il questionné sur un ton inquisiteur, comme s'il n'avait pas encore tombé l'uniforme de Tsahal.

– De Jaljoulya.

– Ah ! Super ! » avait-t-il balbutié, en bordant son lit, comme si de rien n'était, puis, au bout d'un moment, il était sorti fumer une cigarette. Dix minutes plus tard, une intendante s'était pointée : « Nous avons un petit malentendu… » En effet, les règles de l'université voulaient qu'on sépare les Arabes des Juifs, sauf si les colocataires exprimaient par écrit leur accord de partager une même chambre.

« Moi, je suis d'accord, avais-je répondu.

– Je comprends, avait-elle dit en jetant un coup d'œil à sa liste. Bien, je te contacte bientôt. »

Mon colocataire juif était revenu au bout de quelques minutes et avait empaqueté ses affaires. « Frangin, ils ont commis une boulette… », avait-t-il lâché avant de prendre la poudre d'escampette.

À sa place, ils avaient mis un nouveau colocataire originaire d'I'blin en Galilée, dont je n'oublierai jamais le bonheur et la danse de Saint Guy, lorsqu'il a pénétré dans la chambre. « Ils m'avaient dit les dortoirs Alef. Ils m'ont envoyé une lettre pour me dire : Alef, et voilà que je reçois une chambre au mont Scopus, criait-il. *Ya Allah*, mon Dieu, tous mes potes de classe sont aux Alef, ils vont crever de jalousie. Une chambre avec chauffage, tout près de la fac ! Tu sais ce que c'est, les Alef ? Ils foutent tous les Arabes là-bas. Mais on dirait qu'ils commencent à mettre quelques chrétiens sur le mont Scopus. C'est un vrai miracle, je te le dis. Un miracle de la Vierge Marie. » Il avait baisé sa croix, mais ses traits s'étaient figés lorsqu'il avait appris que j'étais musulman. Néanmoins, il n'avait pas renoncé à la chambre. « Musulman, chrétien ? Quelle importance ? En fin de compte, pour nous tous, c'est écrit "Arabes" sur la carte d'identité. »

Ce soir-là, avant de quitter la maison de Beït-Hakérem, Rouhèlé m'a dit : « J'ai besoin de la carte d'identité. » J'en ai sorti une de mon portefeuille et la lui ai remise. J'ai laissé la seconde dans mon portefeuille. Elle a ouvert le document, a souri, les larmes aux yeux. « Tout ira bien, a-t-elle glissé en m'étreignant très fort. Vite, dépêche-toi, va-t'en ! » Ensuite, elle a refermé la porte derrière moi.

Goldstar

Je veux être comme eux. C'est la phrase qui résonnait dans mon cerveau, en entrant derrière Noa à la Barque. Elle a lancé des « Hé ! » à quelques clients, échangé des bécots avec d'autres, m'a présenté à eux : « Yonatan. » Ensuite, elle s'est dirigée vers le D.J. Son visage m'était familier. Il a ôté ses écouteurs et lui a souri, s'est penché au-dessus de la table sur laquelle étaient installés une table de mixage, une platine et deux lecteurs de CD, et l'a embrassée sur la joue. « Viens, ai-je lu sur ses lèvres tandis qu'elle me faisait signe d'approcher. Je te présente Aviad, il est en troisième année de communication visuelle. » Je lui ai serré la main.

Je veux être comme eux. Noa m'a demandé ce que je voulais boire, a souri quand j'ai dit du vin rouge, puis m'a incité à prendre plutôt une bière. J'ai accepté. En général, Noa préfère s'asseoir au bar, c'est ce qu'elle a dit quand nous nous sommes installés à une petite table en bois dans un coin, face au bar, où tous les sièges étaient occupés. Le D.J. a mis Radiohead, et Noa s'est balancée au rythme de la musique en affirmant que, à ce moment de la soirée, on pouvait encore l'apprécier. « Qu'est-ce que ça veut dire ? l'ai-je interrogée.

– Attends un peu, tu vas voir ! »

Le flot des clients augmentait au même rythme que la musique. Aviad est passé aux bandes d'Underworld, plus lentes, puis, alors que la salle était bondée, il a mis Plastikman, et est ensuite revenu à des morceaux d'Underworld plus saccadés. Noa buvait un peu plus rapidement que moi. J'essayais de suivre son rythme, ce qui la faisait rire. Derrière le bar, je pouvais apercevoir la piste de danse, face au D.J., se remplir de danseurs qui s'agitaient lentement. Ils hésitaient encore, ne voulant pas être les premiers à se lancer sous les yeux de tous. J'ai proposé d'aller commander la troisième bière, et j'ai dû tenter de m'insérer dans la file d'attente anarchique, qui ressemblait plutôt à un attroupement autour du bar. Noa me souriait de loin chaque fois que quelqu'un se faufilait devant moi. Elle voulait se lever et me venir en aide, mais je lui ai fait signe de rester pour garder nos places. J'ai enfin réussi à commander deux demis de Goldstar.

Je veux être comme eux. C'est ce que j'ai pensé, quand Noa a dit que c'était le seul endroit qu'elle était capable de fréquenter dans cette ville-cimetière : « Un endroit de fils à papa et à maman, bien propres sur eux. »

La plupart des clients m'ont paru être des étudiants, et j'ai pu identifier quelques visages de Betsalel. Je n'avais jamais été dans un endroit pareil, mais je l'aimais bien. Parfois, j'allais avec Rouhèlé dans des pubs, mais c'étaient des endroits calmes, diffusant de la musique classique ou du jazz en fond sonore. Rien à voir avec ce qui se déroulait là, sous mes yeux. Le souvenir de Rouhèlé m'a obligé à réfréner une vague de frissons. Que faisait-elle à cette heure ? Comment se sentait-elle ? J'aurais dû me trouver en sa compagnie. Je n'aurais pas dû renoncer. Si tout s'était déroulé selon notre plan, l'ambulance avait déjà emporté la dépouille de Yonatan à la morgue de Chaaré-Tsédek. Ils ne vérifient rien, avait dit Rouhèlé, c'est comme un entrepôt où on garde la marchandise jusqu'à ce que quelqu'un vienne la réclamer. Quiconque lui demanderait la date des funérailles, elle lui dirait qu'elle n'en savait rien car Yonatan avait signé, au lycée, un engagement de don de son corps à la science.

« Hein ? » m'a dit Noa. Je ne pouvais pas l'entendre.

« Rien », ai-je chuchoté. J'ai essayé de revenir à elle, au pub, à la musique. « Santé ! » J'ai levé mon verre et elle, le sien. « Santé ! » ai-je répété en avalant une gorgée. Et j'ai essayé de me souvenir d'un héros de mon enfance, dans l'histoire de l'Arabie d'avant l'islam, le fameux « Az-Zir », à l'exécrable réputation d'amateur de femmes et d'alcool. Le soir où son frère, chef de la tribu, avait été assassiné, il avait lâché : « *Al-youm khamer, ghada amr.*

Aujourd'hui le vin, demain le destin. » Le lendemain, il se lançait dans l'une des expéditions punitives les plus meurtrières de l'histoire arabe.

Aujourd'hui la bière, ai-je pensé tout en regardant autour de moi. Aujourd'hui, je veux être comme eux. Aujourd'hui, je veux faire partie d'eux, pénétrer des lieux où ils ont le droit d'entrer, rire comme eux, boire sans me soucier de Dieu. Je veux être comme eux. Libérés, rêveurs, capables de penser à l'amour. Comme eux. Comme ceux qui ont commencé à envahir la piste sachant qu'elle leur appartient, qui n'éprouvent pas le besoin de s'excuser pour leur existence, de dissimuler leur identité. Comme eux. Sans examen de loyalisme, sans épreuve d'allégeance, sans crainte de regards soupçonneux. Aujourd'hui, je veux faire partie d'eux sans la peur de commettre un délit. Je veux boire avec eux, danser avec eux, sans le lourd fardeau du clandestin infiltré dans une culture étrangère. Me sentir intégré sans me sentir coupable ou traître. Mais qui je trahis, en fait ?

« Tu viens ? m'a dit Noa sur fond de musique *house*.

– Je ne sais pas danser. »

Elle s'est levée en s'appuyant sur la table voisine, puis elle m'a chuchoté à l'oreille : « Moi non plus. » Je pouvais sentir son souffle pénétrer le creux de mon oreille et me ramener à la vie.

CHAPITRE VII

Eau chaude

L'avocat ne savait pas s'il était éveillé ou endormi. Il entendait les bruits ordinaires du matin, mais ils semblaient émaner d'un autre endroit, éloigné et inconnu. Il ouvrit les yeux en espérant voir sa fille en face de lui, mais elle n'était pas là. Il essaya de mettre un peu d'ordre dans ses idées, puis il y renonça et se rendormit. En se réveillant, il ne sut pas combien de temps s'était écoulé avant que l'agitation matinale ne parvienne à ses oreilles. Cette fois, il ouvrit les yeux sur un univers familier, la chambre de sa fille, et il entendit un bruit de pas descendant jusqu'à lui.

« Tu dors encore ? » l'interrogea son épouse d'une voix tendre, en posant la main sur son front pour vérifier sa température. « Tu as un peu de fièvre. » L'avocat était simplement fatigué, complètement épuisé. La nuit précédente, il était persuadé de ne pouvoir trouver le sommeil et il avait commencé à lire *La Sonate à Kreutzer*. Bien que convaincu que ses préoccupations l'empêcheraient d'aller au-delà de la première ligne, il s'était laissé absorber par l'intrigue. Il y avait là un train, un jeune homme, une femme, des bavardages autour de l'amour et un homme, que tous qualifiaient de « celui qui a assassiné sa femme », qui commençait à raconter sa vie.

« Maman ! entendit-il sa fille appeler.

– Je t'ai dit de surveiller ton frère un moment, cria son épouse.

– Mais j'ai pas envie, répondit sa fille.

– Bon, et alors ? Tu veux te prélasser un peu à la maison, aujourd'hui ?

– Non, répondit l'avocat. J'ai une audience au tribunal, à huit heures et demie.

– Maman, cria sa fille, quand tu me coiffes ?

– J'en ai assez de tes cheveux. J'arrive tout de suite. Veux-tu que je te prépare ton café avant de m'en aller ?

– Non, non », répondit l'avocat.

Il se redressa sur le bord du lit, en tentant de bouger au minimum pour calmer la migraine qui vrillait ses tempes. Il jeta un regard au réveille-matin en forme de lapin et dit : « Partez, vous êtes en retard. Je m'en irai après vous.

– D'accord. Prends soin de toi », lui chuchota son épouse, en déposant un baiser sur ses lèvres, baiser que l'avocat considéra comme sincère, non comme une excuse ou un leurre.

« Je t'aime, vraiment », lui dit-elle avant de quitter la chambre, et l'avocat opina légèrement de la tête, autant que le lui permettait sa terrible migraine.

De l'eau, de l'eau, songea l'avocat, en montant l'escalier. Il but à même la bouteille, comme à son habitude quand nul ne le voyait. Ensuite, il téléphona à Tareq, déjà en route pour le cabinet. « J'ai une audience au tribunal à huit heures et demie dans l'affaire Marzouk. Va au tribunal et demande un report pour cause de maladie. Je serai au bureau à neuf heures. Je dois faire quelque chose avant. Ah, Tareq, écoute-moi bien : aujourd'hui, à midi, nous recevons les nouvelles stagiaires. Il se peut que tu doives mener tout seul les entretiens, d'accord ? Et au passage, choisis-toi une fiancée ! » s'esclaffa l'avocat.

Il se prépara un café fort, en y ajoutant du sucre et du lait. Le matin, il prenait son café avec du lait. Le verre en main, il gagna son bureau, alluma une cigarette et lut les titres du jour sur le site Internet de *Haaretz*. Ensuite, il vérifia le contenu de sa serviette, se souvint de *La Sonate à Kreutzer*, laissa là sa cigarette et alla dans la chambre de sa fille prendre le livre. Il découvrit qu'il s'était servi du billet de son épouse comme signet.

Les matinées à Jérusalem sont trop fraîches, même en été, c'est pourquoi l'avocat avait fait installer un chauffe-eau au gaz qui, dès l'ouverture du robinet, laisse couler un flot d'eau bouillante. Il tourna le robinet à la température souhaitée et se plaça sous la douche, dont le pommeau dépassait les vingt centimètres. Il se brossa d'abord les dents, puis se rasa, se lava les cheveux au shampoing, puis se savonna le corps. En se rinçant, il regarda le pommeau géant et, en même temps, lui revint une scène de son enfance qu'il avait totalement oubliée, et non l'un de ces souvenirs impérissables qu'il pouvait évoquer de manière quasi automatique. Il revit sa mère faire bouillir de l'eau sur la cuisinière, en une froide soirée hivernale, et ses frères nus, grelottant, alors que sa mère revenait avec une autre marmite d'eau chaude et les poussait dans un chaudron de cuivre, versait l'eau sur leurs têtes, chacun à son tour, puis les frottait de toutes ses forces avec, sur le visage, une expression de peine infinie. Ils devaient se laver chaque jour, ses enfants, ils n'iraient pas sales à l'école, même en hiver, même si ce nettoyage était au prix d'un labeur épuisant. Quand elle avait fini, les enfants se servaient d'une seule serviette pour se sécher. Ensuite, c'était le tour de leur petite sœur. Sa mère la lavait dans une cuvette, couchée sur le dos, une main sous sa tête et l'autre la nettoyant et savonnant sa chevelure clairsemée.

Une douzaine de chemises blanches repassées étaient suspendues dans l'armoire. Son épouse avait disposé une cravate à côté de chacune d'elles. Les pantalons pendaient, à l'envers, sur des cintres aux pinces spéciales. Il prit un pantalon noir, une chemise, et il enfila une cravate autour du col, qu'il nouerait peut-être plus tard. Tout en laçant ses chaussures, il appela Samah.

« Bonjour, Samah. Je serai un peu en retard. Une affaire urgente. Oui, je sais, j'ai parlé avec Tareq. Qu'est-ce que j'ai d'autre aujourd'hui ? Ah, bon, d'accord. Je serai au bureau à neuf heures. Maintenant, écoute-moi bien : le numéro de la carte d'identité du bonhomme d'hier, tu l'as ? Parfait. Amir Lahav, c'est bien ça. Transmets son numéro à notre interlocuteur au tribunal, qu'il cherche sa dernière adresse à l'état civil. Et qu'il ne lambine pas, cette fois. Veux-tu que je t'apporte du café, en passant ? Au fait, Samah : ne parle à personne de ce que je viens de te demander. »

Mais, ce matin-là, les plans élaborés par l'avocat furent bouleversés dès qu'il pénétra dans son véhicule et commença à quitter son quartier. Il reçut un appel de son épouse.

« Où es-tu ? cria-t-il dans le kit mains libres incorporé au tableau de bord.

– Au travail. Je voulais juste savoir si tout va bien. Tu es déjà en route ?

– Oui, oui. Je vais bien. Il est arrivé quelque chose ?

– Non. J'ai déposé les enfants, pas de problème. Je vais bientôt entrer en réunion et je ne pourrai pas téléphoner, je me suis dit que je t'appellerais d'abord, j'ai cru que tu étais resté à la maison.

– Non, non, je suis dans ma voiture.

– Tu vas au tribunal ?

– De quoi tu parles ?

– Tu as dit que tu avais une audience à huit heures et demie. Tu as oublié ?

– Ah, oui. Je suis en route pour le tribunal d'instance. »

Il pensa aussitôt qu'elle voulait vérifier s'il serait occupé dans les prochaines heures ou s'il était susceptible de la devancer et de déposer sa demande de divorce avant elle.

« Très bien. Je t'appelle plus tard, d'accord ?

– Très bien. Bye. »

L'avocat se sentait étouffer. Il augmenta la puissance du climatiseur et ouvrit la fenêtre. Se pouvait-il que son épouse fût plus rouée que lui ? Plus machiavélique ? Il la vit à l'entrée du tribunal des affaires familiales, qui n'ouvrait qu'à huit heures et demie, sachant, tout comme lui, que son avenir était en balance. Elle ne m'avait jamais appelé le matin, s'écria l'avocat à voix haute, jamais elle ne m'avait interrogé sur mon foutu boulot, alors, pourquoi ces questions, soudain ? Et ce baiser ? Et ces attentions ? Et pourquoi vérifiait-elle ma température ?

L'avocat chercha un raccourci et obliqua à partir de l'avenue de Hébron vers Talpiot. Il ne savait quelle direction suivre : le tribunal des affaires familiales pour la prendre en flagrant délit ? Mais, alors, que ferait-il ? Rire, pleurer ? Que ferait-il quand elle lui lancerait un regard plein de mépris et de fierté pour l'avoir vaincu ? Là-bas, elle serait à l'abri. Que pourrait-il faire contre tous les vigiles et les gardes du tribunal israélien ?

Ou alors valait-il mieux foncer jusqu'au tribunal de la charia et y déposer sa demande ? Mais ça ne l'avancerait pas plus. Si elle était déjà au tribunal des affaires familiales, sa propre cause était perdue. Il décida de se rendre au bureau de son épouse pour vérifier que son véhicule y était stationné. Ainsi pourrait-il poursuivre la réalisation de ses plans. Un infime changement à son plan, se murmura-t-il à lui-même, juste un infime changement.

De nouveau, il s'efforça de reconstituer sa brève conversation avec son épouse. Qu'est-ce que c'étaient, ces bruits entendus en arrière-fond ? Il n'en était pas sûr. Est-ce qu'au tribunal des affaires familiales il y avait un tel brouhaha, à cette heure-là ? Avait-il seulement entendu du brouhaha ? Il lui semblait qu'il y régnait un silence absolu. Et dans son bureau à elle, le silence absolu règne ? Mais où travaille-t-elle, le dimanche ? Au bureau ? À l'antenne ? Il n'avait même pas le numéro de téléphone professionnel de son épouse. Il comprenait pourquoi elle préférait l'appeler directement à son cabinet et non sur son portable : pour savoir, à tout moment, où il se trouvait. « Ça va pas ? l'entendit-il alléguer pour sa défense. C'est parce que je ne sais jamais quand tu es libre ou pas ! »

L'avocat tenta de la rappeler sur son portable. Au moins pourrait-il faire attention aux bruits de fond. Mais sous quel prétexte allait-il lui téléphoner ? L'inviter à déjeuner ? Ce serait susceptible d'éveiller ses soupçons. Qu'allait-il lui demander ? « Où travailles-tu, aujourd'hui ? » Allons, pas un seul instant elle ne croirait que ça l'intéressait. L'avocat ne trouva pas de raison suffisamment convaincante pour appeler son épouse et, de toute façon, elle ne répondrait pas. « Réunion », sourit l'avocat, en songeant qu'il avait épousé une femme plus futée que lui. Il décida qu'il chercherait d'abord le véhicule de son épouse à l'antenne sud du bureau d'aide sociale de Talpiot où elle était au moins deux fois par semaine. Ensuite, il se rendrait à son antenne de soins psychiatriques de merde. Et si je ne la trouvais pas, là-bas? Il klaxonna une conductrice qui roulait devant lui.

Cadavre

Au moment d'introduire la clé dans la serrure, j'espérais que rien n'avait changé. Le journal du week-end était posé sur le seuil dans un sachet plastique trempé de rosée. J'ai soulevé le paquet, l'ai secoué pour faire tomber les gouttes d'eau et ouvert la porte.

Rouhèlé était assise dans son fauteuil, éveillée, le regard fixé au plafond. Elle avait une mine épouvantable, les yeux gonflés et, sur la table devant elle, gisaient deux bouteilles de vin rouge vides. Malgré l'heure avancée de la matinée, les rideaux étaient fermés, et seul un rai de lumière venant de la cuisine éclairait le salon. Je n'ai rien dit. Je me suis tenu à la porte, attendant qu'elle se tourne de mon côté. Cela n'avait aucun sens de monter dans les combles. Lentement, Rouhèlé a abaissé le regard et m'a fixé. Ensuite, elle a souri avec un grand effort en secouant sans cesse la tête de bas en haut.

« Fais-moi plaisir, a-t-elle lâché d'une voix épuisée, ne reste pas bouche bée devant moi, avec tes yeux compatissants ! »

Je demeurais paralysé sur place, bien que j'eusse envie de me précipiter vers elle, de l'enlacer et de lui dire que je l'aimais et que peu m'importait qu'elle réagisse par « Quel Arabe pathétique tu fais » ou « J'exècre les sentimentaux ». Je voulais qu'elle me prenne dans ses bras, la consoler et surtout me consoler, je voulais qu'elle m'étreigne fortement pour être sûr que tout irait bien, l'entendre chuchoter à mon oreille : « N'aie pas peur, maman est là », d'une voix qui chasse ma frayeur.

« Qu'est-ce que tu as à rester planté là comme un épouvantail ? Eh bien oui, tout est fini.

– Tout commence, me suis-je surpris à lui répondre, sans saisir vraiment mon intention.

– Je ne peux pas me lever », a-t-elle ricané, puis elle s'est tue un moment avant d'ajouter dans un murmure, comme pour s'excuser de sa demande : « Viens ici, espèce de petit débile. »

Je me suis approché, et elle m'a étreint de toutes ses forces, comme jamais elle ne l'avait fait. Comme si je lui appartenais. Et, moi, agenouillé sur le sol, la tête enfouie dans son giron, j'ai resserré mon étreinte, je voulais lui appartenir de plus en plus. Je n'ai pas relevé la tête pour vérifier, mais je savais pertinemment qu'elle gémissait de douleur, tout son corps tremblait. « Qu'est-ce que tu as à pleurer comme un gamin ? » m'a-t-elle dit d'une voix brisée, en me caressant les cheveux, comme pour me dire : « Je t'en prie, reste ici, reste avec moi. » Je suis resté jusqu'à ce qu'elle s'assoupisse, puis je me suis doucement dégagé de son étreinte.

« *Gharib ?* m'a questionné au téléphone le fossoyeur en chef de Beït-Safafa.

– *Gharib*, lui ai-je répondu en arabe. Un étranger.

– Ça va sûrement être des funérailles modestes…

– Il n'y aura pas de funérailles.

– Tu as un permis d'inhumer ?

– Oui. L'hôpital me l'a délivré.

– Tu sais où tu dois l'amener ?

– Non.

– La petite mosquée à côté du cimetière, tu connais ?

– Je demanderai.

– Alors, amène-le ici. Demande à n'importe qui dans le village et il t'indiquera. Tout le monde sait où se trouve le cimetière.

– Très bien. Merci beaucoup.

– *Allah yira'hmo* », dit le fossoyeur, à qui la mort fournissait, somme toute, son gagne-pain.

Muni de l'acte de décès signé par le médecin et des cartes d'identité, je me suis rendu dans la voiture de Rouhèlé à la morgue de Chaaré-Tsédek pour y recevoir la dépouille de Yonatan. Une infirmière âgée m'a accueilli, tentant d'afficher une mine éplorée plutôt artificielle.

« Comment l'emportes-tu ?

– Dans une ambulance.

– Veux-tu qu'on en appelle une ?

– Oui, s'il te plaît.

– Bien, tu peux attendre ici », a-t-elle fait, en désignant d'un mouvement de tête une minuscule salle d'attente. Ensuite, elle a pris le combiné sur un guichet surélevé en face d'elle.

Dans un coin de la salle, une petite télé placée sur un bras articulé diffusait des images muettes d'une chaîne publique. Deux hommes à la mine sévère discutaient entre eux. L'un, qui paraissait être l'invité, était religieux, avec une calotte noire, une barbe fournie, une chemise blanche et une veste noire. Celui qui semblait être l'animateur portait une calotte crochetée et une chemise boutonnée bleue. Sa barbe était courte et taillée. De temps à autre apparaissaient sur l'écran des versets de la Bible, puis ils disparaissaient, et les deux interlocuteurs revenaient à l'écran, de plus en plus exaltés, brandissant le poing, avec des gestes amples des mains, célestes, divins, souriant à la caméra, tordant le visage de douleur, exagérant leur stupéfaction devant la majesté des versets bibliques.

« *Shalom*, a dit le conducteur arabe de l'ambulance qui s'adressa à moi dans un hébreu hésitant, peut-être à cause de mes vêtements ou à cause de ma physionomie qui lui paraissaient plus juifs qu'arabes.

– *Shalom*, lui ai-je répondu dans la même langue, en me levant.

– Tu es responsable de la dépouille, si je comprends bien ? m'a-t-il questionné sans préambule ni condoléances superflues.

– Exact.

– Pour Beït-Safafa ?

– Oui. La petite mosquée à côté de…

– D'accord, a répliqué le conducteur, en me remettant une copie d'un document dont il a gardé un double. Je connais. Je suis de là-bas. Tu me suis ? »

Avant de regagner son ambulance, le conducteur a allumé une cigarette en gloussant, et son jeune aide a poussé brutalement la civière sur laquelle reposait la dépouille recouverte. Le conducteur a ouvert la porte arrière du fourgon, et l'aide a appuyé sur un poussoir de la civière avant de l'embarquer d'un geste brusque. Les pieds de la civière ont plié, puis se sont redressés sur les glissières de l'ambulance.

Il roulait lentement, calmement, et moi à sa suite. Je ne sais pour quelle raison, j'ai eu tout à coup une envie irrépressible de photographier. Cela me paraissait la seule manière sensée de passer l'heure à venir. Derrière l'objectif. Appuyer, saisir l'instant, me cacher, me sentir détaché. Mais, même si j'avais apporté l'appareil photo, il est vraisemblable que je n'aurais pas osé m'en servir. Sur la chaîne radio de l'armée, un chanteur israélien évoquait les péripéties de sa vie au cours de la semaine écoulée, s'efforçant d'alanguir la voix pour paraître intelligent et insuffler un peu de vivacité aux banalités de son existence.

L'ambulance est entrée dans le village, suscitant aussitôt la curiosité des badauds. Des enfants à vélo nous suivaient en essayant de doubler notre minuscule convoi. Le conducteur a ouvert sa vitre et leur a dit quelque chose, sans doute qu'il n'y avait rien de spécial, que ce n'était que la dépouille d'un étranger, pas quelqu'un du village. Une foule nombreuse quittait à ce moment-là la mosquée située à côté du cimetière. Les hommes se sont figés sur place en apercevant l'ambulance, pour voir de quoi il retournait. Je m'en voulais d'avoir oublié la prière du vendredi. Car c'est le pire moment pour procéder à une inhumation clandestine. J'ai garé ma voiture derrière l'ambulance et suis resté au volant. Le conducteur s'est retourné et m'a jeté un regard. Trois hommes, dont l'un paraissait être le chef et deux plus jeunes, se sont approchés du conducteur et lui ont serré la main, tout sourires. Ils ont échangé quelques mots et ont regardé dans ma direction. Quelques fidèles les ont rejoints, ont discuté à voix basse avec eux et, comprenant qu'il ne s'agissait pas d'un habitant du village et leur curiosité satisfaite, ont quitté les lieux, informant en chemin leurs amis que cet enterrement n'avait pas d'intérêt particulier.

Je ne suis sorti de mon véhicule qu'après que tous les fidèles se furent dispersés. Le jeune gars de l'ambulance a poussé la dépouille de Yonatan, et deux jeunes du village l'ont accompagné dans un petit abri adjacent à la mosquée.

« *Allah la yaroudou*, que Dieu le rejette, qu'il aille au diable, a lâché un homme âgé qui marchait près de moi. Qui peut avoir envie de prier pour un chien pareil ? »

« *Shalom!* » Le chef des fossoyeurs m'a serré la main et s'est empressé de me rassurer en hébreu : « Ne t'en fais pas, nous allons faire le boulot. Tu restes ici ?

– Oui, ai-je répondu, sans deviner la suite des événements.

– Il n'a pas de famille ?

– Pas à ma connaissance. »

Un gamin tournoyait autour de nous sur son vélo et a crié en arabe : « Jusqu'à quand ils vont continuer à enterrer les collabos chez nous ? Jusqu'à quand ? » Le chef des fossoyeurs l'a grondé et chassé de là. « Ben voyons, a crié le gamin, toi, tu t'en fiches, t'en tires ton pognon, t'en as rien à battre…

– Dégage d'ici, a gueulé le fossoyeur. Dès que j'ai fini, je vais voir ton père pour lui raconter. Dégage. »

L'enfant a détalé, tandis que le conducteur de l'ambulance rigolait en disant que le môme avait raison. « Ce cimetière, ils en ont fait une décharge d'étrangers », a-t-il dit en arabe. Le fossoyeur l'a regardé avec crainte. « Ne t'en fais pas, l'a rassuré le conducteur, ce type ne comprend pas un mot d'arabe. » La civière a été rapportée dans l'ambulance, puis le conducteur et son aide ont serré la main du responsable de l'inhumation, l'ont salué et ont vidé les lieux.

« Tu ne fais pas partie de sa famille, n'est-ce pas ? m'a demandé le fossoyeur.

– Non.

– Dis-moi, c'est ton boulot ?

– Entre autres…

– Tu connais la procédure ?

– Non.

– En ce moment, mes gars font la toilette du mort. Ensuite, on va le faire entrer dans la mosquée pour une courte prière, puis on va l'enterrer. On a déjà creusé la tombe. »

Il a désigné un coin qui paraissait isolé du cimetière, de l'autre côté de la route. « Bon, tout est prêt. Tu veux du café ?

– Non, merci. »

La toilette du mort a vite été expédiée. Deux jeunes sont sortis de l'abri avec la dépouille dans un cercueil en bois et se sont hâtés de l'introduire dans la mosquée. « Un instant ! » m'a dit le responsable, et il a couru vers eux. J'étais persuadé qu'aucune prière du défunt n'avait été prononcée. Le cercueil n'avait pas pénétré dans la mosquée plus d'une minute, et les deux jeunes en sont sortis avec le cercueil, puis ont traversé au pas de charge la route séparant la mosquée du cimetière.

« C'est qui, le défunt ? a interrogé un chauffeur qui avait arrêté son véhicule.

– Un étranger, a répondu le fossoyeur. *Allah yira'hmo*, un étranger. Un étranger. »

Le chauffeur a redémarré, le fossoyeur s'est approché de moi. « Voilà, ils l'enterrent. Si ça te dit, tu peux donner un petit quelque chose aux deux jeunes.

– Et comment ! Qu'il aboule son pognon, c'te merde ! a crié l'un des jeunes qui avait porté le cercueil, tandis que son camarade riait à gorge déployée.

– La ferme, vous deux ! a hurlé le responsable dont le visage trahissait la confusion et la désolation.

– Oui, bien sûr, ai-je dit en prenant deux billets de cinquante shekels dans mon portefeuille.

– Merci beaucoup », m'a dit le responsable en s'éloignant à la hâte vers le cimetière, criant aux deux jeunes qui avaient déjà déposé le cercueil à côté de la fosse : « Vous m'avez fait honte. » Je suis monté dans ma voiture et j'ai mis le contact. De loin, je pouvais apercevoir les crânes des deux jeunes penchés sur le sol et le fossoyeur en chef les diriger avec des gestes des mains. J'ai supposé qu'ils avaient déposé au début les cinq blocs de parpaings habituels sur la dépouille, puis commencé à combler la fosse avec du sable. Assis, je suivais leurs gestes. L'un des jeunes a craché dans la tombe en rigolant.

Parking souterrain

L'avocat gara sa berline sur son emplacement réservé dans le parking. Il était presque neuf heures. Il coupa le contact et resta à l'intérieur. L'avocat avait peur. Pourquoi tout cela lui tombait-il dessus en ce moment ? Il craignait tant que cette histoire, qu'il ne parvenait pas à maîtriser, ne détruise sa vie, sa carrière, qu'il ne commence à perdre sa clientèle. Et que valait-il sans elle ? Car un mois ou deux sans affaires dignes de ce nom, et sa vie serait réduite à néant. Les salaires de ses employés, l'hypothèque de la maison, les traites de la voiture, les impôts, les dépenses courantes, la nourrice des enfants, l'école de sa fille… L'avocat voyait sa vie détruite sous ses yeux. Pourquoi lui avait-elle fait ça ? Elle ne voyait donc pas qu'il s'échinait pour leur assurer un train de vie décent ? Il avait toujours redouté les jeunes avocats qui feraient concurrence à son cabinet prospère, mais qui eût pu croire qu'il devrait affronter des bêtises comme l'amour et l'infidélité ? Au lieu de se rendre à une audience importante au tribunal, pour une affaire de recel d'arme volée, voilà qu'il demandait un report et vagabondait dans les rues à la recherche de la voiture de son épouse, comme un puceau boutonneux…

Il avait les cinq étages du parking souterrain du bureau d'aide sociale de Talpiot à parcourir. Il roula à faible allure dans la rampe, examinant un à un les véhicules stationnés sur chaque plateau.

En l'absence du véhicule de son épouse, il remonta jusqu'à l'étage supérieur du parking. Deux sonneries de messages retentirent sur son portable, au moment où il quittait le parking. L'avocat regarda l'écran et constata qu'il y avait eu deux appels sans réponse pendant qu'il se trouvait dans le parking souterrain où le réseau ne passait pas. Le premier était de Samah, le second, de son épouse. Il appela d'abord cette dernière mais, cette fois encore, elle ne répondit pas. L'avocat quitta Talpiot pour gagner l'antenne où son épouse travaillait, deux ou trois jours de la semaine. Que faisait-elle au juste, là ? se dit-il, au moment où son téléphone sonna.

« Tout va bien ? dit-elle. J'ai vu que tu me cherchais et je suis sortie pour te rappeler. Tout va bien ?

– Oui. Quel genre de réunion ?

– Réunion du personnel.

– À l'antenne des soins psychiatriques ?

– Oui. Chaque dimanche, il y a une réunion du personnel. On discute des cas. Bon, je dois y retourner. Tu es sûr que tout va bien ?

– Oui. Pas de problème. Je suis juste coincé dans un embouteillage. »

Néanmoins, l'avocat se rendit dans la rue où était située l'antenne afin de vérifier qu'elle n'avait pas menti. Mais lorsqu'il aperçut sa voiture, la pensée que son épouse s'était jouée de lui

lui traversa l'esprit : elle l'avait garée près de l'antenne puis avait hélé un taxi. L'avocat agrippa son volant plus fort et soupira. Il était en sueur. Il essaya de se calmer, il était en train de perdre sa lucidité.

« Il est mort, annonça Samah à l'avocat, à son arrivée au cabinet.

– Qui ça ?

– Ton jeune homme.

– Quoi ? Impossible. » Il posa sur le comptoir le porte-gobelets avec les trois cafés qu'il avait achetés pour Tareq, Samah et lui-même. Les téléphones sonnaient de partout. « Cabinet d'avocats, un instant, s'il vous plaît », répondit Samah, en posant le combiné sur le comptoir. Elle tendit à l'avocat un document reçu par fax, puis reprit le téléphone « Excusez-moi pour l'attente. En quoi puis-je vous aider ? Bonjour, Abou-Ramzi, comment allez-vous ? » Samah regarda l'avocat, et ce dernier fit non de la tête. « Je suis désolée, il n'est pas au bureau, en ce moment. Il a une audience au tribunal. Oui, d'accord. Je vais lui transmettre, bien sûr. Au revoir. »

L'avocat s'enfonça dans son fauteuil et regarda de nouveau le document transcrivant les données de l'état civil : Amir Lahav, né à Tira, en 1979. L'avocat prit dans sa serviette le billet sur lequel il avait inscrit le numéro d'identité d'Amir Lahav que Samah avait reçu du bureau d'aide sociale, et vérifia que les numéros concordaient. Selon l'état civil, Amir Lahav n'était décédé que depuis jeudi, un peu plus d'une semaine auparavant. C'était tout simplement impossible. Une telle coïncidence ! Juste maintenant, au moment où il le recherchait, le voilà qui mourait ?

Impossible, songea l'avocat, il y a là une erreur manifeste.

Impossible qu'il soit mort. Hier encore, il avait parlé à sa mère, qui ne lui avait pas paru être atteinte de démence. L'avocat s'adossa à son fauteuil et se massa les tempes.

« Qu'est-ce qu'il y a ? demanda Samah en pénétrant dans le bureau de l'avocat, son gobelet de café à la main.

– Rien, vraiment rien.

– Tu connaissais le défunt ?

– Hein ? » Il lui fallut un moment pour comprendre la question de Samah. « Ah, non, non… Écoute-moi bien », fit l'avocat en se redressant. Il sortit de sa serviette *Cent ans de solitude* et l'ouvrage sur Egon Schiele, montra à Samah les pages portant la signature « Yonatan ».

« Je voudrais que tu photocopies ces pages, lui dit-il. Envoie-les au graphologue, avec une demande de réponse urgente. Et signale-lui que je n'ai pas besoin d'un rapport officiel. »

Samah prit les deux ouvrages. « Mais qu'est-ce que je dois lui demander, au juste ?

– Hein ? Ah, demande-lui de comparer les signatures. Entoure le nom "Yonatan" là, en haut des pages. »

Après le départ de Samah, l'avocat chercha le numéro de téléphone que lui avait donné Myassar, la mère de Jaljoulya. Qu'allait-il lui dire exactement ? « Le fils dont tu m'as parlé cette semaine est mort, en fait, la semaine passée » ? L'avocat voulait authentifier avec elle son numéro d'identité, lui demander si quelqu'un d'autre portait le même nom à Jaljoulya, mais il était conscient que ces questions éveilleraient sa méfiance et qu'il était peu probable qu'elle y réponde.

« Allô ? »

Il entendit sa voix et raccrocha.

Poubelles

Le jeudi, au bout des sept jours de deuil, Rouhèlé a entassé des vêtements dans une grande valise et s'est installée dans un hôtel, jusqu'à ce qu'elle trouve un appartement. Elle m'a laissé le soin de vendre sa maison. « Laisse ce que tu veux, prends ce que tu veux », m'a-t-elle dit, au moment de la déposer à la porte de l'hôtel.

Elle attendait évidemment ce moment-là, tout comme moi ; elle avait ruminé ce scénario du « jour d'après » des centaines et des milliers de fois. Elle savait exactement quoi faire, quelle valise prendre, quels vêtements emporter. Elle ne s'est pas attardée une seconde en quittant la chambre, sa valise à la main, elle a retiré d'une étagère cinq livres qu'elle avait choisis d'avance, peut-être des années auparavant, puis elle a pénétré dans son bureau et en est ressortie, au bout de quelques minutes, avec un autre sac à l'épaule.

Je crois que j'ai imaginé davantage ce moment que Rouhèlé et j'étais persuadé que j'exécuterais, de manière automatique, toutes les étapes auxquelles j'avais réfléchi, la nuit, pendant des mois. Mais, dès mon retour de l'hôtel à la maison, j'ai senti que mes pensées se disloquaient. Je ne parvenais pas à me remémorer tout ce qui, le matin encore, me semblait si évident.

Rouhèlé ne m'a pas demandé de quitter la maison, du moins avant d'avoir trouvé un acheteur, mais je savais que je ne pourrais y dormir seul, pas même une nuit, sans elle et Yonatan. « Désinfection », c'est le nom de code que j'ai donné à la première activité que je me suis imposée, après avoir fixé le rendez-vous avec un agent immobilier. Ne laisser aucune trace, me suis-je répété en commençant à vider les tiroirs des combles dans des sacs-poubelle.

Je me suis efforcé de ne pas regarder le contenu des tiroirs que je connaissais si bien, et d'enfourner le tout dans les sacs, sans réfléchir. Il n'y avait pas une minute à perdre. Agendas, photos, diplômes scolaires, dessins du jardin d'enfants, lettres. Fallait-il broyer tous ces papiers ou les brûler ?

Après les tiroirs du bureau, je me suis concentré sur l'armoire à vêtements. De l'étagère du haut, j'ai sorti mes deux vieux sacs et j'y ai entassé mes anciens vêtements. Comme elles me paraissaient minables, ces frusques délaissées depuis presque cinq ans. Elles ne m'appartiennent pas, ai-je tenté de me convaincre, et un frisson a parcouru mes membres. Elles ne m'appartiennent pas. J'ai reniflé l'odeur du pull bleu, ce n'est pas mon odeur, j'ai essuyé mes yeux avec le pull – qu'il serve, au moins, à sécher mes larmes – et je l'ai fourré dans le sac.

J'avais prévu de déposer les sacs de vêtements au pied de la grande poubelle en face de la maison, comme le faisaient les voisins, pour les laisser à la disposition des éboueurs arabes. En général, ils utilisaient des sacs transparents pour rendre leur contenu visible. J'ai craint que mes sacs de sport ne paraissent suspects. J'en ai vidé le contenu dans la poubelle. J'ai plié mes vêtements neufs dans une grande valise que j'avais achetée en début de semaine. Le lit médical, le fauteuil à roulettes, le ventilateur et le reste de l'appareillage médical ont été emportés, le lendemain, par des volontaires de Yad Sarah, l'association d'aide aux handicapés.

Quand j'ai débarqué chez elle, Noa était à ses cours, mais elle m'avait laissé une clé sous le paillasson de l'entrée. Malgré l'amour infini de Noa pour la musique, il n'y avait chez elle qu'une chaîne mini-stéréo et des haut-parleurs épouvantables, aussi ai-je apporté la stéréo de Yonatan. J'ai aussi offert la guitare électrique à Noa pour m'avoir invité à rester chez elle jusqu'à ce que je trouve un autre endroit.

Après avoir déposé mon chargement chez Noa, je suis retourné à la maison empaqueter les disques et les livres. J'ai décidé qu'il serait plus sûr de jeter loin de là les sacs avec le contenu des tiroirs de Yonatan.

Billets de deux cents shekels

« Je reviens dans cinq minutes », annonça l'avocat à Samah qui, d'une main, tenait le combiné et, de l'autre, envoyait par fax la demande au graphologue. Au bas de l'escalier, il rencontra Tareq.

« Et alors ? l'interrogea l'avocat.

– Tu ne vas pas me croire. Le procureur s'est vu infliger un blâme.

– Hein ? Tu n'as pas fait repousser l'audience ?

– Non. C'était inutile. La police n'a pas amené le détenu.

– Excellent ! sourit de toutes ses dents l'avocat. Très bien. Je m'absente cinq minutes et je reviens. Ton café va être froid. »

L'avocat se réjouit de n'avoir pas à reporter l'audience. Il y vit un présage. Peut-être que tout n'était pas contre lui, et que la chance qui l'avait toujours accompagné ne l'avait pas totalement abandonné. Il ne restait plus qu'une simple vérification, et ce serait fini, se rassura l'avocat. Une ultime vérification, et je jette toute cette histoire aux oubliettes. Peu m'importe que cet Amir soit vivant ou mort et peu m'importe sa mère. Après cette vérification, je croirai de nouveau à la version de mon épouse. Car, après tout, son histoire se tient. Il y avait un gars du nom d'Amir, une victime de la vie qui, un beau jour, a déguerpi de son boulot et n'est plus revenu. Certes, le début de cette histoire pouvait paraître fabriqué, mais l'avocat était persuadé qu'il n'y avait aucun risque que son épouse ait arrangé sa version avec le directeur du dispensaire.

« Oh, bonjour, lança l'avocat, en apercevant Mérav derrière son comptoir de la librairie.

– Bonjour, lui répondit-elle. Qu'est-ce qui se passe ? Que fais-tu ici un dimanche si tôt ? »

L'avocat éclata de rire, en espérant paraître sincère : « Tu as raison, répondit-il en cherchant du regard les cartons de livres de Yonatan, il y a du nouveau…

– Quoi ?

– Jeudi, j'ai acheté ici *La Sonate à Kreutzer*, tu t'en souviens ? lui demanda-t-il en montrant l'ouvrage.

– Oui, je m'en souviens. Et alors ?

– Une merveille de bouquin, pas de problème. Simplement, je voulais savoir qui vous a vendu l'ouvrage.

– Bien, c'est moi qui ai réceptionné les cartons, ils sont arrivés jeudi. Pourquoi ?

– Peut-être pourrais-tu me donner, *ana 'aref?*, je ne sais pas, le numéro de téléphone, l'adresse mail du vendeur ?

– Non, désolée. Il nous est strictement interdit de dévoiler l'identité des vendeurs, tout comme celle des acheteurs. Pour ça, tu dois voir avec le patron, si c'est si important pour toi.

– Je comprends, rit l'avocat. C'est comme le respect du secret professionnel entre avocat et client, en quelque sorte ?

– Ordre explicite du patron ! Il craint qu'on ne lui pique des clients. Et il craint encore plus qu'on ne lui chipe des vendeurs.

– Bon, d'accord, fit l'avocat. Simplement, ce qui s'est passé, Mérav, c'est que j'ai trouvé ces deux billets de deux cents shekels dans les pages, répondit-il en sortant les billets de *La Sonate*.

– O.K., fit Mérav, un peu confuse. Ils sont sûrement à lui. Parce que je n'ai commencé à défaire les cartons que jeudi, aucun risque que ça appartienne à un employé de la librairie.

– Il me semble que ça appartient à ce Yonatan, fit l'avocat en étudiant ses réactions à l'énoncé du nom du vendeur.

– Oui, c'est possible, fit-elle en tapant sur son ordinateur. Je vais l'appeler pour lui dire de venir les récupérer ici. »

« Bonjour, j'espère que c'est bien le numéro de Yonatan, dit Mérav dans le combiné. J'espère que je ne vous dérange pas, je m'appelle Mérav et je vous appelle de la librairie d'occasion. J'ai réceptionné jeudi dernier vos livres, vous vous en souvenez ? Non, non, il n'y a pas de problème. Simplement, dans l'un des livres, on a trouvé deux billets de deux cents shekels. Oui. Alors, je me suis dit, je ne sais pas, que j'allais vous les envoyer ou que vous passiez les prendre... » Mérav se tut, hocha la tête en regardant l'avocat. Puis elle ajouta : « Je ne comprends pas. C'est votre argent, tout de même... »

L'avocat fit signe de la main à Mérav qu'il voulait parler à Yonatan. Elle lui dit : « Excusez-moi, un instant, le client qui a trouvé l'argent veut vous parler. Une seconde », et elle lui passa le combiné.

L'avocat respira profondément avant de commencer.

« Bonjour, Yonatan ? fit-il d'un ton interrogatif.

– Bonjour », répondit une voix à l'autre bout du fil. L'avocat entendait un brouhaha.

« Voilà, simplement, j'ai acheté *La Sonate à Kreutzer* et... » La voix de l'avocat tremblait.

« Oui, pas de problème, le coupa la voix. Vraiment, pas de problème. Je ne veux pas de cet argent. Faites-en ce que vous voulez. Un don, ou gardez-le, ou laissez-le à la librairie, je ne viendrai pas prendre l'argent.

– Bien, je comprends », répondit l'avocat, en soupesant la suite de ses propos. Il lui semblait que l'homme à l'autre bout du fil était en train de quitter la pièce bruyante où il avait reçu l'appel et cherchait un endroit plus calme. « Le problème, c'est que, en plus de l'argent, j'ai trouvé un mot.

– Quel mot ?

– Un mot en arabe, c'est pourquoi ça m'a intéressé, répondit l'avocat.

– Monsieur, a répliqué la voix sur un ton impatient, je ne sais pas de quoi vous parlez, et je dois entrer en cours à l'instant, je dois raccrocher.

– Tu parles l'arabe, Yonatan ? se hâta de l'interroger l'avocat, en regardant Mérav qui commençait à s'agiter, regrettant d'avoir autorisé l'avocat à parler avec son client.

– Pourquoi me demandez-vous ça, monsieur ? Puis-je savoir qui vous êtes ? »

La tonalité de la voix convainquit l'avocat que son enquête allait dans le bon sens.

« Yonatan, dit-il, cette fois d'une voix plus ferme, connais-tu un jeune Arabe du nom d'Amir Lahav ?

– Qui êtes-vous ? »

L'avocat détecta de la frayeur dans la voix à l'autre bout du fil.

« Pouvez-vous me dire, s'il vous plaît, qui vous êtes ? » le supplia presque Yonatan.

L'avocat décida de clore, pour l'heure, son interrogatoire.

« Si je t'apportais l'argent lorsqu'on se rencontrera ? Qu'en dis-tu ?

– Pourquoi devrait-on se rencontrer ? Je vous ai dit que je ne voulais pas de cet argent, que voulez-vous de moi ?

– Pas de problème, répliqua l'avocat en souriant à Mérav pour la rassurer. Bon, je vais aussi apporter le mot en arabe. *Yallah*, passe une bonne journée. Ils ont l'adresse ? Bon, bon, parfait. Eh bien, à bientôt. »

L'avocat raccrocha sans attendre de réponse. Il fixa Mérav, avec un sourire épanoui.

« Qui peut bien renoncer à son argent, dis-moi ?

– Oui ? Il veut bien ?

– Et comment ! répondit l'avocat. Il m'a paru très occupé, mais il m'a demandé de faire un saut chez lui. Il a l'air d'un brave garçon. Et, pour ce qui est des livres, il a bon goût.

– Ça oui, confirma Mérav, il y avait là des livres excellents.

– Parfait. Bon, j'y vais. Tu peux peut-être m'indiquer le plus court chemin ?

– Où est-ce ? demanda-t-elle en regardant de nouveau l'ordinateur. 35, rue du Pionnier ? Le mieux, c'est de prendre boulevard Betsalel, ensuite, au bout, à gauche, boulevard Herzl.

– Merci beaucoup, tu es un amour. »

Une plaque et une sonnette

L'avocat était d'humeur euphorique. Somme toute, il avait réussi à accomplir tous les objectifs qu'il s'était fixés. Son épouse se trouvait à la maison avec les enfants. Comment avait-il pu, ce matin-là, croire qu'elle l'avait devancé au tribunal ? Et puis, toute cette histoire de véhicule stationné ou pas lui fit monter un sourire aux lèvres. Certes, il n'avait pas encore trouvé de nouvelle stagiaire. Des trois candidates convoquées, seules deux étaient venues à l'entretien, et elles n'avaient pas laissé une impression particulièrement flatteuse. Surtout aux yeux de Tareq.

« Ces deux-là sont des bosseuses, avait tranché ce dernier après les entretiens. Et alors, qu'est-ce que ça me fait si elles ont de bonnes notes ? Regarde-les, des petites filles gâtées qui n'ont jamais levé le nez de leurs bouquins et qui ne connaissent rien de la vie.

– Bon, on verra la semaine prochaine, on aura d'autres candidates, conclut l'avocat en éclatant de rire. En plus, elles étaient laides à faire peur. Toutes les deux. »

Même le fait qu'il approchât de la solution de l'énigme le ravissait. Désormais, en route vers Beït-Hakérem, c'est tout ce qui restait de cette affaire : une énigme. Un simple défi. Il avait presque réussi à oublier le rôle de son épouse dans cette histoire et désirait connaître ce Yonatan, et cet Amir. Il voulait découvrir quel rapport il y avait entre eux, et comment tout cela était arrivé.

Il se peut que l'avocat fût un moment amusé par la possibilité qu'Amir et Yonatan soient, en fait, en couple. Ce scénario le mit particulièrement en joie. Cette éventualité le débarrasserait de tous ses malheurs. Si son épouse avait aimé avant lui un homo, il serait le plus heureux des hommes. Dans son imagination, le macho arabe vigoureux, élancé, musclé, à la bite énorme, laissait la place à une pédale fragile, chétive, larmoyante, dansant avec son épouse dans une fête. Bien sûr, en public, l'avocat s'abstenait de mépriser les homos et avait même proclamé, à qui voulait l'entendre, que chaque être humain avait le droit de choisir sa sexualité et ses compagnons dans la vie.

Il s'était même indigné à voix haute, à l'évocation d'assassinats ou de persécutions d'homos, dans les pays arabes et en Iran, et considérait une telle attitude comme une tare sociale et culturelle, comme une preuve de l'arriération des régimes arabes et islamiques. Néanmoins, l'idée de son épouse dansant avec un homo le combla.

L'avocat ralentit l'allure et examina les numéros des maisons. Il se gara devant le 34 et chercha, en face, le 35. Un petit portail donnait sur un jardin et, au bout, une assez grande demeure. Aucune chance qu'un travailleur social puisse avoir les moyens d'habiter ici, se dit l'avocat en parvenant à l'entrée de la maison qui lui parut plutôt être la demeure d'une famille aisée et non celle d'un couple d'homos. Le quartier était assez paisible. Aucun véhicule ne passait dans la rue étroite et, hormis des aboiements de chiens et le bourdonnement lointain de la circulation sur le boulevard, l'avocat n'entendait rien. Sur la porte d'entrée, une plaque en bois portait le nom « Forschmidt ».

L'avocat frappa quelques coups légers de son poing sur la porte. Il tenait en main *La Sonate à Kreutzer* avec, à l'intérieur, la lettre de son épouse et deux billets de deux cents shekels. Peu importe qui lui ouvrirait, l'avocat avait décidé d'aller droit au but. Dire la vérité et exiger des réponses. Il prépara ses premiers mots : « J'ai acheté un livre que Yonatan a vendu et, dans ce livre, j'ai découvert une lettre de la main de mon épouse. Je voudrais connaître le fin mot de l'histoire. Juste par curiosité. En outre, elle m'a dit qu'elle l'avait écrite à un collègue de travail du nom d'Amir Lahav… » L'avocat frappa à nouveau, mais ne reçut aucune réponse. Il appuya sur la sonnette, dont le tintement étouffé lui parvint en écho, et il attendit un bref moment avant que la porte ne s'ouvre.

Rencontre

« Bonjour, ai-je dit à l'individu qui se tenait à la porte, pensant que c'était l'agent immobilier. Je t'en prie, entre. Tu as un peu d'avance, mais pas de problème.

– Je pense que tu me confonds avec quelqu'un d'autre, a dit l'individu.

– Tu n'es pas l'agent immobilier ?

– Non », a-t-il répondu avec un large sourire. À cet instant, j'ai commencé à identifier sa physionomie et son accent arabes, et j'ai compris qu'il s'agissait sans aucun doute de la voix qui m'avait appelé de la librairie, un peu plus tôt dans la matinée.

« C'est toi, Yonatan ? a-t-il lancé, sur un ton mi-interrogatif, mi-affirmatif.

– Excusez-moi, à qui ai-je l'honneur ?

– Je suis juste... juste un avocat qui cherche Yonatan, a-t-il répondu, toujours souriant.

– Pourquoi ? Qu'a-t-il fait ?

– Rien. Il n'a rien fait. Je crois que j'ai acheté un livre d'occasion qu'il a vendu. »

Il tenait en main *La Sonate à Kreutzer* et l'a soulevé à hauteur de mes yeux, comme une pièce à conviction.

« J'ai trouvé des billets à l'intérieur et je me suis dit qu'il fallait que je les restitue à leur propriétaire.

– Merci, ai-je répondu. Si vous le désirez, je peux les lui remettre.

– Donc, tu n'es pas Yonatan ?

– Je ne comprends pas ce que ça change, monsieur, ai-je répliqué, sûr que la discussion en resterait là.

– Ça ne change rien, en effet, a répondu l'avocat, en tirant du livre un billet blanc, plié. Simplement, j'ai trouvé aussi ce billet dans le livre, et il m'a semblé plus personnel que des billets de banque, et donc, j'ai pensé le remettre moi-même à Yonatan.

– Oui. Je suis Yonatan », ai-je répliqué avec impatience. Désormais, j'étais sûr que cet importun était arabe.

« Pardonne-moi mon manque de correction, m'a-t-il rétorqué d'un ton mesuré, comme s'il plaidait devant un tribunal plein à craquer, puis-je voir ta carte d'identité ?

– Monsieur, je ne sais pas qui vous êtes. Vous venez chez moi avec un livre d'occasion que j'ai vendu à la librairie et me racontez une sombre histoire d'argent trouvé. Cet argent ne m'intéresse pas, gardez-le, et votre billet ne m'intéresse pas, non plus. Je ne veux pas vous montrer ma carte d'identité et je ne veux pas poursuivre cette discussion. »

Je tenais la porte, et ce n'est que par politesse que je ne l'ai pas refermée. J'ai attendu qu'il s'éloigne d'abord, avant de la fermer, mais il me semble que j'ai alors compris que ce n'était que le début d'une longue discussion.

« Tu es Amir, m'a-t-il brusquement lancé en arabe, le regard sévère.

– Hein ? ai-je tenté de poursuivre en hébreu. Qui êtes-vous au juste ? Que voulez-vous de moi ?

– Je sais qui tu es, dit-il en s'obstinant à parler arabe. Hier, j'ai rendu visite à ta mère, à Jaljoulya. Ça m'intéresse de savoir ce qu'elle pensera en découvrant que son fils est mort. »

Je me suis tu un moment, toujours face à l'avocat qui a sorti de sa veste un paquet de cigarettes et un briquet.

« Tu fumes ? » m'a-t-il demandé en arabe.

J'ai fait oui de la tête et pris une cigarette.

« *Tfadal*, je vous en prie, ai-je dit en faisant signe d'entrer à l'avocat et j'ai regardé à gauche et à droite pour être sûr qu'il n'y avait pas de témoin de la scène. Vous pouvez fumer dans la maison. »

Il a allumé ma cigarette, sans allumer la sienne, collée à ses lèvres.

« Qui êtes-vous ? » l'ai-je questionné, tandis qu'il s'asseyait dans le fauteuil en face de moi. J'ai pris place dans celui que Rouhèlé occupait toujours, ce qui m'a mis mal à l'aise.

L'avocat scrutait le salon, s'attardant sur les tas de livres qui couvraient les étagères. « Tu sais, a-t-il lâché soudain d'un air songeur, j'ai toujours rêvé d'avoir un jour une telle bibliothèque. Tu la vendrais ?

– Ces livres ne m'appartiennent pas, ai-je répliqué sèchement, dans l'espoir d'en venir au fait.

– Ah bon ? a-t-il dit en frappant le dos du livre posé devant lui, et *La Sonate à Kreutzer*, il est à toi ?

– S'il vous plaît, ai-je répondu d'une voix agressive, dites-moi enfin qui vous êtes et ce que vous voulez de moi.

– Je te l'ai déjà dit, je suis avocat, mais je suis ici en tant qu'époux de Leïla. »

Il s'est tu et m'a fixé comme pour mieux étudier l'expression de mon visage.

« Qui est-ce, cette Leïla ? » ai-je répondu en fronçant les sourcils, comme pour mieux me souvenir, et j'ai aussitôt senti que ça le rassurait. Ses muscles semblaient se relâcher, puis il a allumé sa cigarette et s'est enfoncé dans son fauteuil.

« Tu as travaillé jadis au bureau d'aide sociale de la Jérusalem-Est, n'est-ce pas ?

– Exact.

– Tu sais, a-t-il dit en dépliant sur la table le petit billet qu'il avait tiré d'entre les pages, tout a commencé par ça. »

J'ai lu le billet, rédigé d'une belle écriture féminine.

« C'est quoi ? Où l'avez-vous eu ? C'était dans le livre ?

– Oui. C'était dans ce livre.

– Bon, et alors ? ai-je répliqué, en repliant le billet et en le lui rendant. En quoi ça me concerne ?

– Elle l'a écrit pour toi, non ?

– Qui ça ?

– Leïla, mon épouse.

– Mais qui est cette Leïla, au juste ? me suis-je obstiné à ne pas me souvenir.

– Elle travaillait au service des toxicos, à Wadi Jouz. Tu te rappelles ?

– Je ne me souviens pas d'une Leïla ayant travaillé là-bas », ai-je répondu.

Je me suis remémoré, pour un instant, les jours passés dans ce bureau, à Wadi Jouz, et le travailleur social que j'étais censé avoir été.

« C'étaient tous des hommes là-bas, si ma mémoire ne me trahit pas, non ?

– Il y avait aussi Leïla, une stagiaire.

– Ah ! ai-je laissé échapper, dans un cri d'étonnement sincère, bien qu'il ne me semble pas que l'avocat en ait été convaincu. C'est vrai, oui, c'est vrai. Vous avez raison. Eh oui, Leïla, l'étudiante, exact. Nous nous sommes même rendus ensemble, une fois, pour une visite chez l'un de nos usagers, dans la vieille ville. Comment va-t-elle ?

– Très bien. La question est plutôt : Comment vas-tu, toi ?

– Que voulez-vous dire ?

– Je veux dire que je suis heureux de constater que tu te souviens de cette visite. Je veux dire que tu dois répondre à quelques questions avant que je m'en aille d'ici.

– Quelles questions ? demandai-je, de nouveau pris de peur.

– Des questions du genre : comment ce billet, écrit par mon épouse et dont tu prétends ne pas te souvenir, t'est parvenu et, surtout, quand ? »

Son regard avait désormais quelque chose de dur qui m'éclaira sur la profondeur de sa détresse. Il était persuadé que j'avais eu une liaison avec sa femme, et je savais que je devais lui révéler l'entière vérité car, autrement, tout ce que j'avais entrepris serait en pure perte. Que je me retrouverais à devoir répondre, cette fois, à l'interrogatoire d'inspecteurs de police, à m'empêtrer dans des versions contradictoires, et non seulement moi, mais encore les êtres qui me sont les plus chers.

J'ai respiré un bon coup et j'ai commencé à lui raconter :

« Je ne me souviens pas de ce billet ni de comment il est arrivé dans ce livre. Mais je connais très bien ce livre. C'est l'un des premiers que j'ai lus ici, auprès de Yonatan.

– Quand as-tu quitté ton travail au dispensaire ?

– Il y a plus de sept ans. Je me suis enfui, je ne l'ai pas quitté.

– Tu te souviens de la date exacte ?

– Non, pas précisément, mais je pense que c'était en janvier, il y a environ sept ans. »

J'ai compris que cette date l'avait un peu rassuré, parce que, semble-t-il, elle coïncidait avec celle à laquelle il avait abouti, au cours de son enquête.

« Vous devez me croire, je ne sais rien de votre épouse. J'étais alors d'une humeur noire à cause de beaucoup de choses. Je ne savais pas si elle était mariée ou non, et ça ne m'intéressait pas. J'étais à mille lieues de tout ça, vous comprenez ?

– Non. Non, je ne comprends pas, a répondu l'avocat, sans même me dire qu'ils n'étaient pas mariés à cette époque-là.

– Je ne sais vraiment pas ce qu'est ce billet. Je ne m'en souviens pas du tout. Je ne sais pas si elle l'a écrit à mon intention ou s'il est arrivé par hasard dans ce livre. Peut-être a-t-elle voulu me remercier pour cette visite à domicile. Je ne sais vraiment pas. Je sais seulement qu'un jour j'ai laissé une lettre de démission et que je me suis enfui du bureau. Je me suis enfui de tout. Il se peut qu'il ait été placé dans la boîte aux lettres, ou sur la table, et il se peut que je l'aie mis par inadvertance dans mon sac. »

L'avocat a commencé à s'agiter sur son siège, tandis que son regard signifiait qu'il s'obstinait à vouloir entendre toute l'histoire de ma bouche. « Et la fête ? Ou alors, ça aussi, tu ne t'en souviens pas ?

– Je ne sais pas ce que vous voulez savoir exactement et pourquoi. De quelle fête parlez-vous ?

– Je veux tout savoir, Amir, a-t-il rétorqué sur un ton menaçant. Et pourquoi ? Parce que j'ai trouvé une lettre qui, de mon point de vue, est une lettre d'amour, écrite de la main de mon épouse, à l'intérieur d'un ouvrage d'occasion appartenant à un individu du nom de Yonatan. Je veux savoir qui est ce Yonatan et ses rapports avec mon épouse ou avec toi. Où est-il, Amir ? »

Il n'avait pas l'intention de s'en aller avant d'avoir obtenu le fin mot de toute l'histoire. Il resterait planté là jusqu'au bout. Or, désormais, j'avais envie de tout raconter. Je voulais raconter à quelqu'un ce que j'avais subi au cours des dernières années, révéler tous mes mensonges, toutes mes usurpations. Raconter tout, depuis le jour de la fin de mes études universitaires à mon arrivée dans cette maison de la rue du Pionnier. Tout ce que je n'avais pas pu raconter à ma mère, à Noa, à personne au monde. Et il me semblait même qu'il comprendrait.

Je me suis efforcé de retenir les larmes que je sentais jaillir en moi, j'ai avalé une longue bouffée d'air et j'ai commencé par le début :

« Yonatan est mort. Je l'ai enterré, il y a une semaine. »

ÉPILOGUE

L'avocat consulta sa montre et constata qu'il était dix-sept heures trente. Il dévala l'escalier du bureau jusqu'à la rue King George. Aurait-il le temps de passer à la librairie ? Cela faisait quelques semaines qu'il n'y avait pas mis les pieds. L'avocat hésita un moment et, en fin de compte, il décida de ne pas courir le risque et s'engagea dans la direction du parking. Il ne voulait pas se mettre en retard pour le dîner avec ses amis, à la suite duquel s'ouvrirait un débat dont le sujet avait été programmé, comme chaque premier jeudi du mois. Ce soir, lui semblait-il, le dîner devait avoir lieu chez le comptable ou peut-être chez l'avocat spécialiste de droit civil. Il ne parvenait pas à se souvenir. Du sujet de la soirée non plus, bien qu'il sût que l'épouse du gynécologue l'avait annoncé solennellement au cours de leur dernière rencontre. Pas grave, son épouse le savait sûrement. Elle allait bien sûr lui téléphoner pour lui rappeler d'acheter un bon cru de vin rouge et une bonbonnière de chocolats importés pour les enfants de leurs hôtes.

Non que l'avocat manquât de quoi lire. Il n'avait même pas eu le temps de terminer les livres de Yonatan qu'il avait acquis en bloc, presque deux mois auparavant. À dire vrai, il n'avait pas réussi à lire un seul livre depuis lors, hormis *La Sonate à*

Kreutzer. Il avait apprécié cet ouvrage, le qualifiant d'« œuvre prodigieuse » devant Tareq, Samah et ses autres connaissances arabes dont il savait, sans risque de se tromper, qu'ils ne l'avaient pas lu. Sauf qu'aussitôt après avoir achevé la lecture de *La Sonate*, l'avocat était passé à *La Vie mode d'emploi*, ouvrage particulièrement épais, impressionnant, écrit par un auteur français dont l'avocat avait oublié le nom, et, bien qu'il n'ait pas réussi à se concentrer vraiment et à progresser dans l'intrigue, il s'était acharné, chaque nuit, avant de s'endormir, à lire quelques lignes du Français, surtout parce que, à la lecture de la quatrième de couverture, il avait compris que c'était un écrivain si célèbre qu'un astéroïde portait son nom.

L'avocat se promit d'acheter un nouveau livre le jeudi suivant et se hâta vers son véhicule. Il devait avoir le temps d'acheter le vin et les chocolats, revenir chez lui, se doucher et s'habiller pour ce dîner, mais il devait aussi avoir le temps de se rendre à Betsalel. Il voulait voir les travaux de Yonatan.

Pourquoi se rendait-il là-bas ? songea l'avocat, tandis que son véhicule se traînait dans la rue Hillel. Il n'avait certes pas reçu d'invitation officielle à l'exposition, mais Yonatan l'avait évoquée une ou deux fois, au cours des conversations qu'ils avaient eues après leur première rencontre, et l'avocat avait l'impression que Yonatan désirait qu'il s'y rende. Mais d'où lui venait ce besoin de visiter cette exposition ? Ce matin-là, en pénétrant dans l'établissement d'Oved pour avaler son café, il avait entendu le professeur d'art, un des piliers du café, décrire à un ami quelques travaux intéressants qu'il avait regardés lors de l'exposition des travaux de fin d'année de Betsalel et il avait fait l'éloge, entre autres, d'un étudiant du département photo. L'avocat était convaincu que le professeur avait à l'esprit les travaux de Yonatan, ce qui l'emplit de jalousie.

Mais pourquoi le jalousait-il à ce point ? Après tout, l'avocat avait foi en l'histoire de Yonatan. Il l'avait cru quand il avait prétendu ne pas se souvenir des traits de Leïla son épouse et à peine de son nom. Mais la pensée qu'elle ait pu entretenir une liaison avec un homme doué, un artiste, de surcroît talentueux, le gênait tout de même.

En fin de compte, reconnut l'avocat, en allumant une cigarette avec l'allume-cigare de son véhicule, les révélations de Yonatan n'avaient fait qu'améliorer ses relations avec son épouse. Pendant la soirée suivant leur rencontre, rue du Pionnier, et la confession de Yonatan, l'avocat était retourné chez lui, brûlant de désir et d'amour pour son épouse, au point qu'il avait décidé de réintégrer le lit conjugal. « Il faut qu'on oblige les enfants à dormir dans leurs chambres », avait-il déclaré à son épouse, en portant sa fille dans la chambre du bas et en déplaçant le lit de son fils dans sa chambre décorée. Il éprouvait une sensation merveilleuse. L'avocat désirait sa femme, et, malgré les quelques désagréments afférents, il s'était obstiné à s'endormir enlacé avec elle. Quand leur fille avait surgi en pleurs dans leur chambre, au beau milieu de la nuit, l'avocat n'en avait pas démordu : il l'avait ramenée dans son lit. Sauf que, au bout de quelques nuits, l'avocat avait cédé et autorisé leur fille à reprendre sa place dans le lit conjugal et il était redescendu dormir dans son lit, au rez-de-chaussée. Rien à faire, se dit-il, avec tout le respect dû à l'amour, c'est tout de même plus agréable de dormir seul.

Peut-être rencontrerait-il Yonatan ? Que lui dirait-il, à ce moment-là ? Tout en avançant vers l'Académie des beaux-arts, l'avocat essayait de penser à des phrases qui expliqueraient sa présence dans ce lieu. Mais, au fait, pourquoi devrait-il justifier sa présence ? L'exposition n'était-elle pas ouverte au public ? Ils parleraient certainement en hébreu, seulement en hébreu. Il pourrait dire à Yonatan quelque chose du genre : « Je me suis souvenu que tu m'as invité, et j'ai toujours été intéressé par l'art, j'ai donc décidé de faire un saut », ou affirmer qu'il avait entendu parler de l'exposition par un ami proche, un professeur d'histoire de l'art, et s'était donc résolu à ne pas manquer l'événement. Après tout, lui aussi était un amateur d'art, surtout des œuvres d'Egon Schiele. La crainte d'une rencontre avec lui laissa place, tout à coup, au vif désir de le voir. L'avocat voulait se rendre compte de la manière dont Yonatan se conduisait en société, avec ses condisciples, avec des étrangers venus visiter l'exposition ; il voulait observer sa réaction quand il apercevrait l'avocat, voir s'il se montrerait gêné, s'il rougirait en mentant ; voir comment il se comportait exactement, cet Amir. Ses mensonges étaient-ils transparents et combien de temps, au juste, pourrait-il tenir le coup ?

Il pénétra dans Betsalel et s'attarda devant un panneau d'informations sur l'exposition de fin d'année. À l'entrée, le plan orientait les visiteurs vers les départements des arts plastiques, de la communication visuelle, de la céramique, de l'architecture et d'autres expositions qui ne l'intéressaient guère. Il chercha la direction du département photo.

Peu de gens y circulaient, lorsqu'il y parvint. L'avocat tournait la tête chaque fois qu'il entendait des pas, afin de vérifier si c'était Yonatan. Des photos de différents formats étaient accrochées dans les couloirs du département et dans les salles ouvertes. L'avocat s'efforçait d'avancer lentement et de se montrer captivé par les clichés, bien que, en fait, il s'intéressât davantage aux noms des étudiants qui exposaient.

L'avocat cherchait des yeux Yonatan et, entre-temps, traînait devant des paysages, des immeubles décrépis, des individus qui lui jetaient des regards courroucés, dont bon nombre étaient nus. Il y avait aussi des photos floues, lacérées ou brouillées, dans des couleurs criardes. Il pénétrait dans les salles d'exposition et, en l'absence de visiteurs, se contentait d'un coup d'œil sur le nom de l'exposant. S'il y avait d'autres visiteurs, il se contraignait à regarder les photos.

L'avocat dénicha les travaux de Yonatan dans la troisième salle. Il lui suffit d'un regard furtif pour soupirer d'aise et comprendre que ce n'étaient pas ces travaux que le professeur du café avait tant appréciés. Impossible que des clichés démodés comme ceux-là, en noir et blanc, représentent un travail exceptionnel. Lui-même avait déjà vu des photos plus impressionnantes dans le journal auquel il était abonné.

« Pour moi, entendit-il chuchoter une femme mûre accompagnée de son conjoint, les œuvres de ce garçon sont les plus intéressantes.

– Tu as raison, il est vraiment doué, trancha la voix de son accompagnateur. Comment s'appelle-t-il? »

S'il vous plaît, non, non, pria l'avocat, avant d'entendre la voix de la femme énoncer : « Forschmidt. Yonatan Forschmidt. »

L'avocat se retourna vers le mur sur lequel étaient exposés les travaux de Yonatan et examina attentivement les portraits. Il sentait qu'il devait essayer de comprendre ce qui avait tant impressionné ce couple âgé pour qui, à n'en pas douter, les expositions étaient pain quotidien. Il aspira une longue bouffée d'air et commença à scruter les expressions des visages, les rides, les paupières, les sourires tristes, tous ces détails que ce fils de pute de Yonatan avait réussi à capter sur ses clichés. Vraiment impressionnants, se convainquit l'avocat devant les visages géants de gamins, d'adultes, de femmes et d'hommes. L'avocat, qui s'était toujours vanté qu'il lui suffisait d'un bref regard sur les gens pour repérer s'ils étaient arabes ou juifs, avait le plus grand mal à identifier l'origine des sujets immortalisés.

Il consulta sa montre. Il avait encore un peu de temps et il s'attarda devant les photos, tout en formulant les propos élogieux qu'il servirait à Yonatan, si jamais il le croisait. Une douzaine de photos de Yonatan étaient accrochées là, dont dix portraits en gros plan. Soudain, une photo attira l'attention de l'avocat, séparée des autres portraits et exposée au bout de la salle, comme si quelqu'un avait voulu la dissimuler.

Un dos dévoilé, un dos arqué et nu d'une femme assise sur un petit lit d'adolescent. Il approcha lentement de la photo et sentit son pouls s'accélérer à mesure qu'il avançait vers la femme qui lui tournait le dos. Un peu troublé, il se retourna pour vérifier si quelqu'un le suivait. Le cliché, lui aussi en noir et blanc, avait été pris dans un lieu assez obscur, et il devina que Yonatan avait orienté la lumière d'une lampe de chevet sur le dos de la femme dont il ne pouvait pas discerner exactement la carnation, ni la couleur de la chevelure dont seules des mèches bouclées apparaissaient sur le cou ployé vers l'avant.

Il vérifia encore une fois qu'il était seul dans cette salle, puis fit un pas de plus pour se planter, le nez sur la photo. Il examina le point de contact des fesses de la femme avec le lit, fixa la clavicule d'une épaule, les vertèbres du dos et du cou. Tout à coup, l'avocat tendit la main pour palper les hanches de la femme nue. Il pouvait jurer, à cet instant-là, que c'était le dos de Leïla.

Réalisation : PAO Éditions du Seuil
Impression : CPI Firmin-Didot à Mesnil-sur-l'Estrée
Dépôt légal : février 2012. N° 782 (108576)
Imprimé en France